Book 2

Elementary Japanese through Practical Tasks

Nihongo Daijobu!

きょうから話せる！
にほんご
だいじょうぶ

サンアカデミー日本語センター
Sun Academy NIHONGO Center

MP3 CD-ROM

JN271558

The Japan Times

Compiled by: Sun Academy NIHONGO Center
Authors: Sun Academy NIHONGO Center Material Development Team
・Akiko Kajikawa (Planning/Editing/Writing)
・Tomoko Nagasawa / Junko Yoshikawa (Editing/Writing)
・Miki Saito / Momoyo Shigihara / Ryoko Morita / Sakae Tanabe (Assistance)

編者： サンアカデミー日本語センター
著者： サンアカデミー日本語センター 教材開発チーム
・梶川明子（企画・編集・執筆）
・長澤朋子／吉川順子（編集・執筆）
・齊藤美樹／鴫原桃代／森田亮子／田辺栄（協力）

Copyright © 2015 by Sun Academy NIHONGO Center

All rights reserved. No part of this publication may be reproduced, stored in a retrieval system, or transmitted in any form or by any means, electronic, mechanical, photocopying, recording, or otherwise, without the prior written permission of the publisher.

First edition: November 2015

Narrators: Sumiyo Sawada, Jun Kasama, Saki Ueda, Norikazu Shimizu, and Karen Haedrich.
Recordings: TBS Service, Inc.
English translations and copyreading: Umes Corp.
Illustrations: Atsushi Shimazu (Pesco Paint)
Layout, typesetting and cover art: Hirohisa Shimizu (Pesco Paint)
Printing: Tosho Printing Co., Ltd.

Published by The Japan Times, Ltd.
5-4, Shibaura 4-chome, Minato-ku, Tokyo 108-0023, Japan
Phone: 03-3453-2013
Website: http://bookclub.japantimes.co.jp/

ISBN978-4-7890-1618-6

Printed in Japan

はじめに

日本に在住する外国人たちは、日本語のレベルにかかわらず、来日１日目から日本語の海に放り出されます。「日本人の話していることがよくわからない」「自分の考えていることがうまく話せない」など、彼らのストレスは想像以上に大きく、それは日を追うごとに増していきます。

『にほんご だいじょうぶ』は、彼らが１日も早くこうした状況から脱出できるように開発された新しいタイプの初級日本語教科書です。従来の文型積み上げ学習とコミュニケーション中心の学習の双方の利点を取り込んだ、いわば「いいとこ取り」の教科書です。完成には準備段階も含め、10年の年月がかかりました。最も困難だったのは、クラスで行っている活動をどのようにテキスト上に表現するか、また「コミュニケーション積み上げ学習」という本書が提案する新しい学習方法をどうやって講師間で共有していくか、という点でした。試行錯誤の末、今回、本書を形にすることができたことは、多くの方々のおかげです。出版にあたってはジャパンタイムズの関戸千明氏に根気よくおつきあいいただき、大変お世話になりました。

ご協力をいただいた皆様に心より感謝を申し上げるとともに、本書が学習者にとって快適な生活を送る上での一助となり、日本語を教える立場の皆さんが学習者とのコミュニケーションを楽しむチャンスとなることを心より願っています。

2015年10月

サンアカデミー日本語センター 教材開発チーム

もくじ

Task 5 しなくちゃ いけません／しなくても いいです ········ 108
shinakucha ikemasen/shinakutemo ii desu (have to do/don't have to do)

Task 6 ペンさんの ゆううつ Pen-san no yūutsu ········ 109
(Pen-san's gloom)

Final Task つるの おんがえし Tsuru no ongaeshi ········ 111
(The Grateful Crane)

Unit 21 わすれられない 思(おも)い出(で) Wasurerarenai omoide (Unforgettable memories)

Task 1 ひまな とき、スポーツを しますか Himana toki, supōtsu o shimasu ka ········ 119
(Do you play sports when you have time?)

Task 2 *Ta*-form of Verbs ········ 120

Task 3 まじめださんの すごい けいけん Majimeda-san no sugoi keiken ········ 121
(Majimeda-san's incredible experiences)

Task 4 はじめて ビールを 飲(の)みました Hajimete bīru o nomimashita ········ 124
(I drank beer for the first time)

Final Task わすれられない 思(おも)い出(で) Wasurerarenai omoide ········ 127
(Unforgettable memories)

Coffee Break Refusing Persistent Offers ········ 129

Unit 22 どう 思(おも)いますか Dō omoimasu ka (What do you think?)

Task 1 Short Forms of Adjectives and Nouns ········ 134

Task 2 どこだと 思(おも)いますか Doko da to omoimasu ka ········ 135
(Where do you think it is?)

Task 3 日本(にほん)の としでんせつ Nihon no toshi densetsu ········ 136
(Japanese urban legends)

Task 4 Short Forms of Verbs ········ 137

Task 5 せかいの ふしぎ Sekai no fushigi ········ 138
(World mysteries)

Final Task 私(わたし)の いけん Watashi no iken ········ 140
(My opinion)

Coffee Break The World of the 22nd Century ········ 142

Unit 23 もし まほうが つかえたら Moshi mahō ga tsukaetara (If I could use magic)

Task 1 ハートだったら、私(わたし)の かちです Hāto dattara, watashi no kachi desu ········ 148
(If the card is a heart, I win)

Task 2 安(やす)かったら 買(か)います Yasukattara kaimasu ········ 149
(I'll buy it if it is inexpensive)

『にほんご だいじょうぶ』について

新しい言語を学ぶ学習者は、その過程でいくつもの「壁」を乗り越えて進んでいかなければなりません。初級学習者の悩みはさまざまですが、多くの学習者から「ことばや活用がよく覚えられない」「文法は理解したがうまく話せない」「クラスで練習しても実際に日本人と話す自信がない」という声が聞かれます。初級日本語テキスト『にほんご だいじょうぶ』は、こうした問題を克服するために開発した新しいタイプの教科書です。この BOOK 2 では、BOOK 1 で身につけた基礎的な日本語力をベースに、より高度で幅広いコミュニケーション力の獲得を目指します。

1 BOOK 1 から BOOK 2、さらなる進化へ

『にほんご だいじょうぶ BOOK 1』の使命は、**さまざまな日常場面に対応できるコミュニケーション力と、中心となる基礎的な文法知識を獲得すること**でした。「最小限の日本語力で最大限の対応力を引き出すには、どうすべきか」を突き詰めた結果が BOOK 1 だったと言えます。

BOOK 2 では、BOOK 1 で身につけたこうした日本語力をベースに「**さまざまなテーマについて、日本人とのコミュニケーションが楽しめる日本語力**」を構築していきます。新しい言語を学ぶ過程は学習者の中で起きる言わば「進化」です。BOOK 1 を通してコミュニケーション力に自信をつけた学習者は、「日本人と日本語でもっと話してみたい」という意欲をさらに強く持ち始めていることでしょう。BOOK 2 では、この意欲が健やかに育つように学習者を支援していきます。さらなる進化を引き起こす最適なコミュニケーションタスクを積み上げ、これを支えるための厳選された文法ルールを絶妙なタイミングで学ぶことによって、日本人と語り合うことのできる日本語力を追求します。

BOOK 1		BOOK 2
・日常場面に対応できる日本語力 ・基礎的な文法の習得	→	・さまざまなテーマについて日本人と語り合うことのできる日本語力 ・厳選された主要文法の習得

2 『にほんご だいじょうぶ BOOK 2』の構成

BOOK 2 では、より高度なコミュニケーション力の獲得を目指して学習を進めます。

BOOK 2 の概要

- **到達レベル** ① さまざまなテーマについて、一貫性・結束性を持って語ることができる
  ② 実際場面で日本人と楽しくコミュニケーションができる
  ③ 主要な初級文法がしっかり身につく
- **学習語彙数**：約 500 語
- **想定授業時間数**：40 時間

BOOK 2 の構成

BOOK 2 は、本冊、別冊、付属 MP3 CD から成っています。

[本冊] ① **ユニット 13 ～ 24：** 「タスク」を通して日本語を学ぶ

② **その他：** (1) Scripts（CD スクリプト）

(2) Answers（タスクの解答）

(3) Index（単語さくいん）

[別冊] 文法と漢字の定着を目指した、ユニットごとの練習シート集。
宿題としても使える（切り取り可能）

① **セルフチェック**（Self-check）： 文法知識を整理するための練習。
普通体（casual speech styles）に慣れるためのリスニング問題を含む。

② **漢字ドリル**（Kanji Drills）： 漢字の導入と読み方の練習問題。

[付属 MP3 CD] 🔊 マークが表示されているタスクの音声を収録。

＊ユニット 13 ～ 24 の表現や会話の音声、および別冊セルフチェックのリスニング問題用音声。

＊MP3 形式のデジタル音声ファイルです。コンピュータやデジタルオーディオ機器で再生してください。CD プレーヤーでは再生できません。

3 『にほんご だいじょうぶ』の考え方 ～実際場面で話せるようになるために～

● 本物のコミュニケーション活動

『にほんご だいじょうぶ』では、機械的な単純ドリルは行いません。あくまでコミュニケーションに注目して活動を行います。たとえば、BOOK 2 では、ゲームやなぞなぞをしたり、意見を述べたり、夢や思い出を語ったりして、考えていることを伝え合います。『にほんご だいじょうぶ』では、こうしたコミュニケーション活動を「タスク」と呼び、すべてこの「タスク」を通じて学習を進めていきます。

● コミュニケーション積み上げ型学習

各ユニットのタスクは、「具体的／現場型」のコミュニケーションから「抽象的／言語依存型」のコミュニケーションへと、認知的に難しくなるように配列されています。その結果、学習を進めるうちに、短くシンプルな日本語から、長く複雑な日本語へと、無理なくコミュニケーションを積み上げていくことができます。

学習が進むにつれ、さまざまなテーマについて語ることができるようになり、実際場面で楽しく自信を持ってコミュニケーションができるようになります。

● タスクの流れと満足感を重視

各ユニットは、導入のタスクから最終タスクまで、学習者の意識が終始一貫するように工夫してあります。タスクの流れが学習者の自然な意識の流れに即していることで、学習者は各ユニットの活動全体をひとつのエピソードとして体験することができ、その結果、学習した内容がしっかり身につきます。

また、ひとつひとつのタスクがコミュニケーションとして完結しているので、学習者は各タスクが終わるたびに「コミュニケーションができた」という満足感を得ることができます。

タスク（日本語を使いながら何かをするコミュニケーション活動）の配列

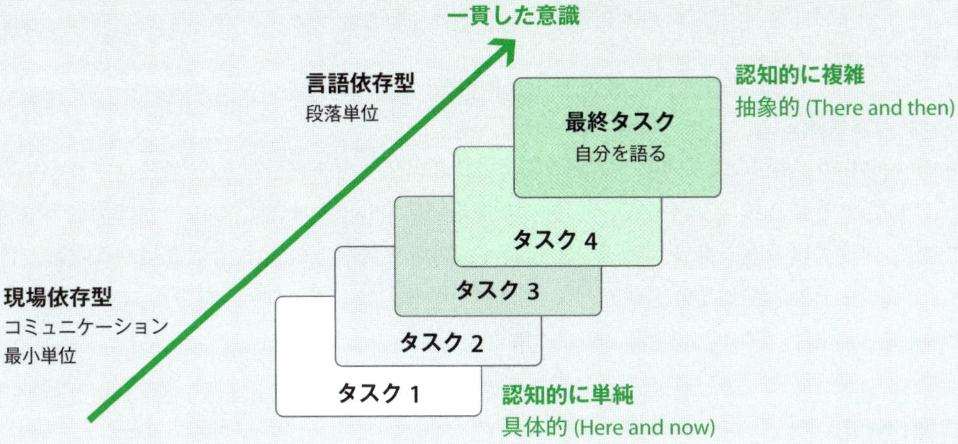

4 『にほんご だいじょうぶ BOOK 2』の主なタスク

● タスクの基本的な流れ

多くのタスクで、以下のステップを踏んで、コミュニケーションを行う力を引き出します。

Step 1 **Tryout**
学習者は教師のリードで、いきなり実際場面に限りなく近い状況を体験します。この体験を通して、日本語の意味を類推する力と、コミュニケーションへの自信を身につけます。

↓

Step 2 **Review**
前のタスクの体験を振り返ります。自分がどんな日本語を使ってコミュニケーションを成功させたのか、分析的に確認します。

↓

Step 3

Shadowing
教科書の該当部分を見ながら、CD の音声に合わせて同時に発話します。この練習を通して、自然な速さとリズム・イントネーションを身につけます。

CD Simulation
CD を相手に会話します。CD のせりふに続いて「ピー」と音が聞こえたら、ポーズの間に学習者がせりふを言います。この練習を通して、タイミングよく対応する日本語力を養います。

Wrap-up
前のタスクで体験したことを説明します。この練習を通して、説明力を養い、正確な文法力を身につけます。

● 文法ルールを学ぶタイミング

どのタスクにおいても、最も重要なことはコミュニケーションを楽しむことです。しかし、あるところまでタスクが進むと、「この活用はどうなっているのだろう？」「この文はどういうふうにできているのだろう？」と学習者の意識が活用や文の形に向く瞬間があります。『にほんご だいじょうぶ BOOK 2』では、そのタイミングに合わせて、活用や文の構造を分析的に学ぶためのタスクを設けています。タイミングよく文法ルールを理解したら、より複雑なタスクへとコミュニケーションをさらに積み上げ、学習を進めていきます。

● 新しい形の発音練習

Rhythm/Intonation：BOOK 1 同様、日本語らしいリズム・イントネーションで発音するための練習です。CD に合わせて 2 拍のリズムで、フレーズや文を意味のまとまりごとに一息で発音します。この練習には、何度も繰り返し発音することによって、活用や文をそのまま覚えるという隠れた目的があります。発音練習は、ただ繰り返すだけでは単純でつまらないものですが、「リズムに合わせてきれいに言えるようにしよう」と思えば、楽しく取り組むことができます。

5 別冊について

BOOK 2 の別冊は、文法と漢字を定着させるための練習シート集です。文法練習、漢字練習それぞれに各ユニット 1 枚のシートがあります。切り取り可能なので、宿題としても使えます。

(1) セルフチェック（Self-check）

文法知識の整理およびリスニング力強化のための練習です。リスニング問題は、早くから日常の話しことばに慣れるように、ユニット 13 から普通体（casual speech style）の会話を聞き取ります。

(2) 漢字ドリル（Kanji Drills）

日本語能力試験 N5 相当レベルの漢字を学習するための練習です。数や曜日などの基本的な漢字 21 字と、各ユニットでよく使う漢字を 1 ユニット 6 字ずつ、全部で 93 字の漢字を学習します。

About *Nihongo Daijobu!*

Anyone taking on a new language needs to overcome a number of barriers in order to progress toward mastery. Of the many different challenges that face beginning learners, some of the most common are difficulty in memorizing words and conjugations, trouble with speaking the language despite having a decent understanding of grammar, and inability to converse confidently with Japanese people regardless of repeated practice in the classroom. *Nihongo Daijobu!* is a novel learning resource for beginning students of Japanese that is specifically designed to help them to break through such barriers. This book, the second volume of *Nihongo Daijobu!*, enables learners to further build the basic Japanese skills acquired from Book 1 so that they can communicate at a higher level and across a broader array of contexts.

1 From Book 1 to Book 2: A Further Evolution

The main aim of Book 1 was to help learners **to build communication skills that can be applied to various everyday situations and to acquire a basic knowledge of the core grammar**. In essence, Book 1 was about "making the most out of the least."

Book 2 is intended to refine and expand Book 1 skills into **the power to enjoyably communicate with Japanese speakers across a wide range of topics**. Language learning is a process of evolution. Learners who have completed Book 1 should gain the confidence to communicate in Japanese and the desire to converse in greater depth with Japanese speakers. Book 2 strongly supports learners to soundly nurture this motivation, particularly through communication tasks optimally designed for achieving further evolution, and through rigorously selected grammar rules that underpin those tasks and are studied at just the right time. By completing the communication tasks and mastering the grammar rules, Book 2 users will gain the competencies needed to have rewarding experiences communicating with Japanese speakers.

Book 1		Book 2
• Communication skills applicable to everyday situations • Mastery of basic grammar	→	• Power to converse on a wide range of topics • Mastery of carefully selected key grammar rules

2 Composition of Book 2

Book 2 helps you to acquire advanced Japanese communication skills.

Book 2 Goals

- **Achievement targets**
  (1) You can coherently discuss a diverse array of topics in Japanese
  (2) You can enjoyably communicate in real-world situations
  (3) You have mastered key elementary grammar rules
- **Target vocabulary:** Approx. 500 words
- **Expected classroom study time:** 40 hours

Book 2 Materials

The Book 2 set consists of the main text, a supplementary text, and an MP3 CD.

Main text
(1) **Units 13-24:** Task-based study of Japanese
(2) **Other features:**
1. Scripts of the audio material included in the accompanying CD
2. Answer keys for Tasks
3. Index of Vocabulary expressions

Supplement
Practice sheets for each unit to aid retention of grammar and kanji studied; can be used as homework (detachable)
(1) **Self-check:** Exercises for consolidating understanding of grammar; includes listening exercises for acclimatizing learners to casual speech styles
(2) **Kanji Drills:** Exercises that introduce new kanji and provide practice in reading kanji.

MP3 CD
Contains audio recordings of tasks marked with 🔊 in the book.
- The recordings include audio material from the expressions and dialogues in Units 13–24 and the supplementary text's Self-check listening exercises.
- The audio files are formatted in MP3, so they need to be played on a computer or a digital audio player. They cannot be played on a CD player.

3 The *Nihongo Daijobu!* Approach

Focus on becoming able to communicate in real-world settings

● Real communication activities

Instead of having you do plain rote drills, *Nihongo Daijobu!* is founded solely on communication-focused activities. For example, in Book 2 thoughts are expressed though activities such as games, riddle solving, expression of opinions, and description of aspirations and memories. These functional communication activities are referred to as tasks, and all learning in *Nihongo Daijobu!* is based on performance of these tasks.

● Step-by-step enhancement of communication skills

The tasks in each unit are arranged so that they become more cognitively difficult as the lesson progresses, moving from concrete, context-supported communication to abstract, language-dependent communication. This structure allows you to easily build up your Japanese communication skills step by step as you work your way up from short, simple expressions to long, complex sentences.

As you progress in your studies, you will increasingly become able to talk about diverse topics, and thus will become better equipped to confidently and enjoyably communicate in the real world.

● Emphasis on natural flow and gaining satisfaction

From the start to finish of each unit, all tasks are designed to support intuitive learning. They follow your natural flow of thought so that you can experience each unit as a single, coherent episode, and thus more firmly retain the new skills acquired.

Also, each task forms a complete act of communication, allowing you to feel the satisfaction of having really communicated every time you finish a task.

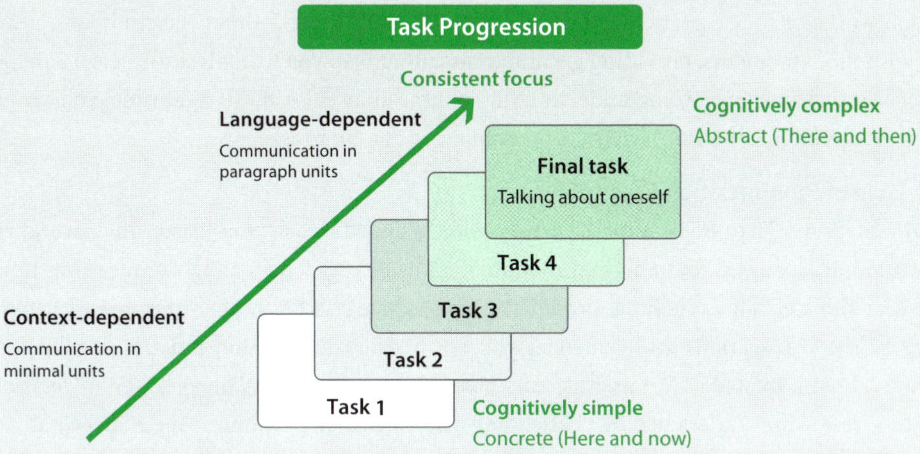

4 Core Tasks in Book 2

● Basic Task Flow

Most tasks proceed through the steps described below to build up your communication skills.

Step 1	**Tryout**	Led by your instructor, you are suddenly immersed in a situation that very closely mimics an aspect of everyday life. This task enhances your ability to deduce the meaning of unfamiliar Japanese expressions and builds your confidence in communicating.
Step 2	**Review**	Next, you take a look back at the task and analyze the Japanese expressions that enabled you to communicate successfully.
Step 3	**Shadowing**	While looking at the relevant text in the book, you try to repeat the audio material as soon as you hear it. This exercise helps you to master the natural speed, rhythm, and intonation of spoken Japanese.
	CD Simulation	You engage in dialogue, using the CD as your partner. You speak your lines during the pause following the beep that sounds at the end of some of the partner's lines spoken in the recording. This will help you become able to converse with the right timing.
	Wrap-up	You describe your experience in the task, with the aim of cultivating your ability to communicate persuasively and use grammar accurately.

● Timing of Grammar Rule Study

The most important thing in every task is to have fun communicating. As you progress through tasks, however, you come to a point where you start to wonder about points of grammar, such as how a certain conjugation works or how a particular sentence is structured. Book 2 times the study of grammar to coincide with those moments, providing grammar tasks that help you to analytically learn conjugations and sentence structures. By gaining understanding of grammar rules at the right time, you can further build up your communication skills to take on even more complex tasks.

● A New Style of Pronunciation Practice

Rhythm/Intonation : As in Book 1, these exercises are designed to help you master the natural rhythm and intonation of Japanese. You practice pronouncing phrases/sentences as sets of meaningful chunks in a two-beat rhythm. This repetitive pronunciation practice has the hidden purpose of helping you to memorize the conjugations and sentences you vocalize. Pronunciation practice can be a dreary, monotonous chore if treated as just another rote memorization task, so *Nihongo Daijobu!* lets you turn it into a fun, rewarding experience by challenging you to clearly pronounce the material at a steady rhythm.

5 Supplementary Text

The supplementary text of Book 2 contains practice sheets that aid your retention of the grammar and kanji studied. A Self-check sheet and a Kanji Drills sheet are provided for each unit. Since the sheets are detachable, they can be assigned as homework.

(1) Self-check

The Self-check exercises are designed to consolidate understanding of grammar and strengthen listening comprehension skills. To help you become accustomed to everyday speech patterns at an early stage, the listening drills include conversations in casual speech styles from Unit 13 onward.

(2) Kanji Drills

These drills are for learning kanji covered by Level N5 of the Japanese Language Proficiency Test. All together 93 characters are studied, consisting of 21 basic kanji for numbers and days of the week, plus 6 kanji from each unit that are frequently used in the lesson.

Unit 13
大好きです

Daisuki desu (Likes and Dislikes)

- Talking about likes and dislikes
- Having a small talk about your strong points
- Three verb groups and dictionary form of verbs

Daisuki desu.
Suki desu.
Māmā desu.
Amari suki ja nai desu.
Suki ja nai desu.
Dame desu.

Key Sentences 13-1

1 Q: どんな　えいがが　好きですか。
Don'na　eiga ga　suki desu ka.
Q: What kind of movies do you like?

A: SF えいがが　好きです。
Esuefu eiga ga　suki desu.
A: I like science fiction movies.

2 Q: どんな　スポーツが　好きですか。
Don'na　supōtsu ga　suki desu ka.
Q: What kind of sports do you like?

A: サッカーが　好きです。
Sakkā ga　suki desu.
A: I like soccer.

でも、上手じゃないです。好きなだけです。
Demo,　jōzu ja nai desu.　Sukina dake desu.
But I'm not good at it. I just like it.

3 ・サッカーを　見るのが　好きです。
Sakkā o　miru no ga　suki desu.
・I like watching soccer.

・サッカーを　するのは　好きじゃないです。
Sakkā o　suru no wa　suki ja nai desu.
・I don't like playing soccer.

4 私の　いい　ところは　まじめな　ところです。
Watashi no ii　tokoro wa　majimena　tokoro desu.
My strong point is that I'm serious.

そして、けっこう　あたまが　いいです…たぶん。
Soshite,　kekkō　atama ga　ii desu…　tabun.
And I'm quite smart . . . maybe.

Task 1 カラオケが 大好きです *Karaoke ga daisuki desu* (I love karaoke)

Look at the pictures below and say how much you like or dislike the thing shown.

Ex. 13-2

- カラオケが 大好きです。 (I love karaoke.)
  Karaoke ga daisuki desu.

  好きです。 (I like karaoke.)
  suki desu.

- カラオケは まあまあです。 (I like karaoke so-so.)
  Karaoke wa māmā desu.

  あまり 好きじゃないです。 (I don't like karaoke very much.)
  amari suki ja nai desu.

  好きじゃないです。 (I don't like karaoke.)
  suki ja nai desu.

  だめです。 (I can't stand karaoke.)
  dame desu.

Ex. カラオケ
karaoke

(1) うみ
umi

(2) 山
yama

(3) りょこう
ryokō

(4) おさけ
o-sake

(5) おんせん
onsen

(6) そうじ
sōji

(7) 日本語の べんきょう
Nihon-go no benkyō

(8) 買いもの
kaimono

Task 2 どんな えいがが 好(す)きですか *Don'na eiga ga suki desu ka* (What kind of movies do you like?)

1 How much do you like or dislike each movie genre? Mark your answers with a O.

	大好(だいす)き *daisuki*	好き *suki*	まあまあ *māmā*	あまり好き じゃない *amari suki ja nai*	好き じゃない *suki ja nai*	だめ *dame*
(1) アクション *akushon* (action)						
(2) コメディー *komedī* (comedy)						
(3) ホラー *horā* (horror)						
(4) SF *esuefu* (science fiction)						
(5) アニメ *anime* (animation)						
(6) ラブストーリー *rabu sutōrī* (love story)						

2 Ask your partner and mark his/her answers with a O.

Ex. 13-3

A: どんな　えいがが　好きですか。 *Don'na eiga ga suki desu ka.*
B: アクションえいがが　好きです。 *Akushon eiga ga suki desu.*
A: ラブストーリーは　どうですか。 *Rabu sutōrī wa dō desu ka.*
B: あまり　好きじゃないです。 *Amari suki ja nai desu.*
A: コメディーは？ *Komedī wa?*
(*Continue the conversation.*)

＿＿＿＿さん *san*	大好(だいす)き	好き	まあまあ	あまり好き じゃない	好きじゃ ない	だめ
(1) アクション *akushon* (action)						
(2) コメディー *komedī* (comedy)						
(3) ホラー *horā* (horror)						
(4) SF *esuefu* (science fiction)						
(5) アニメ *anime* (animation)						
(6) ラブストーリー *rabu sutōrī* (love story)						

3 Tell the class the biggest difference between you and your partner.

Ex. 私(わたし)は　ホラーが　大好きです。　でも、ペンさんは　ホラーは　だめです。
Watashi wa horā ga daisuki desu. Demo, Pen-san wa horā wa dame desu.

Task 3 上手(じょうず)じゃないです。好(す)きなだけです

Jōzu ja nai desu. Sukina dake desu.
(I'm not good at it. I just like it.)

Ask your partner.

Ex. 13-4

Q: どんな　スポーツが　好(す)きですか。
Don'na　supōtsu ga　suki desu ka.

A1: サッカーが　好きです。　でも、上手(じょうず)じゃないです。　好きなだけです。
Sakkā ga　suki desu.　Demo,　jōzu ja nai desu.　Sukina dake desu.

A2: サッカーが　好きです。　けっこう　上手です……たぶん。
Sakkā ga　suki desu.　Kekkō　jōzu desu . . .　tabun.

Sports

やきゅう	*yakyū*	baseball	スキー	*sukī*	skiing
バスケットボール	*basukettobōru*	basketball	スノーボード	*sunōbōdo*	snowboarding
バレーボール	*barēbōru*	volleyball	アイスホッケー	*aisuhokkē*	ice hokey
ラグビー	*ragubī*	rugby	サイクリング	*saikuringu*	cycling
アメフト	*amefuto*	American football	サーフィン	*sāfin*	surfing
ゴルフ	*gorufu*	golf	ダイビング	*daibingu*	diving
テニス	*tenisu*	tennis	じゅうどう	*jūdō*	judo
ピンポン	*pinpon*	table tennis	すもう	*sumō*	sumo
すいえい	*suiei*	swimming	ボクシング	*bokushingu*	boxing

Words for Tasks 4 and 5　13-5

Ex. (a) およぎます *oyogimasu*　(1) (　) あげます *agemasu*　(2) (　) あそびます *asobimasu*

(3) (　) まちます *machimasu*　(4) (　) もらいます *moraimasu*　(5) (　) 話(はな)します *hanashimasu*

Task 4 Dictionary Form of Verbs

Study how to make the dictionary form of verbs.

Group 1

Masu-form	Dictionary form	*Masu*-form	Dictionary form
あ い ます a i masu	(あ う) a u	け し ます ke shi masu	( )
か い ます ka i masu	( )	はな し ます hana shi masu	( )
もら い ます mora i masu	( )	ま ち ます ma chi masu	( )
い き ます i ki masu	( )	あそ び ます aso bi masu	( )
か き ます ka ki masu	( )	の み ます no mi masu	( )
き き ます ki ki masu	( )	よ み ます yo mi masu	( )
およ ぎ ます oyo gi masu	( )	かえ り ます kae ri masu	( )
		と り ます to ri masu	( )

あ *a*	か *ka*	さ *sa*	た *ta*	ば *ba*	ま *ma*	ら *ra*
い *i*	き *ki*	し *shi*	ち *chi*	び *bi*	み *mi*	り *ri*
う *u*	( )	( )	( )	( )	( )	( )
え *e*	け *ke*	せ *se*	て *te*	べ *be*	め *me*	れ *re*
お *o*	こ *ko*	そ *so*	と *to*	ぼ *bo*	も *mo*	ろ *ro*

Group 2

Masu-form	Dictionary form	*Masu*-form	Dictionary form
たべ ます tabe masu	(たべ る) tabe ru	みせ ます mise masu (show)	( )
ね ます ne masu	( )	おしえ ます oshie masu (teach)	( )
つけ ます tsuke masu	( )	み ます mi masu	( )
あげ ます age masu	( )	い ます i masu	( )
あけ ます ake masu (open)	( )	おき ます oki masu	( )
しめ ます shime masu (close)	( )	シャワーを あび ます shawā o abi masu	( )
いれ ます ire masu (put in)	( )		

Group 3 (*Suru/Kuru* Verbs)

Masu-form	Dictionary form	*Masu*-form	Dictionary form
きます kimasu	(くる) kuru	します shimasu	(する) suru

Task 5 サッカーを するのが 好(す)きです *Sakkā o suru no ga suki desu* (I like playing soccer)

Words for the Task 13-6

Match the words and pictures.

Ex. (a) サッカーを する *sakkā o suru*

(1) (   ) サッカーを 見(み)る *sakkā o miru*

(2) (   ) えを 見る *e o miru*

(3) (   ) ねる *neru*

(4) (   ) 食(た)べる *taberu*

(5) (   ) ビールを 飲(の)む *bīru o nomu*

(6) (   ) 本(ほん)を 読(よ)む *hon o yomu*

(7) (   ) こいびとを まつ *koibito o matsu*

(8) (   ) えを かく *e o kaku*

(9) (   ) おんがくを 聞(き)く *ongaku o kiku*

(10) (   ) およぐ *oyogu*

(11) (   ) はなを もらう *hana o morau*

(12) (   ) 日本人(にほんじん)と 話(はな)す *Nihon-jin to hanasu*

(13) (   ) はなを あげる *hana o ageru*

(14) (   ) 子(こ)どもと あそぶ *kodomo to asobu*

a. サッカー *sakkā*

b. サッカー *sakkā*

c. え *e*

d. え *e*

e.

f. おんがく *ongaku*

g.

h.

i.

j.

k.

l. こいびと *koibito*

m.

n. 日本人 *Nihon-jin*

o. 子ども *kodomo*

1 Checklist of Favorite Activities

A How much do you like the things on the list? Choose from a-f below. 13-7

a. 大好(だいす)き *daisuki*	b. 好き *suki*	c. まあまあ *māmā*
d. あまり 好きじゃない *amari suki ja nai*	e. 好きじゃない *suki ja nai*	f. だめ *dame*

Activities	A You	B Partner
(1) サッカーを する *sakkā o suru*		
(2) サッカーを 見(み)る *sakkā o miru*		
(3) 日本人(にほんじん)と 話(はな)す *Nihon-jin to hanasu*		
(4) うみで およぐ *umi de oyogu*		
(5) ねる *neru*		
(6) おいしい りょうりを 食(た)べる *oishii ryōri o taberu*		
(7) 友(とも)だちと いっしょに ビールを 飲(の)む *tomodachi to isshoni bīru o nomu*		
(8) 本(ほん)を 読(よ)む *hon o yomu*		
(9) カフェで こいびとを まつ *kafe de koibito o matsu*		
(10) 一人(ひとり)で おんがくを 聞(き)く *hitoride ongaku o kiku*		
(11) はなを もらう *hana o morau*		
(12) はなを あげる *hana o ageru*		
(13) 子(こ)どもと あそぶ *kodomo to asobu*		

B Ask your partner (1)-(13) and mark his/her answers.

Ex. 13-8

Q: サッカーを するのが 好きですか。 *Sakkā o suru no ga suki desu ka.*

A: 大好きです。 *Daisuki desu.*

2 Tell the class the biggest difference between you and your partner.

Ex. ペンさんは 子どもと あそぶのが 大好きです。
Pen-san wa kodomo to asobu no ga daisuki desu.

でも、私(わたし)は 子どもと あそぶのは 好きじゃないです。
Demo, watashi wa kodomo to asobu no wa suki ja nai desu.

3 Rhythm/Intonation Listen and repeat. 13-9

(1)	食(た)べるのが *Taberu no ga*	好(す)きです。 *suki desu.*	飲(の)むのが *Nomu no ga*	好きです。 *suki desu.*	大好(だいす)き *Daisuki*	です。 *desu.*
(2)	およぐのが *Oyogu no ga*	好きです。 *suki desu.*	話(はな)すのが *Hanasu no ga*	好きです。 *suki desu.*	大好き *Daisuki*	です。 *desu.*
(3)	あそぶのが *Asobu no ga*	好きです。 *suki desu.*	読(よ)むのが *Yomu no ga*	好きです。 *suki desu.*	大好き *Daisuki*	です。 *desu.*

Task 6 ペンさんは あまり まじめじゃないです

Pen-san wa amari majime ja nai desu
(Pen-san is not very serious)

1 Personality Checklist

A How much do you think each trait on the list describes you? Choose from a-f below. 13-10

a.	b.	c.	d.	e.	f.
とても *totemo*	けっこう *kekkō*	あまり *amari*	ぜんぜん *zenzen*	いつも *itsumo*	ときどき *tokidoki*

Personality Trait	A You	B Partner
(1) まじめ（な） *majime(na)* (serious)		
(2) しんせつ（な） *shinsetsu(na)* (kind)		
(3) あかるい *akarui* (cheerful)		
(4) おもしろい *omoshiroi* (humorous)		
(5) フレンドリー（な） *furendorī(na)* (friendly)		
(6) れいせい（な） *reisei(na)* (calm)		
(7) あたまが いい *atama ga ii* (smart)		
(8) きびしい *kibishii* (strict)		
(9) しずか（な） *shizuka(na)* (quiet)		
(10) なまけもの（の） *namakemono (no)* (lazy)		

B Ask your partner (1)-(10) and mark his/her answers.

Ex. 13-11

A: 私(わたし)は　あまり　まじめじゃないです。 B さんは？
Watashi wa amari　majime ja nai desu.　B-san wa?

B: そうですね……。 私は　けっこう　まじめです。
Sō desu ne . . .　Watashi wa kekkō　majime desu.

2 Tell the class your strong point, using *tabun*.

Ex. 私(わたし)の いい ところは けっこう まじめな ところです。
Watashi no ii tokoro wa kekkō majimena tokoro desu.
そして、あたまが いいです……たぶん。
Soshite, atama ga ii desu . . . tabun.

Final Task 私(わたし)の いい ところは… *Watashi no ii tokoro wa . . .* (My strong point is . . .)

1 Listen to the CD and complete the presentations.

(1) ペンさん *Pen-san* 13-12

私(わたし)は ① ＿＿＿＿＿＿ が 大好(だいす)きです。② ＿＿＿＿＿＿ は だめです。
Watashi wa ga daisuki desu. wa dame desu.

えいがは ③ ＿＿＿＿＿＿ が 好きです。
Eiga wa ga suki desu.

スポーツは ④ ＿＿＿＿＿＿ が 好きです。⑤ ＿＿＿＿＿＿ のが 大好きです。
Supōtsu wa ga suki desu. no ga daisuki desu.

よく うちの ちかくの ⑥ ＿＿＿＿＿＿ に 行(い)きます。
Yoku uchi no chikaku no ni ikimasu.

私の いい ところは いつも ⑦ ＿＿＿＿＿＿ ところです。
Watashi no ii tokoro wa itsumo tokoro desu.

そして、けっこう ハンサムです……たぶん。
Soshite, kekkō hansamu desu . . . tabun.

(2) 森(もり)さん *Mori-san* 13-13

私は ① ＿＿＿＿＿＿ が 大好きです。② ＿＿＿＿＿＿ は だめです。
Watashi wa ga daisuki desu. wa dame desu.

えいがは ③ ＿＿＿＿＿＿ が 大好きです。
Eiga wa ga daisuki desu.

スポーツは ④ ＿＿＿＿＿＿ が 好きです。
Supōtsu wa ga suki desu.

日曜日(にちようび)、友(とも)だちと よく ⑤ ＿＿＿＿＿＿ を します。
Nichi-yōbi, tomodachi to yoku o shimasu.

子(こ)どもと ⑥ ＿＿＿＿＿＿ のが 大好きです。
Kodomo to no ga daisuki desu.

私の いい ところは ⑦ ＿＿＿＿＿＿＿＿ ところです。
Watashi no ii tokoro wa tokoro desu.

そして、あたまが いいです……たぶん。
Soshite, atama ga ii desu . . . tabun.

(3) まじめださん *Majimeda-san* 13-14

私（わたし）は ① ＿＿＿＿＿＿ が 大好（だいす）きです。
Watashi wa … *ga daisuki desu.*

おさけは ② ＿＿＿＿＿ です。 たばこも ③ ＿＿＿＿＿ です。
O-sake wa … *desu. Tabako mo* … *desu.*

えいがは ④ ＿＿＿＿＿＿＿＿ が 好きです。
Eiga wa … *ga suki desu.*

スポーツは ⑤ ＿＿＿＿＿＿＿＿ が 好きです。
Supōtsu wa … *ga suki desu.*

えを ⑥ ＿＿＿＿＿＿ のが 好きです。 日曜日（にちようび）、よく うちで えを かきます。
E o … *no ga suki desu. Nichi-yōbi, yoku uchi de e o kakimasu.*

私の いい ところは ⑦ ＿＿＿＿＿＿＿ ところです。
Watashi no ii tokoro wa … *tokoro desu.*

そして、いつも しんせつです……たぶん。
Soshite, itsumo shinsetsu desu . . . tabun.

2 Make your own presentation and give it to the class.

私は ＿＿＿＿＿＿＿＿ が 大好きです。 ＿＿＿＿＿＿＿＿ は だめです。
Watashi wa … *ga daisuki desu.* … *wa dame desu.*

えいがは ＿＿＿＿＿＿＿＿＿＿＿＿ が 好きです。
Eiga wa … *ga suki desu.*

スポーツは ＿＿＿＿＿＿＿＿＿＿＿＿ が 好きです。
Supōtsu wa … *ga suki desu.*

＿＿＿＿＿＿＿＿＿＿＿＿ のが 大好きです。
… *no ga daisuki desu.*

よく ＿＿＿＿＿＿＿＿＿＿＿＿＿＿＿＿ ます。
Yoku … *masu.*

私の いい ところは いつも ＿＿＿＿＿＿＿＿＿＿＿＿＿ ところです。
Watashi no ii tokoro wa itsumo … *tokoro desu.*

そして、＿＿＿＿＿＿＿＿＿＿＿＿＿＿＿＿＿＿＿＿ です……たぶん。
Soshite, … *desu . . . tabun.*

Grammar

1. Three verb groups

Japanese verbs can be divided into the following three groups;

Group 1: Verbs with "*i*" before *masu* such as *ikimasu*, *kikimasu*, and *nomimasu*.
Group 2: Verbs with "*e*" before *masu* such as *tabemasu*, *agemasu*, and *nemasu*.
Group 3 (*suru/kuru* verbs)**:** *Kimasu* and *shimasu* fall into this third special group.

There are some exceptions: Verbs such as *mimasu*, *okimasu* (get up), *imasu* and *shawā o abimasu* from Book 1, and *kimasu* (wear), *dekimasu* (can do) and *ochimasu* (fall) from Book 2, are -*imasu* verbs but belong to Group 2.

2. Dictionary form of verbs

The basic form of a verb is called the "dictionary form," because it is the form with which verbs are listed in dictionaries. The following chart shows how to make the dictionary form.

Group 1		Group 2		Group 3 (*Suru/Kuru*)	
ai masu	*au*	*tabe masu*	*taberu*	*shimasu*	*suru*
kiki masu	*kiku*	*tsuke masu*	*tsukeru*	*kimasu*	*kuru*
keshi masu →	*kesu*	*ne masu* →	*neru*		
yomi masu	*yomu*	*age masu*	*ageru*		
kaeri masu	*kaeru*	*mi masu*	*miru*		

3. 好(す)きです／上手(じょうず)です (*suki desu/jōzu desu*)

Suki desu means "to be fond of; to like" and *jōzu desu* means "to be good at." In affirmative *suki desu/jōzu desu* sentences, the object is marked with the particle *ga*. When the *suki desu/jōzu desu* sentences are in the negative, the object tends to be marked with *wa* rather than *ga*.

ペンさんは *Pen-san wa*	じゅうどうが *jūdō ga*	好(す)きです。 *suki desu.*	Pen-san likes judo.
	すいえいが *suiei ga*	上手(じょうず)です。 *jōzu desu.*	Pen-san is good at swimming.
	カラオケは *karaoke wa*	好きじゃないです。 *suki ja nai desu.*	Pen-san does not like karaoke.
	サッカーは *sakkā wa*	上手じゃないです。 *jōzu ja nai desu.*	Pen-san is not good at soccer.

4. Dictionary form of verbs ＋のが 好きです (*no ga suki desu*)

When expressing your preference for activities, use ~ *no ga suki desu* as below.

ペンさんは *Pen-san wa*	えいがを *eiga o*	見(み)るのが *miru no ga*	好きです。 *suki desu.*	Pen-san likes watching movies.
	えを *e o*	かくのは *kaku no wa*	好きじゃないです。 *suki ja nai desu.*	Pen-san doesn't like drawing.

Adding *no* directly after a verb in the dictionary form changes the verb phrase into a noun phrase.

5. 私(わたし)は あたまが いいです…たぶん *(Watashi wa atama ga ii desu . . . tabun)*

When describing your strong points, you should try to be a little modest. Adding *tabun* (maybe) is a good way to achieve this.

(私(わたし)は) 日本語(にほんご)が 上手(じょうず)です……たぶん。 *(Watashi wa) Nihon-go ga jōzu desu . . . tabun.*	I'm good at Japanese . . . maybe.
(私は) しんせつです……たぶん。 *(Watashi wa) shinsetsu desu . . . tabun.*	I'm kind . . . maybe.

Vocabulary

Verbs

W	およぐ	*oyogu*	[1] swim
	あそぶ	*asobu*	[1] play
	まつ	*matsu*	[1] wait
	もらう	*morau*	[1] get; receive
	話(はな)す	*hanasu*	[1] speak
	あげる	*ageru*	[2] give

Nouns

T1	りょこう	*ryokō*	travel; trip [-*suru*]
	おんせん	*onsen*	hot spring
T2	アクション	*akushon*	action
	コメディー	*komedī*	comedy
	ホラー	*horā*	horror
	ＳＦ	*esuefu*	science fiction
	アニメ	*anime*	animation
	ラブストーリー	*rabu sutōrī*	love story
T3	スポーツ	*supōtsu*	sport
	サッカー	*sakkā*	soccer
T5	え	*e*	painting; drawing; picture
	こいびと	*koibito*	lover
	子(こ)ども	*kodomo*	child
	りょうり	*ryōri*	food; dishes; cooking [-*suru*]
	カフェ	*kafe*	café
T6	なまけもの	*namakemono*	lazy; idle person
	ところ	*tokoro*	point
FT	すもう	*sumō*	sumo
	プール	*pūru*	swimming pool
	ピンポン	*pinpon*	table tennis

Adjectives

T1	大好(だいす)き(な)	*daisuki(na)*	love
	好(す)き(な)	*suki(na)*	like
	まあまあ(な)	*māmā(na)*	fairly; so-so
	だめ(な)	*dame(na)*	cannot stand; no way
T3	上手(じょうず)(な)	*jōzu(na)*	be good at; skillful
T6	あかるい	*akarui*	cheerful
	おもしろい	*omoshiroi*	humorous; funny
	あたまが いい	*atama ga ii*	smart; clever
	きびしい	*kibishii*	strict
	まじめ(な)	*majime(na)*	serious; earnest
	しんせつ(な)	*shinsetsu(na)*	kind; helpful
	フレンドリー(な)	*furendorī(na)*	friendly
	れいせい(な)	*reisei(na)*	calm; cool-headed
FT	ハンサム(な)	*hansamu(na)*	handsome

Adverbs

T3	けっこう	*kekkō*	quite
T6	いつも	*itsumo*	always

Expressions

T3	好(す)きなだけです。	*Sukina dake desu.*	I just like it.
T6	そうですね……。	*Sō desu ne . . .*	Well . . . ; Let me see . . .
	私(わたし)の いい ところは ～ ところです。	*Watashi no ii tokoro wa ~ tokoro desu.*	My strong point is ~.

Unit 14

私(わたし)、かぞく、しごと

Watashi, kazoku, shigoto (Me, my family, and my job)

- Introducing yourself (you, your job, and your family)
- Describing current situations
- Having a small talk about your family

Key Sentences 14-1

1 ・東京(とうきょう)に　住(す)んでいます。 *Tōkyō ni　sunde imasu.*	・I live in Tokyo.
2 ・サンじどうしゃに　つとめています。 *San Jidōsha ni　tsutomete imasu.*	・I work for Sun Autos.
3 ・しごとを　していません。 *Shigoto o　shite imasen.*	・I don't have a job. (lit., I'm not working.)
4 **A:** いつも　むすこが　おせわになっています。 *Itsumo　musuko ga　osewani natteimasu.*	**A:** Thank you for being helpful to my son.
B: こちらこそ。 *Kochirakoso.*	**B:** Thank you. (The pleasure is mine.)
5 私(わたし)の　かぞくは　4人(にん)です。 *Watashi no kazoku wa　4-nin desu.*	There are four people in my family. (lit., My family is four people.)
つまと　むすめと　むすこと　私です。 *Tsuma to　musume to　musuko to　watashi desu.*	My wife, daughter, son, and me.
おかげさまで、みんな　元気(げんき)です。 *Okagesamade,　min'na　genki desu.*	Thankfully everybody is fine.

Words for This Unit
14-2

Ex. (a) けっこん　している
kekkon　shite iru

(1) (　　) 住(す)んでいる
sunde iru

(2) (　　) つとめている
tsutomete iru

(3) (　　) しごとを　している
shigoto o　shite iru

(4) (　　) つくっている
tsukutte iru

(5) (　　) うっている
utte iru

(6) (　　) べんきょう　している
benkyō　shite iru

(7) (　　) おしえている
oshiete iru

(8) (　　) けんきゅう　している
kenkyū　shite iru

a.

be married

b.

work for Sun Autos

c.

live

d.

study

e.

work

f.

teach

g.

make; produce

h.

sell

i.

research; study

Task 1 なぞなぞ *Nazonazo* (Riddles)

Words for Task 1-1 14-3

- ところ
  tokoro
  (place)
- たとえば
  tatoeba
  (for example)
- いろいろ（な）
  iroiro(na)
  (various)
- どうぶつ
  dōbutsu
  (animal)
- だれも
  daremo
  (nobody)

1 Listen to the conversations and choose the places from a-f. (Scripts: p. 183)

(1) 14-4 (2) 14-5 (3) 14-6

(1) (　　) (2) (　　) (3) (　　)

a. デパート
depāto

b. コンビニ
konbini

c. どうぶつえん
dōbutsuen

d. ゆうえんち
yūenchi
(amusement park)

e. びじゅつかん
bijutsukan

f. としょかん
toshokan
(library)

Words for Task 1-2 14-7

- あか
  aka
  (red)
- しろ
  shiro
  (white)
- ふく
  fuku
  (clothes)
- きている
  kite iru
  (wear)
- わかい
  wakai
  (young)
- おじいさん
  ojīsan
  (old man)
- どこにも
  dokonimo
  (nowhere)
- 1年(ねん)に　1かいだけ
  1-nen ni　1-kai dake
  (only once a year)
- くろ
  kuro
  (black)
- 木(き)
  ki
  (tree)
- はな
  hana
  (nose)

2 Riddles: Guess who.

(1)

私(わたし)は　さむい　ところに　住(す)んでいます。
Watashi wa samui tokoro ni sunde imasu.

あかと　しろの　ふくを　きています。　わかくないです。
Aka to shiro no fuku o kite imasu. Wakaku nai desu.

おじいさんです。　どこにも　つとめていません。
Ojīsan desu. Dokonimo tsutomete imasen.

1年(ねん)に　1かいだけ　しごとを　しています。
1-nen ni ikkai dake shigoto o shite imasu.

---

(2)

私は　あそぶのが　好(す)きです。
Watashi wa asobu no ga suki desu.

しろと　くろの　ふくを　きています。
Shiro to kuro no fuku o kite imasu.

中国(ちゅうごく)に　住んでいます。
Chūgoku ni sunde imasu.

---

(3)

私は　木(き)の　上(うえ)で　ねるのが　大好(だいす)きです。
Watashi wa ki no ue de neru no ga daisuki desu.

はなが　大(おお)きいです。　オーストラリアに　住んでいます。
Hana ga ookii desu. Ōsutoraria ni sunde imasu.

---

(4)

私は　りょこうが　好きです。　いつも　かぞくと
Watashi wa ryokō ga suki desu. Itsumo kazoku to

いっしょに　います。　とても　あたまが　いいです。
isshoni imasu. Totemo atama ga ii desu.

私は　うみの　中(なか)に　住んでいます。
Watashi wa umi no naka ni sunde imasu.

---

(5)

私は　東京(とうきょう)で　しごとを　しています。　そして、日本語(にほんご)を
Watashi wa Tōkyō de shigoto o shite imasu. Soshite, Nihon-go o

べんきょう　しています。　けっこん　していません。
benkyō shite imasu. Kekkon shite imasen.

うみが　大好きです。　でも、おんせんは　だめです。
Umi ga daisuki desu. Demo, onsen wa dame desu.

けっこう　ハンサムです……たぶん。
Kekkō hansamu desu . . . tabun.

Task 2 ペン・ギンと もうします *Pen Gin to mōshimasu* (My name is Pen Gin)

You are at a party. Listen to the participants introducing themselves and fill in the blanks.

(1) 14-8

ペン・ギンと もうします。
Pen Gin to mōshimasu.

去年(きょねん) チリから ① ________。 東京(とうきょう)に ② ________ います。
Kyonen Chiri kara ... Tōkyō ni ... imasu.

サンじどうしゃ*に ③ ________ います。
San Jidōsha ni ... imasu.*

エンジンを ④ ________ います。
Enjin o ... imasu.

おいしい りょうりを ⑤ ________ のが 好(す)きです。
Oishii ryōri o ... no ga suki desu.

どうぞ よろしく おねがいします。
Dōzo yoroshiku onegai shimasu.

* *San Jidōsha:* Sun Autos (name of a company)

(2) 14-9

トム・フォードと もうします。
Tomu Fōdo to mōshimasu.

先月(せんげつ) ① ________ から 来(き)ました。 京都(きょうと)に ② ________ います。
Sengetsu ... kara kimashita. Kyōto ni ... imasu.

大学(だいがく)で びじゅつを ③ ________ います。
Daigaku de bijutsu o ... imasu.

けっこん ④ ________。
Kekkon

女(おんな)の子(こ)と ⑤ ________ のが 好きです。
On'na no ko to ... no ga suki desu.

どうぞ よろしく おねがいします。
Dōzo yoroshiku onegai shimasu.

(3) 14-10

タン・スーと もうします。
Tan Sū to mōshimasu.

今年(ことし) 1月(がつ)に ① ________ から 来ました。 横浜(よこはま)に ② ________。
Kotoshi 1-gatsu ... kara kimashita. Yokohama ni

③ ________。 子どもは 女の子と 男(おとこ)の子です。
Kodomo wa on'na no ko to otoko no ko desu.

④ ________ のが 好きです。
no ga suki desu.

今(いま)は しごとを ⑤ ________。
Ima wa shigoto o

どうぞ よろしく おねがいします。
Dōzo yoroshiku onegai shimasu.

Task 3 かぞくと ごかぞく *Kazoku to go-kazoku* (My family and someone else's family)

Words for the Task 14-11

かぞく *kazoku* (my family)	ごかぞく *go-kazoku* (someone else's family)
Ex. 父 *chichi* (father)	a. お母さん *okāsan*
(1) 母 *haha* (mother)	b. おくさん *okusan*
(2) おっと *otto* (husband)	c. お父さん *otōsan*
(3) つま *tsuma* (wife)	d. ごしゅじん *go-shujin*
(4) あに *ani* (older brother)	e. おねえさん *onēsan*
(5) あね *ane* (older sister)	f. おにいさん *onīsan*
(6) おとうと *otōto* (younger brother)	g. おとうとさん *otōto-san*
(7) いもうと *imōto* (younger sister)	h. いもうとさん *imōto-san*
(8) 子ども *kodomo* (child)	i. むすこさん *musuko-san*
(9) むすめ *musume* (daughter)	j. お子さん *okosan*
(10) むすこ *musuko* (son)	k. むすめさん *musume-san*

1 Read the following and answer who (1)-(3) are.

Aさんの　ごかぞくは　4人です。
A-san no go-kazoku wa 4-nin desu.
お父さん、お母さん、おねえさん、Aさんです。
Otōsan, okāsan, onēsan, A-san desu.

Bさんの　ごかぞくも　4人です。
B-san no go-kazoku mo 4-nin desu.
おくさん、むすめさん、むすこさん、Bさんです。
Okusan, musume-san, musuko-san, B-san desu.

Cさんの　ごかぞくも　4人です。
C-san no go-kazoku mo 4-nin desu.
お父さん、お母さん、おにいさん、Cさんです。
Otōsan, okāsan, onīsan, C-san desu.

Dさんの　ごかぞくも　4人です。
D-san no go-kazoku mo 4-nin desu.
おくさん、むすめさん、お母さん、Dさんです。
Okusan, musume-san, okāsan, D-san desu.

Ex. 私(わたし)の　かぞくは　4人(にん)です。父(ちち)、母(はは)、あに、私です。
Watashi no kazoku wa 4-nin desu. Chichi, haha, ani, watashi desu.

(C) さん
san

(1) 私の　かぞくも　4人です。父、母、あね、私です。
Watashi no kazoku mo 4-nin desu. Chichi, haha, ane, watashi desu.

(　　) さん

(2) 私の　かぞくも　4人です。つま、むすめ、むすこ、私です。
Watashi no kazoku mo 4-nin desu. Tsuma, musume, musuko, watashi desu.

(　　) さん

(3) 私の　かぞくも　4人です。つま、むすめ、母、私です。
Watashi no kazoku mo 4-nin desu. Tsuma, musume, haha, watashi desu.

(　　) さん

2 Listen to the family introductions and answer the questions. (Scripts: pp. 183-184)

A タン・スーさんの　ごかぞく *Tan Sū-san no go-kazoku* 14-12

(1) タンさんの　ごかぞくは　何人(なんにん)ですか。
Tan-san no go-kazoku wa nan-nin desu ka.

(2) ごしゅじんは　どこに　つとめていますか。
Go-shujin wa doko ni tsutomete imasu ka.

(3) むすめさんは　何さいですか。
Musume-san wa nan-sai desu ka.

(4) むすこさんは　何さいですか。
Musuko-san wa nan-sai desu ka.

B まじめださんの　ごかぞく *Majimeda-san no go-kazoku* 14-13

(1) お父(とう)さんは　どこに　つとめていますか。
Otōsan wa doko ni tsutomete imasu ka.

(2) お父さんは　何(なに)を　けんきゅう　していますか。
Otōsan wa nani o kenkyū shite imasu ka.

(3) お父さんは　どんな　人(ひと)ですか。
Otōsan wa don'na hito desu ka.

(4) お母(かあ)さんは　何を　おしえていますか。
Okāsan wa nani o oshiete imasu ka.

Tōkyō Byōin: Tokyo Hospital (name of a hospital)　*Roppongi Ginkō:* Roppongi Bank (name of a bank)

C 田中さんの ごかぞく *Tanaka-san no go-kazoku* 14-14

(1) お母さんは どこに 住んでいますか。
Okāsan wa doko ni sunde imasu ka.

(2) お母さんは 今 しごとを していますか。
Okāsan wa ima shigoto o shite imasu ka.

(3) おくさんは どこで りょうりを つくっていますか。
Okusan wa doko de ryōri o tsukutte imasu ka.

(4) むすこさんと むすめさんは 何を していますか。
Musuko-san to musume-san wa nani o shite imasu ka.

Task 4 おせわになっています *Osewani natteimasu* (You're always helpful)

Phrases for the Task 14-15

- あの…すみません。
  Ano . . . sumimasen.
  (Uh . . . excuse me.)
- はい、そうですが。
  Hai, sō desu ga.
  (Yes, it is. [but who are you?])
- おせわになっています。
  Osewani natteimasu.
  (You're always helpful.)
- こちらこそ。
  Kochirakoso.
  (Thank you. [The pleasure is mine.])
- これからも よろしく おねがいします。
  Korekaramo yoroshiku onegai shimasu.
  (Thank you for your continuous support.)

1 Listen to the CD and complete the conversation. 14-16

ペンさんの お母さんは ペンさんの 日本語の 先生に 会いました。ふじ先生です。
Pen-san no okāsan wa Pen-san no Nihon-go no sensei ni aimashita. Fuji-sensei desu.

お母さん：① ＿＿＿＿＿＿＿＿＿＿＿＿。ふじ先生ですか。
Okāsan: Fuji-sensei desu ka.

ふじ先生：はい、そうですが。
Fuji-sensei: Hai, sō desu ga.

お母さん：ペン・ギンの ② ＿＿＿＿＿＿＿＿ です。
Pen Gin no desu.

ふじ先生：ああ、ペンさんの ③ ＿＿＿＿＿＿＿＿＿＿。
Ā, Pen-san no

お母さん：いつも ④ ＿＿＿＿＿＿＿＿ が おせわになっています。
Itsumo ga osewani natteimasu.

ふじ先生：⑤ ＿＿＿＿＿＿＿＿＿＿＿＿。ペンさんは いつも すばらしいですよ。
Pen-san wa itsumo subarashii desu yo.

日本語も 上手です。
Nihon-go mo jōzu desu.

お母(かあ)さん： そうですか？ これからも よろしく おねがいします。
Sō desu ka? Korekaramo yoroshiku onegai shimasu.

ふじ先生(せんせい)： ⑥ ________________、よろしく おねがいします。
yoroshiku onegai shimasu.

お母さん： じゃ、しつれいします。
Ja, shitsurei shimasu.

ふじ先生： しつれいします。
Shitsurei shimasu.

2 **Shadowing** **Say the conversation aloud with the CD, and then role-play it with your partner.** 14-17

Final Task 私(わたし)、かぞく、しごと *Watashi, kazoku, shigoto* (Me, my family, and my job)

1 **Listen to Pen-san's presentation and answer the questions.** 14-18

(1) ペンさんの ごかぞくは どこに 住(す)んでいますか。
Pen-san no go-kazoku wa doko ni sunde imasu ka.

(2) お父(とう)さんは どこで しごとを していますか。
Otōsan wa doko de shigoto o shite imasu ka.

(3) お父さんは どんな 人(ひと)ですか。
Otōsan wa don'na hito desu ka.

(4) お母(かあ)さんは しごとを していますか。
Okāsan wa shigoto o shite imasu ka.

(5) お母さんは どんな 人ですか。
Okāsan wa don'na hito desu ka.

(6) おにいさんと おねえさんは どこに つとめていますか。
Onīsan to onēsan wa doko ni tsutomete imasu ka.

(7) おとうとさんと いもうとさんは 何(なに)を していますか。
Otōto-san to imōto-san wa nani o shite imasu ka.

2 Shadowing Read the presentation below and say it aloud with the CD.

14-19

ペンと　もうします。去年(きょねん)　チリから　来(き)ました。東京(とうきょう)に　住(す)んでいます。
Pen to　mōshimasu.　Kyonen　Chiri kara　kimashita.　Tōkyō ni　sunde imasu.

サンじどうしゃに　つとめています。エンジンを　けんきゅう　しています。
San Jidōsha ni　tsutomete imasu.　Enjin o　kenkyū　shite imasu.

かぞくは　7人(にん)です。父(ちち)、母(はは)、あに、あね、おとうと、いもうと、私(わたし)です。
Kazoku wa　7-nin desu.　Chichi, haha, ani,　ane,　otōto,　imōto,　watashi desu.

かぞくは　チリの　プンタ・アレーナス*に　住んでいます。
Kazoku wa　Chiri no　Punta arēnasu ni　sunde imasu.*

父は　うみで　しごとを　しています。れいせいな　人(ひと)です。
Chichi wa umi de　shigoto o　shite imasu.　Reiseina　hito desu.

母は　しごとを　していません。とても　あかるい　人です。
Haha wa shigoto o　shite imasen.　Totemo　akarui　hito desu.

あにと　あねは　チリの　アンデス病院(びょういん)*に　つとめています。
Ani to　ane wa　Chiri no　Andesu Byōin ni　tsutomete imasu.*

おとうとと　いもうとは　学校(がっこう)で　べんきょう　しています。
Otōto to　imōto wa　gakkō de　benkyō　shite imasu.

おかげさまで、みんな　元気(げんき)です。
Okagesamade,　min'na　genki desu.

＊ *Punta arēnasu:* Punta Arenas (a city in Chile)　*Andesu Byōin:* Andes Hospital (name of a hospital)

3 Draw your family and introduce yourself and them.

____

____

____

____

____

____

______________________________。おかげさまで、みんな 元気(げんき)です。
Okagesamade, min'na genki desu.

Grammar

1. 東京(とうきょう)に 住(す)んでいます (*Tōkyō ni sunde imasu*)

When talking about your current situation (occupation, where you live, status, etc.) or habitual actions, "*-te imasu*" is usually used. *-te imasu* will be examined in the next unit.

東京(とうきょう)に 住(す)んでいます。 *Tōkyō ni sunde imasu.*	I live in Tokyo. (lit., I'm living in Tokyo.)
サンじどうしゃに つとめています。 *San Jidōsha ni tsutomete imasu.*	I work for Sun Autos. (lit., I'm working for Sun Autos.)
大学(だいがく)で べんきょう しています。 *Daigaku de benkyō shite imasu.*	I'm a university student. (lit., I'm studying at a university.)
高校(こうこう)で 英語(えいご)を おしえています。 *Kōkō de eigo o oshiete imasu.*	I teach English at a high school. (lit., I'm teaching English at a high school.)
タンさんは けっこん しています。 *Tan-san wa kekkon shite imasu.*	Tan-san is married.
母(はは)は しごとを していません。 *Haha wa shigoto o shite imasen.*	My mother doesn't have a job. (lit., My mother is not working.)
サンじどうしゃは 車(くるま)を つくっています。 *San Jidōsha wa kuruma o tsukutte imasu.*	Sun Autos makes cars.
私(わたし)の 会社(かいしゃ)は かぶを うっています。 *Watashi no kaisha wa kabu o utte imasu.*	My company sells stocks.

2. ～に つとめています／～で しごとを しています (*~ ni tsutomete imasu/~ de shigoto o shite imasu*)

~ ni tsutomete imasu means "to work for," whereas *~ de shigoto o shite imasu* means "to work at." Note that *tsutomete imasu* is preceded by a company/organization with the particle *ni*, not *de*.

サラさんは ニューヨークぎんこうに つとめています。 *Sara-san wa Nyūyōku Ginkō ni tsutomete imasu.*	Sarah-san works for New York Bank.
あねは アンデス病院(びょういん)に つとめています。 *Ane wa Andesu Byōin ni tsutomete imasu.*	My sister works for Andes Hospital.
サラさんは ぎんこうで しごとを しています。 *Sara-san wa ginkō de shigoto o shite imasu.*	Sarah-san works at a bank.
父(ちち)は うみで しごとを しています。 *Chichi wa umi de shigoto o shite imasu.*	My father works in the ocean.

3. かぞく *(kazoku)* vs. ごかぞく *(go-kazoku)*

In Japanese different words are used when talking about the speaker's own family as opposed to other's families.

	かぞく Kazoku (My family)		ごかぞく Go-kazoku (Your/someone's family)	
grandfather	そふ	*sofu*	おじいさん	*ojīsan*
grandmother	そぼ	*sobo*	おばあさん	*obāsan*
parents	りょうしん	*ryōshin*	ごりょうしん	*go-ryōshin*
father	父(ちち)	*chichi*	お父(とう)さん	*otōsan*
mother	母(はは)	*haha*	お母(かあ)さん	*okāsan*
siblings	きょうだい	*kyōdai*	ごきょうだい	*go-kyōdai*
older brother	あに	*ani*	おにいさん	*onīsan*
older sister	あね	*ane*	おねえさん	*onēsan*
younger brother	おとうと	*otōto*	おとうとさん	*otōto-san*
younger sister	いもうと	*imōto*	いもうとさん	*imōto-san*
married couple	ふうふ	*fūfu*	ごふうふ	*go-fūfu*
husband	おっと／しゅじん	*otto/shujin*	ごしゅじん	*go-shujin*
wife	つま／かない	*tsuma/kanai*	おくさん	*okusan*
child(ren)	子(こ)ども	*kodomo*	お子さん	*okosan*
son	むすこ	*musuko*	むすこさん	*musuko-san*
daughter	むすめ	*musume*	むすめさん	*musume-san*

Vocabulary

Verbs

W	けっこん している	*kekkon shite iru*	[2] be married
	住(す)んでいる	*sunde iru*	[2] live
	つとめている	*tsutomete iru*	[2] work for
	しごとを している	*shigoto o shite iru*	[2] have a job; work
	つくっている	*tsukutte iru*	[2] make; produce
	うっている	*utte iru*	[2] sell
	べんきょう している	*benkyō shite iru*	[2] study
	おしえている	*oshiete iru*	[2] teach
	けんきゅう している	*kenkyū shite iru*	[2] research; study
T1	きている	*kite iru*	[2] wear; put on

Nouns

T1	ところ	*tokoro*	place
	どうぶつ	*dōbutsu*	animal
	だれも	*daremo*	nobody [*in negative sentences*]
	コンビニ	*konbini*	convenience store
	ゆうえんち	*yūenchi*	amusement park
	としょかん	*toshokan*	library
	パンダ	*panda*	panda
	ライオン	*raion*	lion
	コアラ	*koara*	koala
	おじいさん	*ojīsan*	old man
	ふく	*fuku*	clothes
	あか	*aka*	red
	しろ	*shiro*	white
	くろ	*kuro*	black
	木(き)	*ki*	tree
T2	去年(きょねん)	*kyonen*	last year
	先月(せんげつ)	*sengetsu*	last month
	今年(ことし)	*kotoshi*	this year
	エンジン	*enjin*	engine
	びじゅつ	*bijutsu*	fine art
	横浜(よこはま)	*Yokohama*	[*place name*]
	女(おんな)の子(こ)	*on'na no ko*	girl
	男(おとこ)の子(こ)	*otoko no ko*	boy
T3	ごかぞく	*go-kazoku*	family [*polite*]
	父(ちち)	*chichi*	(my) father
	お父(とう)さん	*otōsan*	father
	母(はは)	*haha*	(my) mother
	お母(かあ)さん	*okāsan*	mother
	おっと	*otto*	(my) husband
	ごしゅじん	*go-shujin*	husband
	つま	*tsuma*	(my) wife
	おくさん	*okusan*	wife
	あに	*ani*	(my) older brother
	おにいさん	*onīsan*	older brother
	あね	*ane*	(my) older sister
	おねえさん	*onēsan*	older sister
	おとうと	*otōto*	(my) younger brother
	おとうとさん	*otōto-san*	younger brother
	いもうと	*imōto*	(my) younger sister
	いもうとさん	*imōto-san*	younger sister
	むすめ	*musume*	(my) daughter
	むすめさん	*musume-san*	daughter
	むすこ	*musuko*	(my) son
	むすこさん	*musuko-san*	son
	お子(こ)さん	*okosan*	child [*polite*]
	～さい	*-sai*	[*counter for age*]
	3さい	*san-sai*	three years old
	みんな	*min'na*	everybody
	病気(びょうき)	*byōki*	illness

Adjectives

T1	わかい	*wakai*	young
	いろいろ(な)	*iroiro(na)*	various
T4	すばらしい	*subarashii*	wonderful; amazing

Adverbs

T1	たとえば	*tatoeba*	for example
	どこにも	*dokonimo*	nowhere [*in negative sentences*]

Interrogatives

T3	何人(なんにん)	*nan-nin*	how many people
	何(なん)さい	*nan-sai*	how old [*age*]

Expressions

T1 え？	*e?*	What?; Excuse me?
1年(ねん)に　1かいだけ	*ichi-nen ni ikkai dake*	only once a year
T2 〜と　もうします	*~ to mōshimasu.*	My name is ~.; I'm ~. [*formal*]
T4 あの…すみません。	*Ano . . . sumimasen.*	Uh . . . excuse me.
はい、そうですが。	*Hai, sō desu ga.*	Yes, it is (, but who are you?)
おせわになっています。	*Osewani natteimasu.*	You're always helpful.
こちらこそ。	*Kochirakoso.*	The pleasure is mine.
これからも　よろしく　おねがいします。	*Korekaramo yoroshiku onegai shimasu.*	Thank you for your continuous support.

Unit 15
すぐ 来てください！

Sugu kite kudasai! (Come quickly, please!)

- Telling someone to do something
- Describing ongoing actions
- Talking about rules
- *Te*-form of verbs

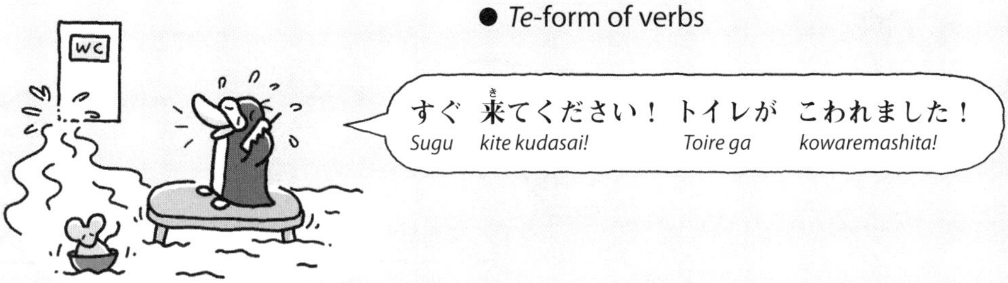
WC
すぐ 来てください！ トイレが こわれました！
Sugu kite kudasai! Toire ga kowaremashita!

Key Sentences 15-1

1	・すぐ 来てください！ トイレが こわれました！ *Sugu kite kudasai! Toire ga kowaremashita!*	・Come quickly, please! The toilet broke!
2	おもしろそうですね。 *Omoshirosō desu ne.*	It looks interesting.
	私にも 見せてください。 *Watashi nimo misete kudasai.*	Please show it to me, too.
3	・きたない！ そうじ して！ [*casual setting*] *Kitanai! Sōji shite!*	・The room is messy! Clean it up!
	・その バス、まって！ [*urgent*] *Sono basu, matte!*	・That bus, wait!
4	・まだです。 今 書いています。 *Mada desu. Ima kaite imasu.*	・Not yet. I'm writing now.
5	・日本語の クラスに おくれても いいです。 *Nihon-go no kurasu ni okuretemo ii desu.*	・It is OK to come to Japanese class late.
	・日本語の クラスに おくれては いけません。 *Nihon-go no kurasu ni okuretewa ikemasen.*	・It is not OK to come to Japanese class late.
6	・メールアドレスを おしえてくださいませんか。 *Mēru adoresu o oshiete kudasaimasen ka.*	・Could you please tell me your email address?

Task 1 ラーメンを つくりましょう *Rāmen o tsukurimashō* (Let's make ramen)

Phrases for the Task 15-2

- 開けてください
  akete kudasai
  (please open)
- 入れてください
  irete kudasai
  (please put in)
- 閉めてください
  shimete kudasai
  (please close)
- まってください
  matte kudasai
  (please wait)
- 食べてください
  tabete kudasai
  (please eat)

1 Tryout Do what the teacher says.

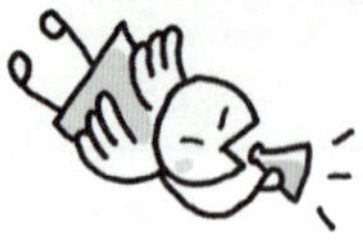

2 Review Complete the conversation.

1 A: ふたを ① ____________ ください。 開けましたか。
Futa o *kudasai.* *Akemashita ka.*
B: はい、開けました。
Hai, *akemashita.*

2 A: おゆを ② ____________ ください。 入れましたか。
O-yu o *kudasai.* *Iremashita ka.*
B: はい、入れました。
Hai, *iremashita.*

3 A: ふたを ③ ____________ ください。 閉めましたか。
Futa o *kudasai.* *Shimemashita ka.*
B: はい、閉めました。
Hai, *shimemashita.*

4 A: 3分(ぷん) ④ ________________ください。
3-pun *kudasai.*

B: はい、まちます。
Hai, machimasu.

5 A: ふたを ⑤ ________________ください。 開(あ)けましたか。
Futa o *kudasai.* *Akemashita ka.*

B: はい、開けました。
Hai, akemashita.

6 A: どうぞ ⑥ ________________ください。
Dōzo *kudasai.*

B: いただきます。
Itadakimasu.

3 CD Simulation Have a conversation with the CD. 15-3

4 Your friend doesn't know how to make instant ramen. Tell him/her how to do it.

Task 2 すぐ 来(き)てください！ *Sugu kite kudasai!* (Come quickly, please!)

Words for the Task 15-4

Ex. (a) つける *tsukeru*

(1) ( ) 閉(し)める *shimeru*

(2) ( ) 開(あ)ける *akeru*

(3) ( ) 見(み)せる *miseru*

(4) ( ) おしえる *oshieru*

a. turn on **b.** show **c.** open **d.** close **e.** teach; tell

1 Study the *-te kudasai* phrases.

A Listen to the phrases for each picture. 15-5

(1)

come

(2)

turn on

(3)

look

(4)

show

(5)

teach; tell

(6)

close

(7)

clean

(8)

open

B Match the phrases with the pictures.

a. 来てください *kite kudasai*	b. 見せてください *misete kudasai*	c. 見てください *mite kudasai*
d. 開けてください *akete kudasai*	e. つけてください *tsukete kudasai*	f. おしえてください *oshiete kudasai*
g. そうじ　してください *sōji　shite kudasai*	h. 閉めてください *shimete kudasai*	

2 Review Look at the pictures in 1 and complete the sentences.

(1) たいへんです！ トイレが こわれました。 すぐ ________ ください！
Taihen desu! Toire ga kowaremashita. Sugu ________ kudasai!

(2) あついです。 すみません。 エアコンを ________ ください。 ありがとう。
Atsui desu. Sumimasen. Eakon o ________ kudasai. Arigatō.

(3) これは むすめの しゃしんです。 ________ ください。
Kore wa musume no shashin desu. ________ kudasai.

(4) おもしろそうですね。 何ですか。 私にも ________ ください。
Omoshirosō desu ne. Nan desu ka. Watashi nimo ________ kudasai.

(5) あのう、メールアドレスを ________ ください。 いいですか。
Anō, mēru adoresu o ________ kudasai. Ii desu ka.

(6) さむいです。 すみません。 ドアを ________ ください。
Samui desu. Sumimasen. Doa o ________ kudasai.

(7) きたない！ ________！ [*casual setting*]
Kitanai!

(8) すみません。ドアを ________ ください。 おねがいします。
Sumimasen. Doa o ________ kudasai. Onegai shimasu.

3 CD Simulation Look at the pictures in 1 and say the *-te kudasai* phrases after the beeps. 15-6

Task 3 *Te*-form of Verbs

1 Categorize the following verbs.

a. きく *kiku*	b. はなす *hanasu*	c. たべる *taberu*	d. まつ *matsu*	e. かく *kaku*
f. かう *kau*	g. あける *akeru*	h. かえる (return) *kaeru*	i. おしえる *oshieru*	j. よむ *yomu*
k. とる *toru*	l. あそぶ *asobu*	m. みる *miru*	n. おきる *okiru*	o. みせる *miseru*
p. くる *kuru*	q. する *suru*	r. およぐ *oyogu*	s. しめる *shimeru*	t. いれる *ireru*

Group 1	Group 2	Group 3 (*Suru/Kuru* Verbs)
a	c	

2 Change the dictionary form of the verbs in Groups 2 and 3 (*suru/kuru* verbs) into the *te*-form.

■ **Group 2**

Dictionary form	*Te*-form	Dictionary form	*Te*-form
たべ る *tabe ru*	(たべ て *tabe te*)	みせ る *mise ru*	( )
ね る *ne ru*	( )	おしえ る *oshie ru*	( )
つけ る *tsuke ru*	( )	み る *mi ru*	( )
あげ る *age ru*	( )	い る *i ru*	( )
あけ る *ake ru*	( )	おき る *oki ru*	( )
しめ る *shime ru*	( )	シャワーをあび る *shawā o abi ru*	( )
いれ る *ire ru*	( )		

■ **Group 3** (*Suru/Kuru* Verbs)

Dictionary form	*Te*-form
くる *kuru*	(きて *kite*)
する *suru*	(して *shite*)

3 Change the dictionary form of Group 1 verbs into the *te*-form.

■ **Group 1**

Dictionary form	*Te*-form	Dictionary form	*Te*-form
き**く** *ki* ***ku***	(き **い** て) *ki* ***i*** *te*	か**う** *ka* ***u***	(か **っ** て) *ka* ***t*** *te*
か**く** *ka* ***ku***	(て) *te*	あ**う** *a* ***u***	(て) *te*
いそ**ぐ** *iso* ***gu*** (hurry)	(で) *de*	てつだ**う** *tetsuda* ***u*** (help)	(て) *te*
はな**す** *hana* ***su***	(はな **し** て) *hana* ***shi*** *te*	ま**つ** *ma* ***tsu***	(て) *te*
か**す** *ka* ***su*** (lend)	(て) *te*	も**つ** *mo* ***tsu*** (have; hold)	(て) *te*
あそ**ぶ** *aso* ***bu***	(あそ **ん** で) *aso* ***n*** *de*	と**る** *to* ***ru***	(て) *te*
よ**む** *yo* ***mu***	(で) *de*	かえ**る** *kae* ***ru***	(て) *te*
の**む** *no* ***mu***	(で) *de*	いく *i ku*	(て) *te*

Task 4 てフォーム カードを つくりましょう

Te-fōmu kādo o tsukurimashō
(Let's make *te*-form cards)

Phrases for the Task 15-7

(1) 書きます
kakimasu

→ 書いています
kaite imasu

(I'm writing)

→ 書きました
kakimashita

(2) きります
kirimasu

→ きっています
kitte imasu

(I'm cutting)

→ きりました
kirimashita

(3) つくります
tsukurimasu

→ つくっています
tsukutte imasu

(I'm making)

→ つくりました
tsukurimashita

1 Tryout — Make *te*-form cards as instructed.

まだです。
今、きっています。
Mada desu. Ima, kitte imasu.

きりましたか。
Kirimashita ka.

ちょっとまってください。
Chotto matte kudasai.

まつ matsu	きる kiru	かえる kaeru	てつだう tetsudau	いく iku
ま__て ma　te	き__て ki　te	かえ__て kae　te	てつだ__て tetsuda　te	い__て i　te

のむ nomu	よむ yomu	かく kaku	きく kiku
の__で no　de	よ__で yo　de	か__て ka　te	き__て ki　te

あける akeru	みせる miseru	おしえる oshieru	みる miru
___て te	___て te	___て te	___て te

くる kuru	する suru
___て te	___て te

2 Card Games

(1) Group: Listen to each word the teacher says and grab the corresponding card before the other students do.

(2) Pairs: Show a card to each other at the same time, and say the word represented by the partner's card before he/she does the same.

Task 5 おそいですよ。いそいでください *Osoi desu yo. Isoide kudasai.* (You're late. Hurry up.)

Words for the Task 15-8

(1) (　　) てつだう *tetsudau*　　(2) (　　) いそぐ *isogu*

a. hurry
b. help

1 Study the *-te kudasai* phrases.

A Listen to the phrases for each picture. 15-9

(1)

help

(2)

listen

(3)

wait

(4)

buy

(5)

go home

(6)

write; draw

(7)

read

(8)

hurry

(9)

take (a picture)

B Match the phrases with the pictures.

a. 聞(き)いてください *kiite kudasai*	b. てつだってください *tetsudatte kudasai*	c. まってください *matte kudasai*
d. かえってください *kaette kudasai*	e. かいてください *kaite kudasai*	f. 買(か)ってください *katte kudasai*
g. とってください *totte kudasai*	h. 読(よ)んでください *yonde kudasai*	i. いそいでください *isoide kudasai*

2 Review Look at the pictures in 1 and complete the sentences.

(1) そうじ　しています。すみません。＿＿＿＿＿＿ください。
Sōji shite imasu. Sumimasen. ______ kudasai.

(2) もういちど　CD を　＿＿＿＿＿＿ください。わかりましたか。
Mō ichido shīdī o ______ kudasai. Wakarimashita ka.

(3) ああっ！　その　バス、＿＿＿＿＿＿！ [*urgent*]
Aah! Sono basu, ______!

(4) とても　安(やす)いです。100 円(えん)です。＿＿＿＿＿＿ください。おねがいします。
Totemo yasui desu. 100-en desu. ______ kudasai. Onegai shimasu.

(5) ここは　だめです！　うちに　＿＿＿＿＿＿ください。
Koko wa dame desu! Uchi ni ______ kudasai.

(6) みちが　わかりません。すみません。ちずを　＿＿＿＿＿＿ください。
Michi ga wakarimasen. Sumimasen. Chizu o ______ kudasai.

(7) この　漢字(かんじ)は　むずかしいです。わかりません。＿＿＿＿＿＿ください。
Kono kanji wa muzukashii desu. Wakarimasen. ______ kudasai.

(8) おそいですよ。＿＿＿＿＿＿ください。
Osoi desu yo. ______ kudasai.

(9) すみません。しゃしんを　＿＿＿＿＿＿ください。ありがとうございます。
Sumimasen. Shashin o ______ kudasai. Arigatō gozaimasu.

3 CD Simulation Look at the pictures in 1 and say the *-te kudasai* phrases after the beeps. 15-10

Task 6 しても いいです／しては いけません *Shitemo ii desu/Shitewa ikemasen* (It is OK to do/It isn't OK to do)

Phrases for the Task 15-11

OK:

- おくれても いいです
  okuretemo ii desu
  (it is OK to be late)
- 話しても いいです
  hanashitemo ii desu
  (it is OK to speak)

Not OK:

- おくれては いけません
  okuretewa ikemasen
  (it is not OK to be late)
- 話しては いけません
  hanashitewa ikemasen
  (it is not OK to speak)

Checklist of Rules 15-12

A Do you agree with the following rules? (Agree - ○ / Disagree - ×)

B Ask your partner (1)-(12) and mark his/her answers.

Rules	A You	B Partner
(1) 日本語の クラスに おくれては いけません。 *Nihon-go no kurasu ni okuretewa ikemasen.*		
(2) 日本語の クラスで 英語を 話しては いけません。 *Nihon-go no kurasu de eigo o hanashitewa ikemasen.*		
(3) 日本語の クラスで ねては いけません。 *Nihon-go no kurasu de netewa ikemasen.*		
(4) 電車の 中で 電話 しても いいです。 *Densha no naka de denwa shitemo ii desu.*		
(5) 電車の 中で べんとうを 食べても いいです。 *Densha no naka de bentō o tabetemo ii desu.*		
(6) 電車の 中で ビールを 飲んでも いいです。 *Densha no naka de bīru o nondemo ii desu.*		
(7) 会社で プライベートの メールを しては いけません。 *Kaisha de puraibēto no mēru o shitewa ikemasen.*		
(8) おなじ 会社の 人と デートを しては いけません。 *Onaji kaisha no hito to dēto o shitewa ikemasen.*		
(9) おなじ 会社の 人と けっこん しては いけません。 *Onaji kaisha no hito to kekkon shitewa ikemasen.*		
(10) みちや こうえんで たばこを すっても いいです。 *Michi ya kōen de tabako o suttemo ii desu.*		
(11) こいびとの よきんつうちょう*を 見ては いけません。 *Koibito no yokin tsūchō* o mitewa ikemasen.*		
(12) ホテルの タオル*を もってかえっても いいです。 *Hoteru no taoru* o motte kaettemo ii desu.*		

＊ *yokin tsūchō:* deposit book *taoru :* towel

Final Task ▶ 何と 言いますか *Nan to iimasu ka* (What would you say?)

Phrases for the Task 15-13

- そうじ していますー *sōji shite imasu* (be cleaning the home)
- ねています *nete imasu* (be sleeping)
- もっています *motte imasu* (be holding; have)
- 見ています *mite imasu* (be watching)
- 話しています *hanashite imasu* (be talking)
- 読んでいます *yonde imasu* (be reading)

1 What would you say in each situation?

Ex.

あなたの うちの トイレが こわれました。
Anata no uchi no toire ga kowaremashita.
サービスセンターに 電話 します。
Sābisusentā ni denwa shimasu.
何と 言いますか。
Nan to iimasu ka.

→ 「トイレが こわれました。すぐ 来てください。」
Toire ga kowaremashita. Sugu kite kudasai.

(1)

あなたは そうじ しています。友だちは ねています。
Anata wa sōji shite imasu. Tomodachi wa nete imasu.
何と 言いますか。
Nan to iimasu ka.

→ 「＿＿＿＿＿＿＿＿＿＿＿＿＿＿＿＿」

(2)

あついです。友だちは エアコンの リモコンを もっています。
Atsui desu. Tomodachi wa eakon no rimokon o motte imasu.
何と 言いますか。
Nan to iimasu ka.

→ 「＿＿＿＿＿＿＿＿＿＿＿＿＿＿＿＿」

(3)

あなたは むすめの しゃしんを 友だちに 見せたいです。
Anata wa musume no shashin o tomodachi ni misetai desu.
何と 言いますか。
Nan to iimasu ka.

→ 「＿＿＿＿＿＿＿＿＿＿＿＿＿＿＿＿」

(4)

友(とも)だちは 何(なに)か 見(み)ています。 おもしろそうです。
Tomodachi wa nanika mite imasu. Omoshirosō desu.
あなたも 見たいです。 何(なん)と 言(い)いますか。
Anata mo mitai desu. Nan to iimasu ka.

→「 　　　　　　　　　　　　　　　　　　　　　　 」

2 What would you say in each situation? Remember to say it politely.

Ex.

あなたは 会社(かいしゃ)に います。 たくさん にもつを もっています。
Anata wa kaisha ni imasu. Takusan nimotsu o motte imasu.
となりの へやに 行(い)きたいです。 何と 言いますか。
Tonari no heya ni ikitai desu. Nan to iimasu ka.

→「 すみません。 ドアを 開(あ)けて<u>くださいませんか</u>。 ありがとうございます。 」
Sumimasen. Doa o akete <u>kudasaimasen ka</u>. Arigatō gozaimasu.

(1)

パーティーです。 あなたは 女(おんな)の人(ひと)と 話(はな)しています。
Pātī desu. Anata wa on'na no hito to hanashite imasu.
その 人の メールアドレスを 聞(き)きたいです。
Sono hito no mēru adoresu o kikitai desu.
何と 言いますか。
Nan to iimasu ka.

→「 　　　　　　　　　　　　　　　　　　　　　　 」

(2)

あなたは 友(とも)だちと いっしょに しゃしんを とりたいです。
Anata wa tomodachi to isshoni shashin o toritai desu.
何と 言いますか。
Nan to iimasu ka.

→「 　　　　　　　　　　　　　　　　　　　　　　 」

(3)

あなたは 会社に います。 しょるいを 読(よ)んでいます。
Anata wa kaisha ni imasu. Shorui o yonde imasu.
漢字(かんじ)が わかりません。 会社の人に 聞きたいです。
Kanji ga wakarimasen. Kaisha no hito ni kikitai desu.
でも、会社の人は いそがしそうです。 何と 言いますか。
Demo, kaisha no hito wa isogashisō desu. Nan to iimasu ka.

→「 　　　　　　　　　　　　　　　　　　　　　　 」

Grammar

1. *Te*-form of verbs

The *te*-form of verbs has a wide variety of uses. The following chart shows how to make the *te*-form.

Group 1			
kiku	kiite	kau	katte
kaku	kaite	au	atte
isogu	isoide	tetsudau	tetsudatte
hanasu	hanashite	matsu	matte
kasu (lend)	kashite	motsu	motte
asobu	asonde	toru	totte
nomu	nonde	kaeru	kaette
yomu	yonde	iku *	itte *

Note that the *te*-form of *iku* is "*itte*." Do not use "*iite*."

Group 2		Group 3 (*Suru/Kuru* Verbs)	
taberu	tabete	suru	shite
akeru	akete	denwa suru	denwa shite
miru	mite	kuru	kite

2. ～てください／～て！／～てくださいませんか *(-te kudasai/ -te!/-te kudasaimasen ka)*

When you want to tell someone to do something, you can use the verb *te*-form with *kudasai*.

エアコンを　つけてください。 *Eakon o　tsukete kudasai.*	Please turn on the air conditioner.
見(み)てください。 むすめです。 *Mite kudasai.　Musume desu.*	Please look (at this photo). This is my daughter.

In a casual setting with family and close friends or if something is urgent, you can omit *kudasai*.

まって！ *Matte!*	Wait!
そうじ　して！ *Sōji　shite!*	Clean the room!

If you want to ask for something more politely, you can use "*te*-form of verb + *kudasaimasen ka*."

ちずを　かいてくださいませんか。 *Chizu o　kaite kudasaimasen ka.*	Could you please draw a map (for me) ?
読(よ)んでくださいませんか。 *Yonde kudasaimasen ka.*	Could you please read it (for me) ?

3. **〜ています** *(-te imasu)*

"*Te*-form of verb + *imasu*" expresses an action in progress.

食べています。 *Tabete imasu.*	(I'm) eating (right now).
書いています。 *Kaite imasu.*	(I'm) writing (right now).
まっています。 *Matte imasu.*	(I'm) waiting (right now).

Note that "*-te imasu*" also expresses one's current situation and habitual actions (See Grammar 1 in Unit 14).

4. **〜てもいいです／〜てはいけません** *(-temo ii desu/-tewa ikemasen)*

"*Te*-form of verb + *mo ii desu*" is used to give permission or say something is OK. "*Te*-form of verb + *wa ikemasen*" is used to say something is against the rules or prohibited.

日本語の クラスで *Nihon-go no kurasu de*	コーヒーを *kōhī o*	飲んでも いいです。 *nonde mo ii desu.*	It is OK to drink coffee in Japanese class.
日本語の クラスで *Nihon-go no kurasu de*	英語を *eigo o*	話しても いいです。 *hanashitemo ii desu.*	It is OK to speak English in Japanese class.
日本語の クラスに *Nihon-go no kurasu ni*		おくれては いけません。 *okuretewa ikemasen.*	It is not OK to come to Japanese class late.
日本語の クラスを *Nihon-go no kurasu o*		休んでは いけません。 *yasundewa ikemasen.*	It is not OK to miss Japanese class.

5. **おもしろそうです** *(Omoshirosō desu)*

When expressing how something/someone looks, use the pattern "adjective + *sō desu.*"

おもしろそうです。 *Omoshirosō desu.*	It looks interesting.
いそがしそうです。 *Isogashisō desu.*	He/She looks busy.
おいしそうです。 *Oishisō desu.*	It looks delicious.
ひまそうです。 *Himasō desu.*	He/She looks free.
べんりそうです。 *Benrisō desu.*	It looks convenient/useful.

Note that the last "*i*" of *i*-adjectives is dropped when *sō desu* is added.

Vocabulary

Verbs

T1	開(あ)ける	*akeru*	[2] open
	閉(し)める	*shimeru*	[2] close
	入(い)れる	*ireru*	[2] put in
T2	見(み)せる	*miseru*	[2] show
	おしえる	*oshieru*	[2] teach; tell
T4	きる	*kiru*	[1] cut
T5	てつだう	*tetsudau*	[1] help
	いそぐ	*isogu*	[1] hurry
T6	たばこを　すう	*tabako o suu*	[1] smoke
	もってかえる	*motte kaeru*	[1] bring back home
FT	聞(き)く	*kiku*	[1] ask
	もっている	*motte iru*	[2] have; hold; carry

Nouns

T1	ふた	*futa*	lid
	おゆ	*o-yu*	hot water
T2	トイレ	*toire*	bathroom
T2	しゃしん	*shashin*	photo; picture
	メールアドレス	*mēru adoresu*	email address
	ドア	*doa*	door
T5	CD	*shīdī*	CD
	漢字(かんじ)	*kanji*	kanji; Chinese character
T6	プライベート	*puraibēto*	private
FT	あなた	*anata*	you
	サービスセンター	*sābisusentā*	service center
	リモコン	*rimokon*	remote control
	にもつ	*nimotsu*	luggage
	女(おんな)の人(ひと)	*on'na no hito*	woman
	しょるい	*shorui*	document

Adjectives

T2	きたない	*kitanai*	messy; dirty
T5	おそい	*osoi*	late; slow
T6	おなじ	*onaji*	same

Expressions

T2	たいへんです！	*Taihen desu!*	Oh, no!; Oh, my! (lit., It's a big trouble!)
	トイレが　こわれました。	*Toire ga kowaremashita.*	The toilet broke.
	あのう	*anō*	Umm . . .
T5	ああっ！	*Aah!*	Oh! [*screaming*]
	だめです。	*Dame desu.*	It is not allowed.; You can't! [*less polite*]
	みちが　わかりません。	*Michi ga wakarimasen.*	I don't know how to get there.; I'm lost.
FT	何(なん)と　言(い)いますか。	*Nan to iimasu ka.*	What would you say?

Unit 16
ほんとうに ありがとう

Hontōni arigatō (Thank you very much)

- Expressing gratitude
- Having a small talk about gifts and assistance
- Writing thank-you notes in Japanese

Key Sentences 16-1

1

・母(はは)に　プレゼントを　あげました。
Haha ni purezento o agemashita.
・I gave a present to my mother.

・友(とも)だちに　プレゼントを　もらいました。
Tomodachi ni purezento o moraimashita.
・I received a present from my friend.

2

A: たんじょう日(び)に　はなを　もらいたいですか。
Tanjōbi ni hana o moraitai desu ka.
A: Do you want to get some flowers on your birthday?

B: いいえ。
Iie.
B: No, I don't.

A: どうしてですか。
Dōshite desu ka.
A: Why?

B: 好(す)きじゃないですから。
Suki ja nai desu kara.
B: Because I don't like flowers.

3

・友だちに　本(ほん)を　かしました。
Tomodachi ni hon o kashimashita.
・I lent a book to my friend.

・友だちに　かばんを　かしてもらいました。
Tomodachi ni kaban o kashite moraimashita.
・I borrowed a bag from my friend. [*with gratitude*]

4

・友だちに　フランス語(ご)を　おしえました。
Tomodachi ni Furansu-go o oshiemashita.
・I taught French to my friend.

・先生(せんせい)に　日本語(にほんご)を　おしえてもらいました。
Sensei ni Nihon-go o oshiete moraimashita.
・I was taught Japanese by my teacher. [*with gratitude*]

Task 1 たんじょう日(び) おめでとう *Tanjōbi omedetō* (Happy birthday)

Phrases for the Task 16-2

- 開(あ)けても いいですか。
  Aketemo ii desu ka.
  (May I open it?)
- とても うれしいです。
  Totemo ureshii desu.
  (I'm very happy.)

1 Tryout It's your birthday today. Your teacher gives you a birthday present.

You

2 Review Complete the conversation.

先生(せんせい)： たんじょう日(び) おめでとうございます。
Sensei *Tanjōbi* *omedetō gozaimasu.*

あなた： ありがとうございます。① ______________________
Anata *Arigatō gozaimasu.* (May I open it?)

先生： どうぞ。
Dōzo.

あなた： ② ______________________ ほんとうに ありがとうございます。
(I'm very happy.) *Hontōni arigatō gozaimasu.*

3 Wrap-up Answer the questions and describe what happened.

(1) （あなたは） 何(なに)を もらいましたか。 → ______________________ もらいました。
(Anata wa) nani o moraimashita ka. *moraimashita.*

(2) だれに もらいましたか。 → ______________________ もらいました。
Dare ni moraimashita ka. *moraimashita.*

↓

きのうは 私(わたし)の たんじょう日でした。
Kinō wa watashi no tanjōbi deshita.

______________ に ______________ を もらいました。
ni *o* *moraimashita.*

とても うれしかったです。
Totemo ureshikatta desu.

Task 2 さいこうの たんじょう日(び)プレゼント *Saikō no tanjōbi purezento* (The best birthday present)

1 Ask your partner if he/she wants (1)-(8) for his/her birthday.

Ex. 16-3

Q: たんじょう日(び)に **車(くるま)**を もらいたいですか。
*Tanjōbi ni **kuruma** o moraitai desu ka.*

A1: もらいたいです。 / A2: いいえ。
Moraitai desu. / *Iie.*

↓

Q: どうしてですか。
Dōshite desu ka.

A1: ありますから。(Because I already have one.)
Arimasu kara.

A2: 好(す)きじゃないですから。(Because I don't like it.)
Suki ja nai desu kara.

(1)

airplane

(2)

house

(3)

ring

(4)

flower

(5)

money

(6)

wallet; purse

(7)

lottery

(8)

love

2 Ask your partner about birthday presents.

(1) 去年(きょねん)の たんじょう日に かぞくや 友(とも)だちに 何(なに)を あげましたか。
Kyonen no tanjōbi ni kazoku ya tomodachi ni nani o agemashita ka.

(2) 来年(らいねん)の たんじょう日に かぞくや 友だちに 何を あげたいですか。
Rainen no tanjōbi ni kazoku ya tomodachi ni nani o agetai desu ka.

Task 3 はさみを　かしてもらいました *Hasami o kashite moraimashita* (I borrowed scissors)

Words and Phrases for the Task 16-4

- かす
  kasu
  (lend)
- かしてください。
  Kashite kudasai.
  (Please lend me.)
- かしてもらいました。
  Kashite moraimashita.
  (I borrowed it.)

1 Tryout

あなたは　漢字カードを　つくりたいです。でも、はさみが　ありません。
Anata wa　kanji kādo o　tsukuritai desu.　Demo,　hasami ga　arimasen.

先生は　はさみを　もっています。どうしますか。
Sensei wa　hasami o　motte imasu.　Dō shimasu ka.

2 Review Complete the conversation.

1 あなた：すみません。はさみは　ありますか。
Anata　Sumimasen.　Hasami wa　arimasu ka.

先生：　はい、ありますよ。
Sensei　Hai,　arimasu yo.

2 あなた：______________________________
(Please lend me them.)

3 先生：　どうぞ。
Dōzo.

あなた：どうも。
Dōmo.

(*You cut the paper.*)

4 あなた：ありがとうございました。
Arigatō gozaimashita.

3 Wrap-up Answer the questions and describe what happened.

(1) 何(なに)を かしてもらいましたか。 ______________________
Nani o kashite moraimashita ka.

(2) だれに かしてもらいましたか。 ______________________
Dare ni kashite moraimashita ka.

↓

(私(わたし)は) ______________ に ______________ を
(Watashi wa) *ni* *o*

かしてもらいました。
kashite moraimashita.

Task 4 たすかりました *Tasukarimashita* (It was a great help)

Phrases for the Task 16-5

- かしてください。 いいですか。
  Kashite kudasai. Ii desu ka.
  (Please lend me [this]. Is it OK?)
- あした かえします。
  Ashita kaeshimasu.
  (I'll return it tomorrow.)
- たすかりました。
  Tasukarimashita.
  (It was a great help.)

Scene 1

1 Tryout

雨(あめ)です。 あなたは かさが ありません。
Ame desu. Anata wa kasa ga arimasen.

でも、先生(せんせい)は かさを たくさん もっています。 どうしますか。
Demo, sensei wa kasa o takusan motte imasu. Dō shimasu ka.

2 Review Complete the conversation.

1 あなた： あ、雨（あめ）。
Anata *A, ame.*

2 あなた： すみません。 かさが ありません。
Sumimasen. *Kasa ga* *arimasen.*

① ______________________________
(Please lend me one. Is it OK?)

先生（せんせい）： いいですよ。 どうぞ。
Sensei *Ii desu yo.* *Dōzo.*

3 あなた： ありがとうございます。 あした ② ______________________________ 。
Arigatō gozaimasu. *Ashita* (I'll return it.)

— つぎの 日（ひ） *Tsugi no hi* —

4 あなた： これ、ありがとうございました。③ ______________________________
Kore, *arigatō gozaimashita.* (It was a great help.)

先生： いいえ、どういたしまして。
Iie, *dō itashimashite.*

3 Wrap-up Tell the class what happened.

きのうは 雨でした。 私（わたし）は かさが ありませんでした。
Kinō wa *ame deshita.* *Watashi wa kasa ga* *arimasendeshita.*

先生に かさを かして ______________________________ 。
Sensei ni *kasa o* *kashite*

たすかりました。
Tasukarimashita.

4 CD Simulation Have a conversation with the CD, and then role-play it with your partner. 16-6

Scene 2

1 Tryout

あなたは ペンさんと いっしょに バスに のります。
Anata wa Pen-san to isshoni basu ni norimasu.

でも、こぜにが ありません。 どうしますか。
Demo, kozeni ga arimasen. Dō shimasu ka.

2 Review Make a conversation that matches the situation.

3 Wrap-up Tell the class what happened.

私(わたし)は きのう バスに のりました。
Watashi wa kinō basu ni norimashita.

でも、こぜにが ありませんでした。
Demo, kozeni ga arimasendeshita.

ペンさん ______ こぜにを ______ てもらいました。
Pen-san kozeni o te moraimashita.

たすかりました。
Tasukarimashita.

4 CD Simulation Have a conversation with the CD, and then role-play it with your partner.

16-7 (Script: p. 184)

Scene 3

1 Tryout

今週(こんしゅう)、あなたは りょこうに 行(い)きます。でも、大(おお)きい かばんが ありません。
Konshū, anata wa ryokō ni ikimasu. Demo, ookii kaban ga arimasen.

森(もり)さんは 大きい かばんを もっています。どうしますか。
Mori-san wa ookii kaban o motte imasu. Dō shimasu ka.

2 Review Make a conversation that matches the situation.

3 Wrap-up Tell the class what happened.

私は 先週(せんしゅう)、りょこうに 行きました。
Watashi wa senshū, ryokō ni ikimashita.

でも、大きい かばんが ありませんでした。
Demo, ookii kaban ga arimasendeshita.

森さん_____ 大きい __________を
Mori-san _____ ookii __________ o

____________________。たすかりました。
Tasukarimashita.

4 CD Simulation Have a conversation with the CD, and then role-play it with your partner.

16-8 (Script: p. 184)

Task 5 どんな いみですか *Don'na imi desu ka* (What does it mean?)

Phrases for the Task 16-9

- どんな いみですか。
  Don'na imi desu ka.
  (What does it mean?)
- おしえてください。
  Oshiete kudasai.
  (Please tell/teach me.)
- おしえてもらいました。
  Oshiete moraimashita.
  (I was taught it.)

1 Tryout

あなたは「おやゆび」の いみが わかりません。先生(せんせい)に 聞(き)きます。
Anata wa "oyayubi" no imi ga wakarimasen. Sensei ni kikimasu.

2 Review Complete the conversation.

1 あなた： これ、わかりません。「おやゆび」？ ① ________________
Anata Kore, wakarimasen. "Oyayubi"? (What does it mean?)

② ________________
(Please tell me.)

2 先生： 「おやゆび」ですか。 これですよ。
Sensei "Oyayubi" desu ka. Kore desu yo.

3 あなた： なるほど！ よく わかりました。
Naruhodo! Yoku wakarimashita.

3 Wrap-up Tell the class what happened.

私(わたし)は 先生に「おやゆび」の いみを ________________。
Watashi wa sensei ni "oyayubi" no imi o

4 CD Simulation Have a conversation with the CD, and then role-play it with your partner. 16-10

5 **Make conversations that match situations (1)-(3), and role-play them with your partner. Then, tell the class what happened.**

(1)

あなたは「まゆげ」の いみが わかりません。
Anata wa "mayuge" no imi ga wakarimasen.

友(とも)だちに 聞(き)きます。
Tomodachi ni kikimasu.

↓

私(わたし)は ______ に「まゆげ」の いみを
Watashi wa ______ ni "mayuge" no imi o

______。

(2)

あなたは「ボタン」の いみが わかりません。
Anata wa "botan" no imi ga wakarimasen.

友だちに 聞きます。
Tomodachi ni kikimasu.

↓

私は ______ に ______ の いみを
Watashi wa ______ ni ______ no imi o

______。

(3)

あなたは「ホッチキス」の いみが わかりません。
Anata wa "hotchikisu" no imi ga wakarimasen.

友だちに 聞きます。
Tomodachi ni kikimasu.

↓

私は ______ に ______ の いみを
Watashi wa ______ ni ______ no imi o

______。

Task 6 ♪♪おしえてもらいました♪♪ *Oshiete moraimashita* (I was taught it)

Rhythm/Intonation **Listen and repeat.** 16-11

Ex.	ペンさんに *Pen-san ni*	プレゼントを *purezento o*	あげました。 *agemashita.*
(1)	母(はは)に *Haha ni*	はなを *hana o*	あげました。 *agemashita.*
(2)	ボーイフレンドに *Bōifurendo ni*	英語(えいご)を *eigo o*	おしえました。 *oshiemashita.*
(3)	友(とも)だちに *Tomodachi ni*	こぜにを *kozeni o*	かしました。 *kashimashita.*
(4)	父(ちち)に *Chichi ni*	車(くるま)を *kuruma o*	もらいました。 *moraimashita.*
(5)	会社(かいしゃ)の人(ひと)に *Kaisha no hito ni*	日本語(にほんご)を *Nihon-go o*	おしえてもらいました。 *oshiete moraimashita.*
(6)	友だちに *Tomodachi ni*	こぜにを *kozeni o*	かしてもらいました。 *kashite moraimashita.*

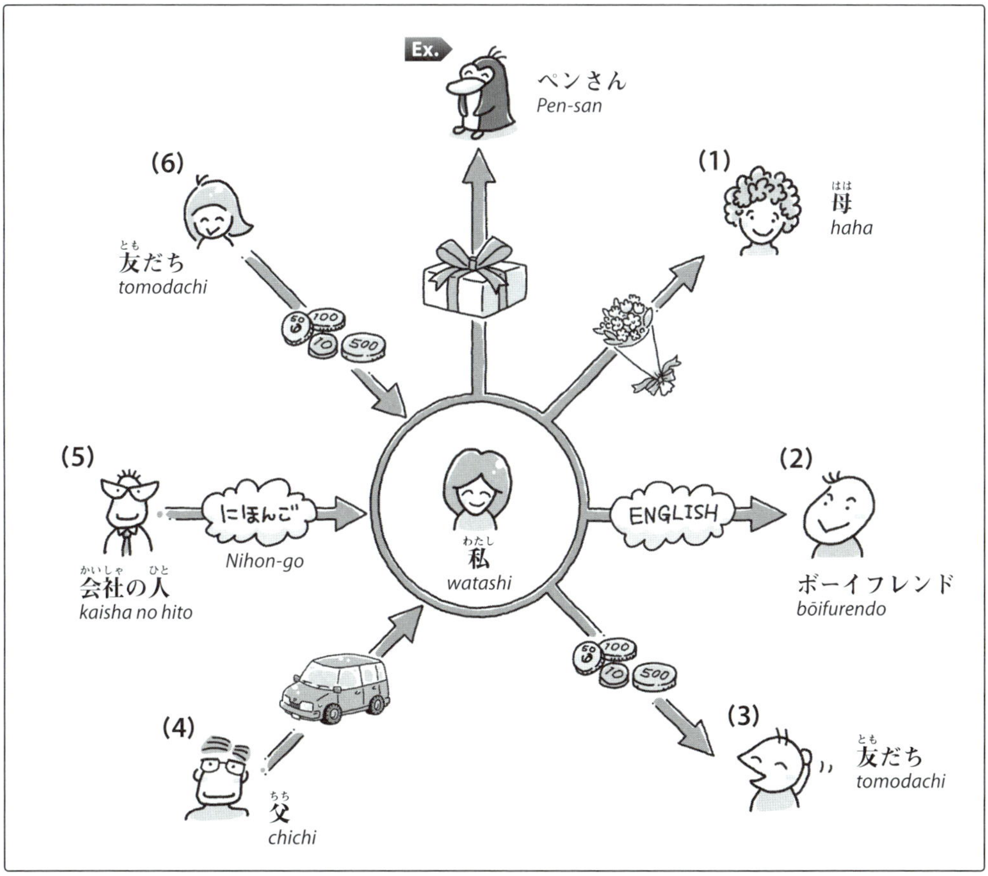

Final Task ありがとうの カード *Arigatō no kādo* (Writing thank-you notes)

1 Read the situations and write thank-you notes.

A Thank-you Note 1

Ex. ペンさんは 森(もり)さんに おいしい おかしを もらいました。
Pen-san wa Mori-san ni oishii o-kashi o moraimashita.

→

森さま
きのうは おかしを いただき、
ありがとうございました。
とても うれしかったです。
ほんとうに ありがとうございました。
ペン・ギン

Mori-sama
Kinō wa o-kashi o itadaki,
arigatō gozaimashita.
Totemo ureshikatta desu.
Hontōni arigatō gozaimashita.
Pen Gin

(1) タン・スーさんは 田中(たなか)さんに めずらしい おみやげを もらいました。
Tan Sū-san wa Tanaka-san ni mezurashii o-miyage o moraimashta.

(2) トム・フォードさんは まじめださんに びじゅつの 本(ほん)を もらいました。
Tomu Fōdo-san wa Majimeda-san ni bijutsu no hon o moraimashita.

B Thank-you Note 2

Ex. ペンさんは 会社(かいしゃ)の人(ひと)に かさを かしてもらいました。
Pen-san wa Kaisha no hito ni kasa o kashite moraimashita.

→

岡田(おかだ)さま
きのうは かさを かしていただき、
ありがとうございました。
おかげさまで とても たすかりました。
ほんとうに ありがとうございました。
ペン・ギン

Okada-sama
Kinō wa kasa o kashite itadaki,
arigatō gozaimashita.
Okagesamade totemo tasukarimashita.
Hontōni arigatō gozaimashita.
Pen Gin

(1) タン・スーさんは 田中さんに 自転車(じてんしゃ)を かしてもらいました。
Tan Sū-san wa Tanaka-san ni jitensha o kashite moraimashita.

(2) トム・フォードさんは まじめださんに 日本語(にほんご)を おしえてもらいました。
Tomu Fōdo-san wa Majimeda-san ni Nihon-go o oshiete moraimashita.

2 Write a thank-you note on your own, and read it to the class.

Grammar

1. "Giving verbs" and "receiving verbs"

In this textbook, verbs such as *ageru* (give), *kasu* (lend), and *oshieru* (teach) are called "giving verbs," whereas verbs such as *morau* (receive), *kashite morau* (borrow [lit., receive lending]) and *oshiete morau* (be taught [lit., receive teaching]) are called "receiving verbs."

Giving verbs	
あげる *ageru*	give
かす *kasu*	lend
おしえる *oshieru*	teach

↔

Receiving verbs	
もらう *morau*	receive
かしてもらう *kashite morau*	borrow [*with gratitude*]
おしえてもらう *oshiete morau*	be taught [*with gratitude*]

Sentence structures of giving and receiving verbs:

Giver	Receiver	Object	Giving verbs	
私(わたし)は *Watashi wa*	Aさんに *A-san* ***ni***	プレゼントを *purezento o*	あげました。 *agemashita.*	I gave a present to A-san.
		本(ほん)を *hon o*	かしました。 *kashimashita.*	I lent a book to A-san.
		英語(えいご)を *eigo o*	おしえました。 *oshiemashita.*	I taught English to A-san.

Receiver	Giver	Object	Receiving verbs	
私は *Watashi wa*	Aさんに *A-san* ***ni***	プレゼントを *purezento o*	もらいました。 *moraimashita.*	I got a gift from A-san.
		本を *hon o*	かしてもらいました。 *kashite moraimashita.*	I borrowed a book from A-san. [*with gratitude*]
		日本語(にほんご)を *Nihon-go o*	おしえてもらいました。 *oshiete moraimashita.*	I was taught Japanese by A-san. [*with gratitude*]

The particle *ni* means "to" with giving verbs and "from" with receiving verbs.

Note that *-te morau* expresses not only the act of "receiving," but also implies the speaker's gratitude. Therefore, when you "borrow" a DVD from a video store, for example, where the exchange is not personal, you use *kariru* (borrow) instead of *kashite morau* (lit., receive lending).

2. Using *ageru* and *morau*

Ageru and *morau* have different meanings, but their usages are easily confused. To avoid confusion, you should consider yourself the subject of the sentence. If you are the giver, use "*Watashi wa ~ o ageru.*" If you are the receiver, use "*Watashi wa ~ o morau.*"

私は ***Watashi*** *wa*	Aさんに *A-san ni*	はなを *hana o*	あげました。 *agemashita.*	I gave some flowers to A-san.
私は ***Watashi*** *wa*	Aさんに *A-san ni*	はなを *hana o*	もらいました。 *moraimashita.*	I received some flowers from A-san.

Note that the two English sentences below are correct, but their Japanese equivalents sound very strange to native speakers. When using *ageru* and *morau*, never say "*watashi ni.*"

× Aさんは 私(わたし)に はなを もらいました。 *A-san wa* ***watashi ni*** *hana o moraimashita.*	○ A-san received some flowers from me.
× Bさんは 私に はなを あげました。 *B-san wa* ***watashi ni*** *hana o agemashita.*	○ B-san gave me some flowers.

If you are talking about two other people, it does not matter who the subject is.

○ **Aさんは** Bさんに はなを **あげました**。 ***A-san** wa B-san ni hana o **agemashita.***	A-san gave some flowers to B-san.
○ **Bさんは** Aさんに はなを **もらいました**。 ***B-san** wa A-san ni hana o **moraimashita.***	B-san received some flowers from A-san.

3. ～から *(~kara)* meaning "because"

You have already learned that the particle *kara* can mean "from." It can also be used to express "because." In this case, it is put at the end of the sentence.

Q: たんじょう日(び)に はなを もらいたいですか。 *Tanjōbi ni hana o moraitai desu ka.*	Do you want to get some flowers on your birthday?
A: いいえ。 *Iie.*	No I don't.
Q: どうしてですか。 *Dōshite desu ka.*	Why?
A: 好(す)きじゃないです**から**。 *Suki ja nai desu **kara**.*	Because I don't like flowers.

4. Useful expressions of gratitude

The following phrases express thanks, in an increasing order of politeness.

どうも。 *Dōmo.*	Thanks.
(どうも) ありがとう ございます。 *(Dōmo) arigatō gozaimasu.*	Thank you.
(どうも) ありがとう ございました。 *(Dōmo) arigatō gozaimashita.*	Thank you (for what you have done).
きのうは おかしを いただき*、ありがとうございました。 *Kinō wa o-kashi o itadaki*, arigatō gozaimashita.*	Thank you for the cookies yesterday.
きのうは かさを かしていただき、どうも ありがとう ございました。 *Kinō wa kasa o kashite itadaki, dōmo arigatō gozaimashita.*	Thank you for lending me an umbrella yesterday.

* *Itadakimasu* is a more polite alternative of *moraimasu*.

Vocabulary

Verbs

T3	かす	*kasu*	[1] lend
	かしてもらう	*kashite morau*	[1] borrow [*with gratitude*]
T4	かえす	*kaesu*	[1] get back
	のる	*noru*	[1] ride; get on
T5	おしえてもらう	*oshiete morau*	[1] be taught; learn [*with gratitude*]

Nouns

T1	たんじょう日	*tanjōbi*	birthday
T2	ゆびわ	*yubiwa*	ring
	たからくじ	*takarakuji*	lottery
	あい	*ai*	love
	来年	*rainen*	next year
T3	はさみ	*hasami*	scissors
T4	雨	*ame*	rain
	こぜに	*kozeni*	coins; change
T5	いみ	*imi*	meaning
T6	ボーイフレンド	*bōifurendo*	boyfriend
FT	(お)かし	*(o-)kashi*	sweets; candy
	(お)みやげ	*(o-)miyage*	souvenir
	～さま	*-sama*	Mr./Ms. ~ [*polite*]
	岡田さま	*Okada-sama*	Mr./Ms. Okada

Adjectives

T1	うれしい	*ureshii*	happy; glad
FT	めずらしい	*mezurashii*	rare; unusual

Interrogative

T2	どうして	*dōshite*	why

Expressions

T1	たんじょう日　おめでとうございます。	*Tanjōbi omedetō gozaimasu.*	Happy birthday.
T3	どうしますか。	*Dō shimasu ka.*	What would you do?
	どうも。	*Dōmo.*	Thanks.
	ありがとうございました。	*Arigatō gozaimashita.*	Thank you (for what you have done).
T4	たすかりました。	*Tasukarimashita.*	It was a great help. (lit., You saved me.)
	いいえ、どういたしまして。	*Iie, dō itashimashite.*	No problem.; You are welcome.
T5	よく　わかりました。	*Yoku wakarimashita.*	I understand very well.; I got it.
FT	(～を／～て) いただき、ありがとうございました。	*(~ o/~te) itadaki, arigatō gozaimashita.*	Thank you for ~. [*polite*]

Unit 17

私(わたし)の 国(くに)と 日本(にほん)

Watashi no kuni to Nihon (My country and Japan)

- Talking about facts and figures of your country
- Comparing your country with Japan

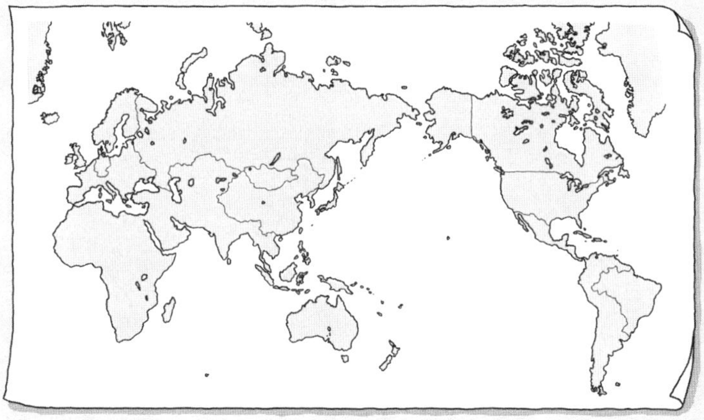

Key Sentences 17-1

1
- 7より 大(おお)きいです。 *7 yori ookii desu.* — It is bigger than seven.
- 3つより 多(おお)いです。 *Mittsu yori ooi desu.* — There are more than three.

2
- チリは 日本(にほん)より 大きいです。 *Chiri wa Nihon yori ookii desu.* — Chile is bigger than Japan.

3
- チリは 日本の やく 2ばいです。 *Chiri wa Nihon no yaku 2-bai desu.* — Chile is about twice the size of Japan.

4
- 中国(ちゅうごく)は 人口(じんこう)が 多いです。 *Chūgoku wa jinkō ga ooi desu.* — China has a big population. (lit., Talking about China, it has big population.)

Task 1 7より 大きいです *7 yori ookii desu* (It is bigger than seven)

Words and Phrases for the Task 17-2

7より 大きい
7 yori ookii

7より 小さい
7 yori chiisai

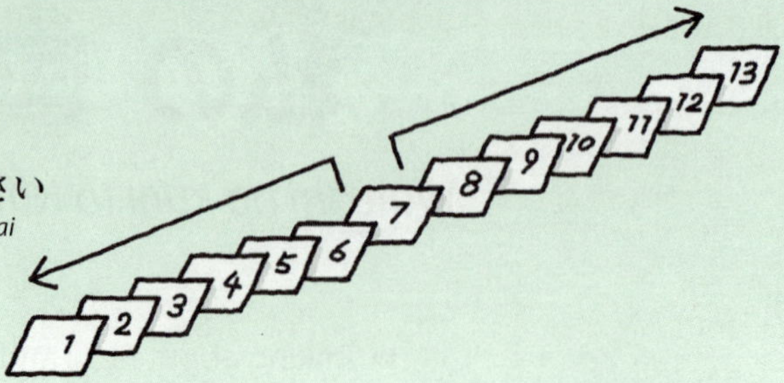

- ずっと
  zutto
  (far more; even more)
- ちょっとだけ
  chotto dake
  (just a little bit)

Card game: Guess the number your partner has.

Ex.1 17-3

Q: 7ですか。
7 desu ka.

A1: いいえ、7より 小さいです。
Iie, 7 yori chiisai desu.

A2: いいえ、7より 大きいです。
Iie, 7 yori ookii desu.

Ex.2 17-4

Q: ずっと 大きいですか。
Zutto ookii desu ka.

A1: いいえ、ちょっと (大きい) です。
Iie, chotto (ookii) desu.

A2: いいえ、ちょっとだけ (大きい) です。
Iie, chotto dake (ookii) desu.

A3: ずっとじゃないです。 でも、けっこう 大きいです。
Zutto ja nai desu. Demo, kekkō ookii desu.

Task 2　三(みっ)つより　多(おお)いです　*Mittsu yori ooi desu* (There are more than three)

Words and Phrases for the Task　17-5

- 少(すく)ない　*sukunai*

- 多(おお)い　*ooi*

- 三つより　少ない　*mittsu yori　sukunai*
- 三(みっ)つ　*mittsu*
- 三つより　多い　*mittsu yori　ooi*

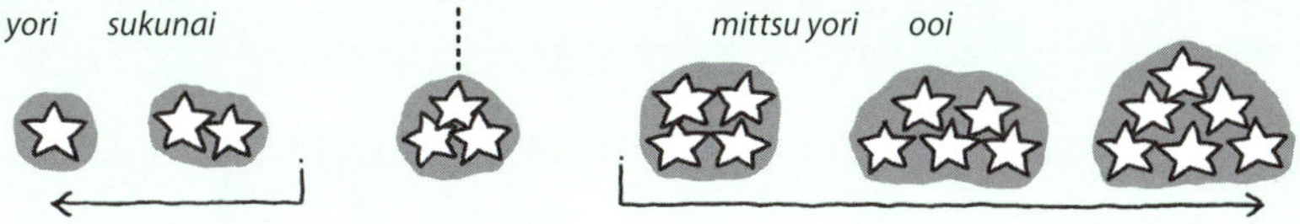

1 Match the words and phrases.

Ex. (a) 一(ひと)つ *hitotsu*　　(1) (　　) 五(いつ)つ *itsutsu*　　(2) (　　) 二(ふた)つ *futatsu*

(3) (　　) 四(よっ)つ *yottsu*　　(4) (　　) 三(みっ)つ *mittsu*

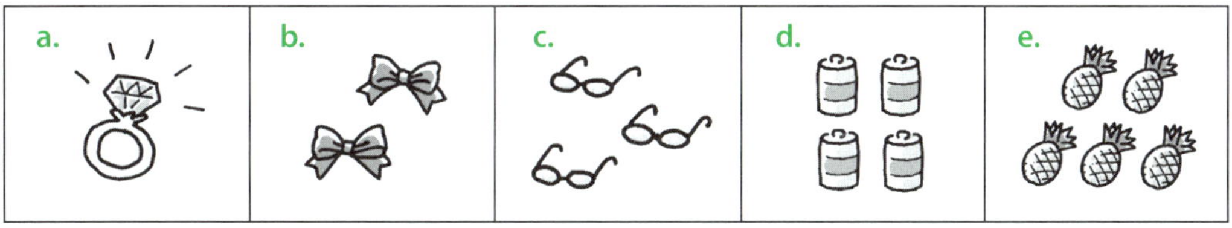

2 Game: Guess how many items your partner has.

Ex.1　17-6

Q: 三つですか。
Mittsu desu ka.

A1: いいえ、三つより　多いです。
Iie, mittsu yori ooi desu.

A2: いいえ、三つより　少ないです。
Iie, mittsu yori sukunai desu.

Ex.2　17-7

Q: ずっと　多いですか。
Zutto ooi desu ka.

A1: いいえ、ちょっと　(多い) です。
Iie, chotto (ooi) desu.

A2: いいえ、ちょっとだけ　(多い) です。
Iie, chotto dake (ooi) desu.

A3: ずっとじゃないです。でも、けっこう　多いです。
Zutto ja nai desu. Demo, kekkō ooi desu.

Task 3　Aは　Bより　小(ちい)さいです　A wa B yori chiisai desu (A is smaller than B)

Read the following sentences and fill in the (　).

Ex. Aは　Bより　小(ちい)さいです。
A wa　B yori　chiisai desu.

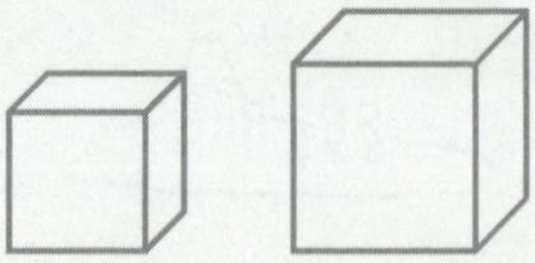

(　A　)　(　B　)

---

(1) Aは　Bより　小さいです。
A wa　B yori　chiisai desu.

Aは　Cより　大(おお)きいです。
A wa　C yori　ookii desu.

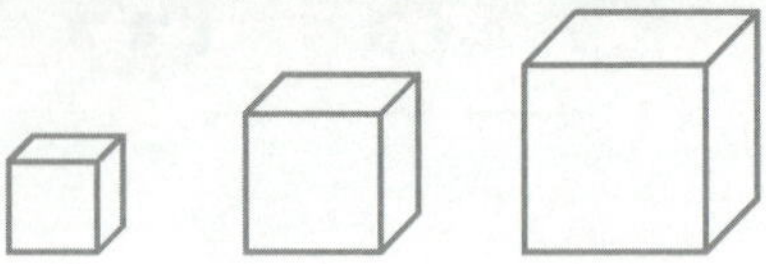

(　　)　(　A　)　(　　)

---

(2) Aは　Bより　小さいです。
A wa　B yori　chiisai desu.

Bは　Cより　小さいです。
B wa　C yori　chiisai desu.

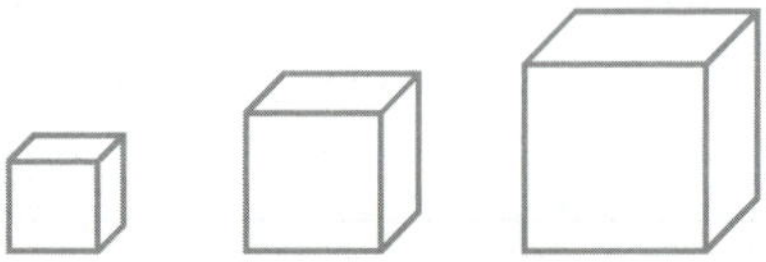

(　　)　(　　)　(　　)

---

(3) Aは　Bより　大きいです。
A wa　B yori　ookii desu.

Bは　Cより　小さいです。
B wa　C yori　chiisai desu.

Cは　Aより　大きいです。
C wa　A yori　ookii desu.

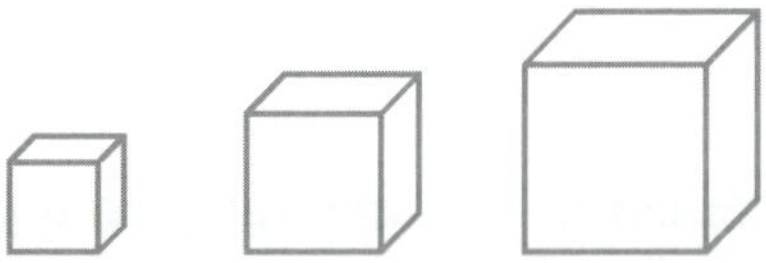

(　　)　(　　)　(　　)

---

(4) Aは　Bより　少(すく)ないです。
A wa　B yori　sukunai desu.

Bは　Cより　少ないです。
B wa　C yori　sukunai desu.

(　　)　(　　)　(　　)

---

(5) Aは　Bより　多(おお)いです。
A wa　B yori　ooi desu.

Cは　Aより　少ないです。
C wa　A yori　sukunai desu.

Bは　Cより　多いです。
B wa　C yori　ooi desu.

(　　)　(　　)　(　　)

Task 4 さんせいですか、はんたいですか *Sansei desu ka, hantai desu ka* (Do you agree or disagree?)

Do you agree or disagree? Why?

Ex. 17-8

日本の テレビは ____(Your country)____ の テレビより つまらないです。
Nihon no terebi wa ____ no terebi yori tsumaranai desu.

→ A: 日本の テレビは ____(Your country)____ の テレビより つまらないです。
Nihon no terebi wa ____ no terebi yori tsumaranai desu.

この いけんに さんせいですか。 はんたいですか。
Kono iken ni sansei desu ka. Hantai desu ka.

B: **さんせい**です。
Sansei desu.

A: どうしてですか。
Dōshite desu ka.

B: 日本語が わかりませんから。
Nihon-go ga wakarimasen kara.

(1) 日本語は ____(Your language)____ より かっこいいです。
Nihon-go wa ____ yori kakkoii desu.

(2) 日本の おまわりさんは ____(Your country)____ の おまわりさんより しんせつです。
Nihon no omawarisan wa ____ no omawarisan yori shinsetsu desu.

(3) 日本の りょうりは ____(Your country)____ の りょうりより きれいです。
Nihon no ryōri wa ____ no ryōri yori kirei desu.

(4) 日本の うちは ____(Your country)____ の うちより つよいです。
Nihon no uchi wa ____ no uchi yori tsuyoi desu.

(5) 日本の ファッションは ____(Your country)____ の ファッションより ふしぎです。
Nihon no fasshon wa ____ no fasshon yori fushigi desu.

(6) 日本は ____(Your country)____ より 危ないです。
Nihon wa ____ yori abunai desu.

Task 5 トルコは 日本(にほん)より 大(おお)きいです *Toruko wa Nihon yori ookii desu* (Turkey is bigger than Japan)

Phrases for the Task 17-9

人口(じんこう)が 多(おお)いです
jinkō ga ooi desu

人口が 少(すく)ないです
jinkō ga sukunai desu

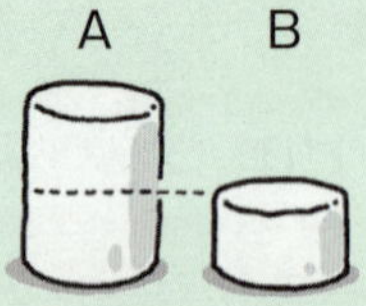

Aは Bの 2ばいです
A wa B no 2-bai desu

Bは Aの 半分(はんぶん)です
B wa A no hanbun desu

やく 2ばいです
yaku 2-bai desu

1 Referring to the chart, choose the right answers for sentences (1)-(7).

国(くに) *kuni*	めんせき (km²) *menseki*	人口 (人(にん)) (2014 年(ねん)) *jinkō (nin)*	しゅと *shuto*	雨(あめ) (mm) *ame*
日本(にほん) *Nihon*	378,000	127,000,000	東京(とうきょう) *Tōkyō*	1,529
インド *Indo*	3,290,000	1,270,000,000	ニューデリー *Nyūderī*	768
中国(ちゅうごく) *Chūgoku*	9,600,000	1,400,000,000	北京(ペキン) *Pekin*	534
ロシア *Roshia*	17,100,000	142,000,000	モスクワ *Mosukuwa*	707
ドイツ *Doitsu*	357,000	83,000,000	ベルリン *Berurin*	578
オーストラリア *Ōsutoraria*	7,700,00	23,600,000	キャンベラ *Kyanbera*	587
アメリカ *Amerika*	9,830,000	323,000,000	ワシントンD.C. *Washinton Dīshī*	1,014
ブラジル *Burajiru*	8,510,000	200,000,000	ブラジリア *Burajiria*	1,487
(Your country)				

（総務省統計局、気象庁ホームページより）

Ex. 中国は 日本より （大(おお)きい・小(ちい)さい）です。
Chūgoku wa Nihon yori ooki chiisai desu.

(1) ドイツは 日本より （大きい・小さい）です。
Doitsu wa Nihon yori ookii chiisai desu.

(2) インドは 日本より（大きい・小さい）です。
Indo wa Nihon yori ookii chiisai desu.

(3) ブラジルは 日本より（人口が 多い・人口が 少ない）です。
Burajiru wa Nihon yori jinkō ga ooi jinkō ga sukunai desu.

(4) ロシアは 日本より（人口が 多い・人口が 少ない）です。
Roshia wa Nihon yori jinkō ga ooi jinkō ga sukunai desu.

(5) オーストラリアは 日本より（人口が 多い・人口が 少ない）です。
Ōsutoraria wa Nihon yori jinkō ga ooi jinkō ga sukunai desu.

(6) 北京は 東京より（雨が 多い・雨が 少ない）です。
Pekin wa Tōkyō yori ame ga ooi ame ga sukunai desu.

(7) ブラジリアは 東京より ちょっと（雨が 多い・雨が 少ない）です。
Burajiria wa Tōkyō yori chotto ame ga ooi ame ga sukunai desu.

2 Read the hints and fill in the chart with the right countries.

A・B・D・E・Fの 5つの 国は、イギリス、ベトナム、チリ、トルコ、タイです。
A·B·D·E·F no itsutsu no kuni wa, Igirisu, Betonamu, Chiri, Toruko, Tai desu.

国 *kuni*	めんせき (km²) *menseki*	人口（人） *jinkō (nin)*
A.	243,000	63,500,000
B.	330,000	92,500,000
C. 日本 *Nihon*	378,000	127,000,000
D.	513,000	67,000,000
E.	756,000	17,500,000
F.	783,000	75,800,000

（総務省統計局、気象庁ホームページより）

■ Hints

1. ベトナムは 日本より 小さいです。
Betonamu wa Nihon yori chiisai desu.
2. イギリスも 日本より 小さいです。
Igirisu mo Nihon yori chiisai desu.
3. ベトナムは イギリスより 人口が 多いです。
Betonamu wa Igirisu yori jinkō ga ooi desu.
4. タイは 日本より 大きいです。
Tai wa Nihon yori ookii desu.
5. タイは 日本より 人口が 少ないです。日本の やく 半分です。
Tai wa Nihon yori jinkō ga sukunai desu. Nihon no yaku hanbun desu.
6. トルコは 日本より 大きいです。日本の やく 2ばいです。
Toruko wa Nihon yori ookii desu. Nihon no yaku 2-bai desu.
7. トルコは チリより 人口が 多いです。ずっと 多いです。
Toruko wa Chiri yori jinkō ga ooi desu. Zutto ooi desu.

Task 6　日本(にほん)の　人口(じんこう)は…　*Nihon no jinkō wa . . .* (The population of Japan is . . .)

1 Listen and repeat. 17-10

100	ひゃく	*hyaku*	百	1 hundred
1,000	せん	*sen*	千	1 thousand
10,000	1まん	*ichi man*	一万	
100,000	10まん	*jū man*	十万	
1,000,000	100まん	*hyaku man*	百万	1 million
10,000,000	1000まん	*sen man*	千万	
100,000,000	1おく	*ichi oku*	一億	
1,000,000,000	10おく	*jū oku*	十億	1 billion
10,000,000,000	100おく	*hyaku oku*	百億	
100,000,000,000	1000おく	*sen oku*	千億	
1,000,000,000,000	1ちょう	*itchō*	一兆	1 trillion

2 Tell the class about your country.

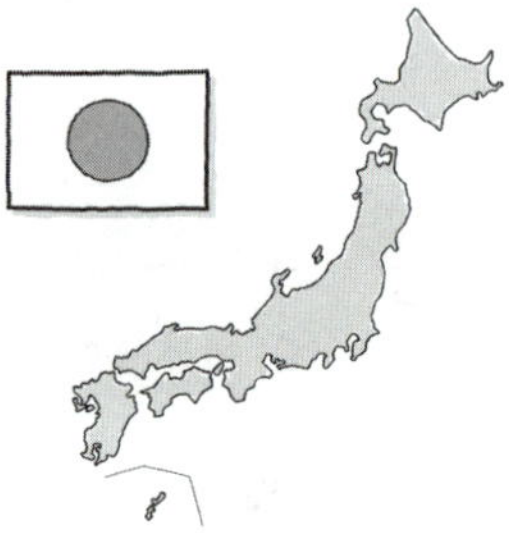

(1) 日本(にほん)の　人口(じんこう)は　やく　1おく3000万人(まんにん)です。
Nihon no　jinkō wa　yaku　1oku 3000man-nin desu.

チリの　人口は　やく　1750万人です。
Chiri no　jinkō wa　yaku　1750man-nin desu.

私(わたし)の　国(くに)の　人口は　やく　＿＿＿＿＿＿　人です。
Watashi no kuni no jinkō wa　yaku　＿＿＿＿＿＿　nin desu.

(2) 日本の　めんせきは　やく　38万へいほうキロメートルです。
Nihon no　menseki wa　yaku　38man-heihō kiromētoru desu.

チリの　めんせきは　やく　75万へいほうキロメートルです。
Chiri no　menseki wa　yaku　75man-heihō kiromētoru desu.

私の　国の　めんせきは　やく　＿＿＿＿＿＿　へいほうキロメートルです。
Watashi no kuni no menseki wa　yaku　＿＿＿＿＿＿　-heihō kiromētoru desu.

(3) 日本は　東(ひがし)アジアに　あります。私の　国は　＿＿＿＿＿＿　に　あります。
Nihon wa　Higashi-Ajia ni　arimasu.　Watashi no kuni wa　＿＿＿＿＿＿　ni　arimasu.

東(ひがし) *higashi*	アジア *Ajia*
西(にし) *nishi*	ヨーロッパ *Yōroppa*
北(きた) *kita*	アメリカ *Amerika*
南(みなみ) *minami*	アフリカ *Afurika*
ちゅうおう *chūō*	オセアニア *Oseania*

東南(とうなん)アジア (Southeast Asia)
Tōnan-Ajia

Final Task 私の 国と 日本 *Watashi no kuni to Nihon* (My country and Japan)

1 Listen to Pen-san's presentation and fill in the blanks. 17-11

私の 国について お話しします。 私の 国は チリです。
Watashi no kuni ni tsuite o-hanashi shimasu. Watashi no kuni wa Chiri desu.

チリは ① ________________ に あります。
Chiri wa ni arimasu.

② ________________ は やく 75万へいほうキロメートルです。
wa yaku 75man-heihō kiromētoru desu.

日本より ③ ________________ です。 日本の 2ばいです。
Nihon yori desu. Nihon no 2-bai desu.

④ __________ は やく 1750万人です。 日本より ずっと ⑤ __________ です。
wa yaku 1750man-nin desu. Nihon yori zutto desu.

⑥ __________ は サンティアゴです。
wa Santiago desu.

サンティアゴは 東京より ⑦ __________ が 少ないです。
Santiago wa Tōkyō yori ga sukunai desu.

2 Make your own presentation and give it to the class.

私の 国について お話しします。 私の 国は ________________ です。
Watashi no kuni ni tsuite o-hanashi shimasu. Watashi o kuni wa desu.

____

____

____

____

____

____

____

Agree? Disagree?

Coffee Break

▶ Do you agree (○) or disagree (×) with these opinions?

(1) (　　) ビジネスマンは　学生(がくせい)より　ひまです。
Bijinesuman wa　gakusei yori　hima desu.

(2) (　　) お母(かあ)さんは　お父(とう)さんより　ひまです。
Okāsan wa　otōsan yori　hima desu.

(3) (　　) 日本語(にほんご)の　べんきょうは　しごとより　たいへんです。
Nihon-go no　benkyō wa　shigoto yori　taihen desu.

(4) (　　) 子(こ)どもは　大人(おとな)より　たいへんです。
Kodomo wa　otona yori　taihen desu.

(5) (　　) うみは　うちゅうより　ふしぎです。
Umi wa　uchū yori　fushigi desu.

(6) (　　) 女(おんな)の人(ひと)は　うちゅうより　ふしぎです。
On'na no hito wa uchū yori　fushigi desu.

(7) (　　) かいぎは　デートより　たのしいです。
Kaigi wa　dēto yori　tanoshii desu.

(8) (　　) 漢字(かんじ)は　ひらがなより　かっこいいです。
Kanji wa　hiragana yori　kakkoii desu.

(9) (　　) コンピューターは　人より　あたまが　いいです。
Konpyūtā wa　hito yori　atama ga　ii desu.

(10) (　　) ひこうきは　車(くるま)より　危(あぶ)ないです。
Hikōki wa　kuruma yori abunai desu.

(11) (　　) 男(おとこ)の人は　女の人より　つよいです。
Otoko no hito wa on'na no hito yori tsuyoi desu.

(12) (　　) 毎日(まいにち)の　せいかつは　えいがより　おもしろいです。
Mainichi no seikatsu wa　eiga yori　omoshiroi desu.

(13) (　　) いぬは　ねこより　フレンドリーです。
Inu wa　neko yori　furendorī desu.

(14) (　　) いぬは　ねこより　プライドが　高(たか)い*です。
Inu wa　neko yori　puraido ga　takai desu.*

(15) (　　) いぬは　ねこより　人の　気(き)もちが　わかります*。
*Inu wa　neko yori　hito no　kimochi ga　wakarimasu.**

(16) (　　) ねこは　いぬより　あたまが　いいです。
Neko wa　inu yori　atama ga　ii desu.

(17) (　　) ねこは　いぬより　せいかくが　いい*です。
Neko wa　inu yori　seikaku ga　ii desu.*

(18) (　　) ねこは　いぬより　マイペース*です。
Neko wa　inu yori　maipēsu desu.*

* *puraido ga takai:* be proud of oneself　*hito no kimochi ga wakaru:* understand people's feelings
seikaku ga ii: has a good personality　*maipēsu:* live at one's own pace

Grammar

1. 〜は〜が多い／少ない *(~wa ~ ga ooi/sukunai)*

Ooi means "a lot of," "much," or "many." *Sukunai* means "a few" or "not much." Please note the thing expressed as *ooi* or *sukunai* is followed by the particle *ga*, and the topic is marked with the particle *wa*.

日本(にほん)は *Nihon wa*	雨(あめ)が *ame ga*	多(おお)いです。 ***ooi** desu.*	Japan has a lot of rain. (lit., Talking about Japan, there is a lot of rain.)
東京(とうきょう)は *Tōkyō wa*	車(くるま)が *kuruma ga*	多いです。 ***ooi** desu.*	There are many cars in Tokyo. (lit., Talking about Tokyo, there are many cars.)
チリは *Chiri wa*	人口(じんこう)が *jinkō ga*	少(すく)ないです。 ***sukunai** desu.*	Chile has a small population. (lit., Talking about Chile, it has a small population.)

Unlike "many" and "a few" in English, Japanese *ooi* and *sukunai* cannot be used before a noun.

There are many cars.	→ ○ 車が 多いです。 *Kuruma ga ooi desu.*	／ × 多い 車が あります。 *Ooi kuruma ga arimasu.*
(It has) a small population.	→ ○ 人口が 少ないです。 *Jinkō ga sukunai desu.*	／ × 少ない 人口です。 *Sukunai jinkō desu.*

2. AはBより〜 *(A wa B yori ~)* (Comparison)

A wa B yori ookii desu means "A is bigger than B." Adjectives in Japanese do not have comparative forms like those in English have (e.g, bigger, smaller, faster, etc.). Instead, the word *yori* is used to express comparison.

インドは *Indo wa*	日本より *Nihon yori*	大(おお)きいです。 ***ookii** desu.*	India is bigger than Japan.
ベトナムは *Betonamu wa*	日本より *Nihon yori*	小(ちい)さいです。 ***chiisai** desu.*	Vietnam is smaller than Japan.
森(もり)さんは *Mori-san wa*	モデルより *Moderu yori*	きれいです。 ***kirei** desu.*	Mori-san is prettier than a model.
この 本(ほん)は *Kono hon wa*	アニメより *anime yori*	おもしろいです。 ***omoshiroi** desu.*	This book is more interesting than anime.
チリは *Chiri wa*	日本より *Nihon yori*	人口が 少ないです。 ***jinkō ga sukunai** desu.*	Chile has a smaller population than Japan.

Look carefully at the word order of the example sentences above, which is quite different from that in English. Another difference is that the subject is often dropped, as shown in the examples below. Try to memorize these following sentences as a chunk to get used to the differences.

日本より *Nihon yori*	大きいです。 ***ookii** desu.*	(It is) bigger than Japan.
日本より *Nihon yori*	小さいです。 ***chiisai** desu.*	(It is) smaller than Japan.
モデルより *Moderu yori*	きれいです。 ***kirei** desu.*	(She is) prettier than a model.
アニメより *anime yori*	おもしろいです。 ***omoshiroi** desu.*	(It is) more interesting than anime.
日本より *Nihon yori*	人口が 少ないです。 ***jinkō ga sukunai** desu.*	(It has) a smaller population than Japan.

Vocabulary

Nouns

T2	一(ひと)つ	*hitotsu*	one (item)
	二(ふた)つ	*futatsu*	two (items)
	三(みっ)つ	*mittsu*	three (items)
	四(よっ)つ	*yottsu*	four (items)
	五(いつ)つ	*itsutsu*	five (items)
T4	いけん	*iken*	opinion
	おまわりさん	*omawarisan*	police officer
	ファッション	*fasshon*	fashion
T5	人口(じんこう)	*jinkō*	population
	2ばい	*ni-bai*	double; twice
	半分(はんぶん)	*hanbun*	half
	めんせき	*menseki*	area; square measure
	しゅと	*shuto*	capital city
	インド	*Indo*	India
	ニューデリー	*Nyūderī*	New Delhi
	北京(ペキン)	*Pekin*	Beijing
	モスクワ	*Mosukuwa*	Moscow
	ベルリン	*Berurin*	Berlin
	キャンベラ	*Kyanbera*	Canberra
	ワシントンD.C.	*Washinton Dīshī*	Washington, D.C.
	ブラジリア	*Burajiria*	Brasilia
	ベトナム	*Betonamu*	Vietnam
	トルコ	*Toruko*	Turkey
	タイ	*Tai*	Thailand
T6	おく	*oku*	hundred million
	ちょう	*chō*	trillion
	～へいほうキロメートル	*-heihō kiromētoru*	~ square kilometers
	1へいほうキロメートル	*ichi-heihō kiromētoru*	1 square kilometers
T6	アジア	*Ajia*	Asia
	ヨーロッパ	*Yōroppa*	Europe
	アメリカ	*Amerika*	America
	アフリカ	*Afurika*	Africa
	オセアニア	*Oseania*	Oceania
	ちゅうおう	*chūō*	center
FT	サンティアゴ	*Santiago*	Santiago
CB	ビジネスマン	*bijinesuman*	businessman
	学生(がくせい)	*gakusei*	student
	大人(おとな)	*otona*	adult
	うちゅう	*uchū*	universe; space
	ひらがな	*hiragana*	*hiragana* (one of the Japanese syllabaries)
	コンピューター	*konpyūtā*	computer
	男(おとこ)の人(ひと)	*otoko no hito*	man
	せいかつ	*seikatsu*	life
	いぬ	*inu*	dog
	ねこ	*neko*	cat

Adjectives

T2	多(おお)い	*ooi*	many; much; a lot of
	少(すく)ない	*sukunai*	a few; a little; less
T4	つよい	*tsuyoi*	strong
	危(あぶ)ない	*abunai*	dangerous
	ふしぎ(な)	*fushigi(na)*	mysterious; strange
CB	たいへん(な)	*taihen(na)*	hard; tough

Adverbs

T1	ずっと	*zutto*	far more; even more
	ちょっとだけ	*chotto dake*	just a little bit
T5	やく～	*yaku ~*	about; approximately
	やく100	*yaku hyaku*	about 100

Expressions

T4	さんせいです。	*Sansei desu.*	I agree.
	はんたいです。	*Hantai desu.*	I disagree.
FT	～について　お話(はな)しします。	*~ ni tsuite o-hanashi shimasu.*	I will talk about ~. [*polite*]

Unit 18
できます！

Dekimasu! (I can do it!)

- Expressing potential and ability
- Having a small talk about what you can or cannot do
- Potential form of verbs

Key Sentences 18-1

1

Q: できますか。
Dekimasu ka.
Q: Can you do it?

A1: できません。
Dekimasen.
A1: I can't do it.

A2: できます。 ほら！
Dekimasu. Hora!
A2: I can do it. Look!

2

Q: なまたまごが 食(た)べられますか。
Nama tamago ga taberaremasu ka.
Q: Can you eat raw egg?

A1: 食べられます。
Taberaremasu.
A1: I can eat it.

A2: 食べられません。
Taberaremasen.
A2: I can't eat it.

3

A: これ、しっていますか。
Kore, shitte imasu ka.
A: Do you know this?

B: いいえ、しりません。 何(なん)ですか。
Iie, shirimasen. Nan desu ka.
B: No, I don't know. What is it?

A: これで バスに のれます。
Kore de basu ni noremasu.
A: You can ride a bus with this.

B: へえ、べんりですね。 私(わたし)も ほしいです。
Hē, benri desu ne. Watashi mo hoshii desu.
B: Oh, that's handy to have. I want one, too.

4

・ペンさんは 日本語(にほんご)が 話(はな)せます。
Pen-san wa Nihon-go ga hanasemasu.
・Pen-san can speak Japanese.

Task 1 できますか *Dekimasu ka* (Can you do it?)

Phrases for the Task 18-2

- できます *dekimasu* (can do it)
- ほら！ *Hora!* (Look!)
- サーフィンが　できます *sāfin ga dekimasu* (can surf)
- りょうりが　できます *ryōri ga dekimasu* (can cook)
- なっとうが　食べられます *nattō ga taberaremasu* (can eat *natto*)
- ミルクが　飲めます *miruku ga nomemasu* (can drink milk)

1 Tryout Do what the teacher says.

Q: できますか。
Dekimasu ka.

A1: できません。 *Dekimasen.* ／ A2: できます。　ほら！ *Dekimasu. Hora!*

2 Can-Do List 18-3

A Mark the things on the list that you can do. (Yes - ○ / No - ✕)

B Ask your partner if he/she can do the things on the list and fill in the list.

List	A You	B Partner
(1) サーフィンが　できます。 *Sāfin ga dekimasu.*		
(2) じゅうどうが　できます。 *Jūdō ga dekimasu.*		
(3) りょうりが　できます。 *Ryōri ga dekimasu.*		
(4) なっとうが　食べられます。 *Nattō ga taberaremasu.*		
(5) へびが　食べられます。 *Hebi ga taberaremasu.*		
(6) なまたまごが　食べられます。 *Nama tamago ga taberaremasu.*		
(7) さしみが　食べられます。 *Sashimi ga taberaremasu.*		
(8) ミルクが　飲めます。 *Miruku ga nomemasu.*		
(9) おさけが　飲めます。 *O-sake ga nomemasu.*		
(10) コーヒーが　飲めます。 *Kōhī ga nomemasu.*		

Words for Tasks 2-4 18-4

Ex. (a) おぼえる
oboeru

(1) ( ) とめる *tomeru* (2) ( ) わすれる *wasureru* (3) ( ) おくる *okuru*

(4) ( ) のる *noru* (5) ( ) 入る（はい） *hairu* (6) ( ) つかう *tsukau*

a.

remember; memorize

b.

enter

c.

park

d.

use

e.

forget; leave behind

f.
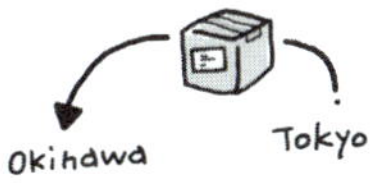

send

g.

get on

Task 2 町（まち）の サイン *Machi no sain* (Signs around the town)

Match the phrases with the pictures. 18-5

Ex. (a) 車（くるま）が とめられます
kuruma ga tomeraremasu

(1) ( ) しゃしんが とれません *shashin ga toremasen*

(2) ( ) きってが 買（か）えます *kitte ga kaemasu*

(3) ( ) 入れません *hairemasen*

(4) ( ) タクシーに のれます *takushī ni noremasu*

(5) ( ) コピーが できます *kopī ga dekimasu*

(6) ( ) にもつが おくれます *nimotsu ga okuremasu*

(7) ( ) けいたいが つかえません *keitai ga tsukaemasen*

a.

b.

c.

d.

e.

f.

g.
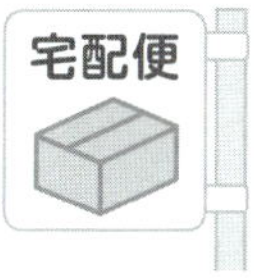

h.

Task 3 Potential Form of Verbs

1 Categorize the following verbs.

a. きく *kiku*	b. おぼえる *oboeru*	c. わすれる *wasureru*	d. のる *noru*	e. かく *kaku*
f. かう *kau*	g. おくる *okuru*	h. とめる *tomeru*	i. みる *miru*	j. たべる *taberu*
k. くる *kuru*	l. する *suru*	m. つかう *tsukau*		

Group 1	Group 2	Group 3 (*Suru/Kuru* Verbs)
a	b	

2 Change the dictionary form into the potential form.

■ Group 1

Dictionary form	Potential form	Dictionary form	Potential form
つかう *tsukau*	(つかえます) *tsukaemasu*	あそぶ *asobu*	(　ます) *masu*
かう *kau*	(　ます) *masu*	のむ *nomu*	(　ます) *masu*
かく *kaku*	(　ます) *masu*	よむ *yomu*	(　ます) *masu*
およぐ *oyogu*	(　ます) *masu*	のる *noru*	(　ます) *masu*
はなす *hanasu*	(　ます) *masu*	つくる *tsukuru*	(　ます) *masu*

あ *a*	か *ka*	さ *sa*	た *ta*	ば *ba*	ま *ma*	ら *ra*
い *i*	き *ki*	し *shi*	ち *chi*	び *bi*	み *mi*	り *ri*
う *u*	く *ku*	す *su*	つ *tsu*	ぶ *bu*	む *mu*	る *ru*
え *e*	( )	( )	( )	( )	( )	( )
お *o*	こ *ko*	そ *so*	と *to*	ぼ *bo*	も *mo*	ろ *ro*

■ **Group 2**

Dictionary form		Potential form		
たべ *tabe*	る *ru*	(たべ *tabe*	られ *rare*	ます) *masu*
おぼえ *oboe*	る *ru*	(		ます) *masu*
わすれ *wasure*	る *ru*	(		ます) *masu*

■ **Group 3** (*Suru/Kuru* Verbs)

Dictionary form	Potential form	
くる *kuru*	(	ます) *masu*
する *suru*	(	ます) *masu*
りょこうを *ryokō o* する *suru*	(	ます) *masu*

3 Rhythm/Intonation Listen and repeat. 18-6

		→		→	
(1)	買(か)います *kaimasu*	→	買う *kau*	→	買えます *kaemasu*
(2)	話(はな)します *hanashimasu*		話す *hanasu*		話せます *hanasemasu*
(3)	読(よ)みます *yomimasu*		読む *yomu*		読めます *yomemasu*
(4)	おぼえます *oboemasu*		おぼえる *oboeru*		おぼえられます *oboeraremasu*
(5)	わすれます *wasuremasu*		わすれる *wasureru*		わすれられます *wasureraremasu*
(6)	します *shimasu*		する *suru*		できます *dekimasu*
(7)	来(き)ます *kimasu*		来(く)る *kuru*		来(こ)られます *koraremasu*

Task 4 これで 電車(でんしゃ)に のれます *Kore de densha ni noremasu* (You can ride a train with this)

Phrases for the Task 18-7

- しっていますか。
  Shitte imasu ka.
  (Do you know?)
- しっています。
  Shitte imasu.
  (I know.)
- しりません。
  Shirimasen.
  (I don't know.)
- これで 電車(でんしゃ)に のれます。
  Kore de densha ni noremasu.
  (You can ride a train with this.)
- これで 何(なん)でも 買(か)えます。
  Kore de nandemo kaemasu.
  (You can buy anything with this.)

1 Tryout Answer the teacher.

(1)

(2)

(3)

2 Review Complete the conversations.

(1) A: これ、① ______________________________ 。
Kore, (do you know?)

B: いいえ、② ______________________________ 。 何(なん)ですか。
Iie, (I don't know.) *Nan desu ka.*

A: ③ ____
(You can ride trains and buses with this.)

B: へえ、べんりですね。 私(わたし)も ほしいです。 どこで 買(か)えますか。
Hē, benri desu ne. Watashi mo hoshii desu. Doko de kaemasu ka.

A: ④ ____
(You can buy one at a station.)

写真提供：(1) 株式会社パスモ (2) 日本図書普及株式会社 (3) 日本百貨店協会
※「PASMO」は株式会社パスモの登録商標です。

(2) A: これ、① ______________________________ 。
Kore, (do you know?)

B: いいえ、② ______________________________ 。 何(なん)ですか。
Iie, (I don't know.) *Nan desu ka.*

A: ③ ______________________________
(You can buy books with this.)

B: へえ、べんりですね。 私(わたし)も ほしいです。 どこで 買(か)えますか。
Hē, *benri desu ne.* *Watashi mo hoshii desu.* *Doko de* *kaemasu ka.*

A: ④ ______________________________
(You can buy one at a book store.)

(3) A: これ、① ______________________________ 。
Kore, (do you know?)

B: いいえ、② ______________________________ 。 何ですか。
Iie, (I don't know.) *Nan desu ka.*

A: ③ ______________________________
(You can buy anything at a department store with this.)

B: へえ、べんりですね。 私も ほしいです。 どこで 買えますか。
Hē, *benri desu ne.* *Watashi mo hoshii desu.* *Doko de* *kaemasu ka.*

A: ④ ______________________________
(You can buy one at a department store.)

3 CD Simulation Have conversations of 2 (1)-(3) with the CD (you are A), and then role-play them with your partner.

(1) 18-8 → 2 (1)

(2) 18-9 → 2 (2)

(3) 18-10 → 2 (3)

Task 5 けいたいと スマホ *Keitai to sumaho* (Regular cell phones and smart phones)

1 Pair Work **Ask and answer questions about Pen-san's and Majimeda-san's phones.** (Sheet B: p. 86)

まじめださんの けいたいは ふるいです。
Majimeda-san no keitai wa furui desu.
べんりじゃないです。
Benri ja nai desu.

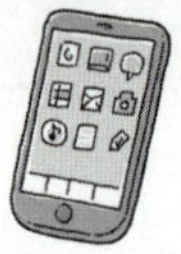

ペンさんの スマホは とても べんりです。
Pen-san no sumaho wa totemo benri desu.
いろいろな ことが できます。
Iroirona koto ga dekimasu.

Ex.

ペン： まじめださんの けいたいで しゃしんが とれますか。
Pen *Majimeda-san no keitai de shashin ga toremasu ka.*

まじめだ：とれません。 ペンさんの スマホで しゃしんが とれますか。
Majimeda *Toremasen. Pen-san no sumaho de shashin ga toremasu ka.*

ペン： とれます。
Pen *Toremasu.*

Sheet A (ペンさん)

	まじめださんの けいたい *Majimeda-san no keitai*	ペンさんの スマホ *Pen-san no sumaho*
Ex. しゃしんを とる *shashin o toru*	(×)	○
(1) ビデオを とる *bideo o toru*	(　)	○
(2) テレビを 見(み)る *terebi o miru*	(　)	○
(3) 本(ほん)を 読(よ)む *hon o yomu*	(　)	○
(4) ひこうきの よやくを する *hikōki no yoyaku o suru*	(　)	○
(5) おんがくを 聞(き)く *ongaku o kiku*	(　)	○
(6) いぬの 気(き)もちが わかる *inu no kimochi ga wakaru*	(　)	○

2 Read the following situations and make up suitable conversations.

まじめださんは　スマホを　買(か)いました。
Majimeda-san wa　sumaho o　kaimashita.

ペンさんと　おなじ　スマホです。
Pen-san to　onaji　sumaho desu.

でも、まじめださんは　スマホの　つかいかたが　よく　わかりません。
Demo,　Majimeda-san wa　sumaho no　tsukaikata ga　yoku　wakarimasen.

ペンさんは　まじめださんに　つかいかたを　おしえます。
Pen-san wa　Majimeda-san ni　tsukaikata o　oshiemasu.

Ex. 18-11

まじめださんは　しゃしんを　とりたいです。でも、カメラを　わすれました。
Majimeda-san wa　shashin o　toritai desu.　Demo,　kamera o　wasuremashita.

→

まじめだ：しゃしんを　とりたいです。でも、カメラを　わすれました。
Majimeda　Shashin o　toritai desu.　Demo,　kamera o　wasuremashita.

しゃしんが　とれません。ざんねんです。
Shashin ga　toremasen.　Zan'nen desu.

ペン：　え？　だいじょうぶですよ。
Pen　E?　Daijōbu desu yo.

その　スマホで　しゃしんが　とれますよ。
Sono　sumaho de　shashin ga　toremasu yo.

まじめだ：そうですか。よかった！
Sō desu ka.　Yokatta!

(1) まじめださんは　おんがくを　聞(き)きたいです。でも、プレーヤーを　わすれました。
Majimeda-san wa　ongaku o　kikitai desu.　Demo,　purēyā o　wasuremashita.

(2) まじめださんは　テレビを　見(み)たいです。でも、テレビが　ありません。
Majimeda-san wa　terebi o　mitai desu.　Demo,　terebi ga　arimasen.

(3) まじめださんは　ひこうきの　よやくを　したいです。
Majimeda-san wa　hikōki no　yoyaku o　shitai desu.

でも、時間(じかん)が　ありません。
Demo,　jikan ga　arimasen.

(4) まじめださんは　本(ほん)を　読(よ)みたいです。でも、本を　わすれました。
Majimeda-san wa　hon o　yomitai desu.　Demo,　hon o　wasuremashita.

3 CD Simulation　Have conversations of 2 (1)-(3) with the CD (you are Pen-san), and then role-play them with your partner.

(1) 18-12 → 2 (1)　　(2) 18-13 → 2 (2)

(3) 18-14 → 2 (3)　　(4) 18-15 → 2 (4)

Task 6 さかなは ひらがなが 書けません *Sakana wa hiragana ga kakemasen* (Fish cannot write *hiragana*)

1 Look at the pictures and fill in the blanks.

さかなは ひらがなが **Ex.** (書く →) 書けません 。
Sakana wa hiragana ga kaku kakemasen.

カタカナが ① (読む →) ＿＿＿＿＿＿ 。
Katakana ga yomu

でも、さかなは ② (およぐ →) ＿＿＿＿＿＿ 。
Demo, sakana wa oyogu

私より ずっと 上手です。
Watashi yori zutto jōzu desu.

うまは 日本語が ③ (話す →) ＿＿＿＿＿＿ 。
Uma wa Nihon-go ga hanasu

日本語が ④ (わかる →) ＿＿＿＿＿＿ 。
Nihon-go ga wakaru

でも、うまは はやく ⑤ (はしる →) ＿＿＿＿＿＿ 。
Demo, uma wa hayaku hashiru

私より ずっと はやいです。
Watashi yori zutto hayai desu.

2 Shadowing Say the presentation aloud with the CD. 18-16

Final Task 日本語が 話せます Nihon-go ga hanasemasu (I can speak Japanese)

1 Listen to the CD and complete the presentations. (1) 18-17 (2) 18-18

(1) 私は 日本語が ① ________________ 。
Watashi wa Nihon-go ga

ひらがなが ② ________________ 。 カタカナが ③ ________________ 。
Hiragana ga　　Katakana ga

でも、漢字は むずかしいです。 まだ ④ ________________ 。
Demo, kanji wa muzukashii desu. Mada

いつか しんぶんを 読みたいです。 これから がんばります。
Itsuka shinbun o yomitai desu. Korekara ganbarimasu.

(2) 私は 日本りょうりが 好きです。
Watashi wa Nihon-ryōri ga suki desu.

すしも さしみも おいしいです。 てんぷらも 大好きです。
Sushi mo sashimi mo oishii desu. Tenpura mo daisuki desu.

日本りょうりは からだに いいです。 ① ________________ 、毎日 食べたいです。
Nihon-ryōri wa karada ni ii desu.　　mainichi tabetai desu.

でも、なっとうは ② ________________ です。
Demo, nattō wa　　desu.

③ ________________________________ 。

2 Write your own presentations about (1) and (2), and give them to the class.

(1) 日本語について *Nihon-go ni tsuite*

私は ________________________________
Watashi wa
____
____
____

(2) 日本りょうりについて *Nihon-ryōri ni tsuite*

私は ________________________________
Watashi wa
____
____
____

Coffee Break What Can You Do?

▸1. Can you do the things below? (Yes - ○ / No - ×)

▸2. Ask your friend the same.

	You	Your friend
(1) あさ　はやく　おきられます。 *Asa hayaku okiraremasu.*		
(2) よる　すぐ　ねられます。 *Yoru sugu neraremasu.*		
(3) 日本(にほん)りょうりは　何(なん)でも　食(た)べられます。 *Nihon-ryōri wa nandemo taberaremasu.*		
(4) 毎(まい)ばん　好(す)きな　ゆめ*が　見(み)られます。 *Maiban sukina yume* ga miraremasu.*		
(5) 日本人(にほんじん)の　名前(なまえ)が　すぐ　おぼえられます。 *Nihon-jin no namae ga sugu oboeraremasu.*		
(6) 500 メートルぐらい　およげます。 *500-mētoru gurai oyogemasu.*		
(7) いやな　こと*が　すぐ　わすれられます。 *Iyana koto* ga sugu wasureraremasu.*		
(8) じぶんの　しっぱい*が　すぐ　わすれられます。 *Jibun no shippai* ga sugu wasureraremasu.*		
(9) 10 分(ぷん)で　おいしい　りょうりが　つくれます。 *10-pun de oishii ryōri ga tsukuremasu.*		
(10) 友(とも)だちが　すぐ　つくれます。 *Tomodachi ga sugu tsukuremasu.*		
(11) ロマンチックな　し*が　書(か)けます。 *Romanchikkuna shi* ga kakemasu.*		
(12) ひみつが　まもれます*。 *Himitsu ga mamoremasu.**		
(13) やくそくが　まもれます*。 *Yakusoku ga mamoremasu.**		
(14) いぬの　気(き)もちが　わかります。 *Inu no kimochi ga wakarimasu.*		
(15) テレパシー*が　つかえます。 *Terepashī* ga tsukaemasu.*		

＊ *yume:* dream　*iyana koto:* unpleasant things　*jibun no shippai:* one's own failure　*shi:* a poem
himitsu o mamoru: keep a secret　*yakusoku o mamoru:* keep a promise　*terepashī:* telepathy

Grammar

1. Potential form of verbs

The potential form of verbs expresses ability or potential. The following chart shows how to make it.

Group 1		Group 2	
kau	kaemasu	taberu	taberaremasu
kaku	kakemasu	neru	neraremasu
hanasu	hanasemasu	miru	miraremasu
nomu	nomemasu	wasureru	wasureraremasu
noru	noremasu	oboeru	oboeraremasu

Group 3 (*Suru/Kuru* Verbs)	
suru	**dekimasu**
kuru	**koraremasu**

Below are example sentences using this form. The object is marked with the particle *ga*, instead of *o*. Note that since *wakaru* always expresses potentiality, it is not necessary to change it into the potential form.

ペンさんは　うめぼし　が　食(た)べられます。 Pen-san wa　umeboshi　**ga**　taberaremasu.	Pen-san can eat *umeboshi*.
ペンさんは　ひらがな　が　書(か)けます。 Pen-san wa　hiragana　**ga**　kakemasu.	Pen-san can write *hiragana*.
ペンさんは　日本語(にほんご)　が　わかります。 Pen-san wa　Nihon-go　**ga**　wakarimasu.	Pen-san can understand some Japanese.

Another way to express potential is to use ~ *koto ga dekimasu*, though the potential form of verbs is more common in speech.

ペンさんは　うめぼし　を　食べることが　できます。 Pen-san wa　umeboshi　o　taberu koto ga　dekimasu.	Pen-san can eat *umeboshi*.
ペンさんは　日本語　を　話(はな)すことが　できます。 Pen-san wa　Nihon-go　o　hanasu koto ga　dekimasu.	Pen-san can speak Japanese.
ペンさんは　ひらがな　を　書くことが　できます。 Pen-san wa　hiragana　o　kaku koto ga　dekimasu.	Pen-san can write *hiragana*.

2. しっています (*shitte imasu*)

Shitte imasu means that the speaker knows something. Note that in negative sentences *shirimasen* is used instead of *shitte imasen*.

○ つかいかたを　しっています。 Tsukaikata o　shitte imasu.	I know how to use it.
○ つかいかたを　しりません。 Tsukaikata o　shirimasen.	I don't know how to use it.
× つかいかたを　しっていません。 Tsukaikata o　shitte imasen.	(I don't know how to use it.)

3. **〜が ほしいです** *(~ ga hoshii desu)*

~ ga hoshii desu means that the speaker wants something. Note that the object of *hoshii desu* sentences is marked with *ga*.

どれが *Dore* ***ga***	ほしいですか。 *hoshii desu ka.*	Which do you want?
これが *Kore* ***ga***	ほしいです。 *hoshii desu.*	I want this one.
それが *Sore* ***ga***	ほしいです。 *hoshii desu.*	I want that one.
けいたいが *Keitai* ***ga***	ほしいです。 *hoshii desu.*	I want a mobile phone.

Vocabulary

Verbs

T1	できる	*dekiru*	[2] can do
W	おくる	*okuru*	[1] send
	入(はい)る	*hairu*	[1] enter; get in
	つかう	*tsukau*	[1] use
	おぼえる	*oboeru*	[2] memorize; remember
	とめる	*tomeru*	[2] stop; park
	わすれる	*wasureru*	[2] forget; leave behind
T6	わかる	*wakaru*	[1] understand
	はしる	*hashiru*	[1] run
FT	がんばる	*ganbaru*	[1] do one's best; try hard

Nouns

T1	サーフィン	*sāfin*	surfing
	じゅうどう	*jūdō*	judo
	なっとう	*nattō*	*natto* (fermented soybeans)
	へび	*hebi*	snake
	なまたまご	*nama tamago*	raw egg
	さしみ	*sashimi*	*sashimi* (slices of raw fish)
T2	きって	*kitte*	(postal) stamp
	コピー	*kopī*	copy; photocopy [-*suru*]
T4	本(ほん)や	*hon'ya*	bookstore
T5	スマホ	*sumaho*	smart phone
	こと	*koto*	thing; matter
	ビデオ	*bideo*	video
	よやく	*yoyaku*	reservation [-*suru*]
T5	気(き)もち	*kimochi*	feeling
	つかいかた	*tsukaikata*	how to use; usage
	プレーヤー	*purēyā*	(music) player
T6	カタカナ	*katakana*	*katakana* (one of the Japanese syllabaries)
	うま	*uma*	horse
FT	いつか	*itsuka*	someday; sometime
	てんぷら	*tenpura*	*tempura* (deep-fried fish and vegetables)
CB	〜メートル	*-mētoru*	~ meters
	1メートル	*ichi-mētoru*	1 meter

Adjectives

T4	ほしい	*hoshii*	want
T6	はやい	*hayai*	fast
FT	からだに いい	*karada ni ii*	healthy
CB	好(す)き(な)	*suki(na)*	favorite

Adverbs

T4	何(なん)でも	*nandemo*	anything
T6	はやく	*hayaku*	fast; quickly
FT	これから	*korekara*	after this; from now on
	ぜったいに	*zettaini*	never [*in negative sentences*]
CB	はやく	*hayaku*	early

Conjunction

FT	ですから	*desukara*	therefore; so

Expressions

T1	ほら！	*Hora!*	Look!
T4	しっていますか。	*Shitte imasu ka.*	Do you know?
	しっています。	*Shitte imasu.*	I know.
	しりません。	*Shirimasen.*	I don't know.
	へえ。	*Hē.*	Oh, really?; Wow.; Hmm . . .
T5	よく　わかりません。	*Yoku wakarimasen.*	(I) don't really understand.; (I) don't know well.
	ざんねんです。	*Zan'nen desu.*	It is too bad.
	そうですか。	*Sō desu ka.*	I see.
	よかった（です）！	*Yokatta (desu) !*	That's nice!
FT	～について	*~ ni tsuite*	about; regarding
	日本語（にほんご）について	*Nihon-go ni tsuite*	about Japanese

Task 5

1 **Pair Work** (Sheet A: p. 78)

Ex.

ペン：　まじめださんの　けいたいで　しゃしんが　とれますか。
Pen　Majimeda-san no　keitai de　shashin ga　toremasu ka.

まじめだ：とれません。　ペンさんの　スマホで　しゃしんが　とれますか。
Majimeda　Toremasen.　Pen-san no　sumaho de　shashin ga　toremasu ka.

ペン：　とれます。
Pen　Toremasu.

Sheet B (まじめださん)

	まじめださんの けいたい *Majimeda-san no keitai*	ペンさんの スマホ *Pen-san no sumaho*
Ex. しゃしんを　とる *shashin o　toru*	×	(○)
(1) ビデオを　とる *bideo o　toru*	×	(　　)
(2) テレビを　見(み)る *terebi o　miru*	×	(　　)
(3) 本(ほん)を　読(よ)む *hon o　yomu*	×	(　　)
(4) ひこうきの　よやくを　する *hikōki no　yoyaku o　suru*	×	(　　)
(5) おんがくを　聞(き)く *ongaku o　kiku*	×	(　　)
(6) いぬの　気(き)もちが　わかる *inu no　kimochi ga　wakaru*	×	(　　)

Unit 19

私の 国の おすすめ スポット

Watashi no kuni no osusume supotto (Vacation spots in my country)

- Expressing your preferences
- Making recommendations
- Having a small talk about vacation spots in your country

Key Sentences 19-1

1 **Q:** どれが いちばん いいですか。
Dore ga ichiban ii desu ka.
Q: Which one is the best? (Which do you prefer the most?)

A: これが いいです。
Kore ga ii desu.
A: This one is.

2 **Q:** うみと 山、どちらが いいですか。
Umi to yama, dochira ga ii desu ka.
Q: Which do you prefer, the seaside or the mountains?

A1: うみの ほうが いいです。
Umi no hō ga ii desu.
A1: I prefer the seaside.

A2: どちらも いいです。
Dochiramo ii desu.
A2: Both are good.

3 ・まどから 富士山が 見えます。
Mado kara Fuji-san ga miemasu.
・We can see Mt. Fuji from the window. (lit., From the window Mt. Fuji is visible.)

4 ぜひ、私の 国に 来てください。
Zehi, watashi no kuni ni kite kudasai.
You should definitely come to my country.

きせつは はるが いちばん いいです。
Kisetsu wa haru ga ichiban ii desu.
Spring is the best season. (lit., As for the season, spring is the best.)

Words for This Unit 19-2

Ex. (a) きせつ *kisetsu*

(1) (　　) はる *haru*　(2) (　　) なつ *natsu*　(3) (　　) あき *aki*

(4) (　　) ふゆ *fuyu*　(5) (　　) れきし *rekishi*　(6) (　　) ぶんか *bunka*

(7) (　　) おみやげ *o-miyage*　(8) (　　) かんこう *kankō*　(9) (　　) のんびりする *nonbiri suru*

a.

season

b.

souvenir

c.

relax

d.

sightseeing

e.

history

f.

culture

g.

autumn; fall

h.

summer

i.

winter

j.

spring

Task 1 休(やす)みに 何(なに)を したいですか
Yasumi ni nani o shitai desu ka
(What do you want to do on vacation?)

Want-to-do List 19-3

A Mark the things on the list that you want to do on vacation. (Yes - ○ / No - ✕)

B Ask your partner what he/she wants to do.

List	A You	B Partner
(1) スポーツを したいです。 *Supōtsu o shitai desu.*		
(2) 買(か)いものに 行(い)きたいです。 *Kaimono ni ikitai desu.*		
(3) かんこうを したいです。 *Kankō o shitai desu.*		
(4) のんびりしたいです。 *Nonbiri shitai desu.*		
(5) ふるい おてらや じんじゃを 見(み)たいです。 *Furui o-tera ya jinja o mitai desu.*		
(6) びじゅつかんに 行きたいです。 *Bijutsukan ni ikitai desu.*		
(7) おんせんに 入(はい)りたいです。 *Onsen ni hairitai desu.*		
(8) おいしい りょうりを 食(た)べたいです。 *Oishii ryōri o tabetai desu.*		
(9) きれいな けしきを 見たいです。 *Kireina keshiki o mitai desu.*		
(10) ぶんかや れきしを べんきょう したいです。 *Bunka ya rekishi o benkyō shitai desu.*		

Task 2 どれが いちばん いいですか
Dore ga ichiban ii desu ka
(Which do you like best?)

Let's play "Old Maid." 19-4

Ex. 1

A: どれが いちばん いいですか。
Dore ga ichiban ii desu ka.

B: いちばん 上(うえ)が いいです。
Ichiban ue ga ii desu.

A: どうぞ。 おなじ かず*が ありますか。
Dōzo. Onaji kazu ga arimasu ka.*

B: あ！ あります。 ほら！
A! Arimasu. Hora!

* *kazu:* number

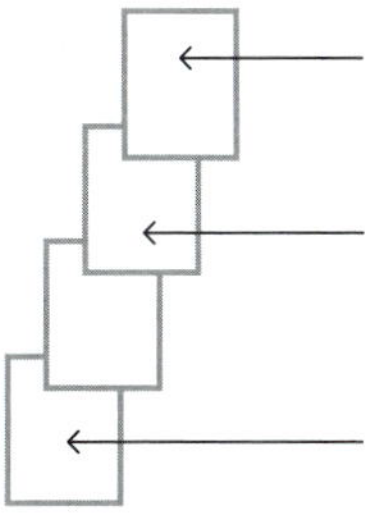

いちばん 上(うえ) *ichiban ue*

上から 二(に)ばんめ *ue kara ni-ban me*

いちばん 下(した) *ichiban shita*

Ex. 2

A: どちらが いいですか。
Dochira ga ii desu ka.

B: こっちの ほうが いいです。
Kotchi no hō ga ii desu.

こっち *kotchi*

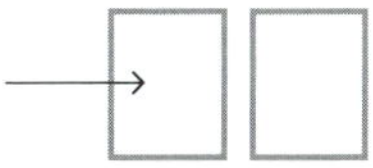

Task 3 どちらが いいですか *Dochira ga ii desu ka* (Which do you prefer?)

Ask your partner which things he/she prefers.

Ex. 19-5

Q: うみと 山、どちらが いいですか。
Umi to yama, dochira ga ii desu ka.

A1: 山の ほうが いいです。
Yama no hō ga ii desu.

A2: どちらも いいです。
Dochiramo ii desu.

うみ *umi*

山 *yama*

(1)

スポーツ *supōtsu*

えいが *eiga*

(2)

ホテル *hoteru* (Western-style hotel)

りょかん *ryokan* (Japanese-style hotel)

(3)

いなか *inaka* (countryside)

とかい *tokai* (city; urban area)

(4)

わしょく *washoku* (Japanese dishes)

ようしょく *yōshoku* (Western dishes)

(5)

なつ *natsu*

ふゆ *fuyu*

(6)

買いもの *kaimono*

おんせん *onsen*

(7)

さくら *sakura* (cherry blossoms)

こうよう *kōyō* (colored leaves)

(8)

ふるい ぶんか *furui bunka*

あたらしい ぶんか *atarashii bunka*

© ソフトバンク(株)

Task 4　箱根(はこね)は　どんな　ところですか　*Hakone wa don'na tokoro desu ka* (What sort of place is Hakone?)

Words for the Task　19-6

- おかし *o-kashi* (sweets)
- こうよう *kōyō* (colored leaves)
- しま *shima* (island)
- マリンスポーツ *marin supōtsu* (marine sports)
- さむらい *samurai* (samurai)
- にわ *niwa* (garden)
- でんとうてき(な) *dentōteki(na)* (traditional)
- アニメグッズ *anime guzzu* (anime-related goods)
- 電気(でんき)せいひん *denki seihin* (electric product)
- めずらしい *mezurashii* (rare; unusual)

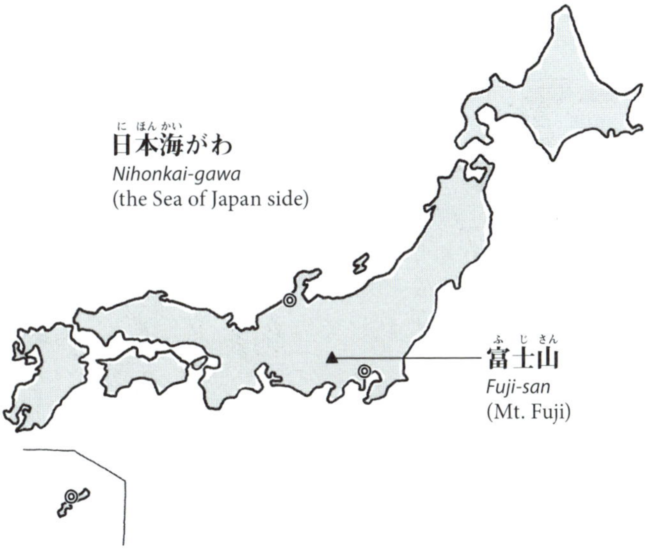

1　Listen to the conversations and fill in the chart.　A 19-7　B 19-8　(Scripts: p. 185)

	A 箱根(はこね) *Hakone*	B 沖縄(おきなわ) *Okinawa*
(1) どんな　ところですか *Don'na tokoro desu ka*		
(2) どこに　ありますか *Doko ni arimasu ka*		
(3) どんな　ことが　できますか *Don'na koto ga dekimasu ka*		
(4) おみやげは？　どうして？ *O-miyage wa? Dōshite?*		
(5) きせつは？　どうして？ *Kisetsu wa? Dōshite?*		

2 Pair Work Ask each other questions. (Sheet B: p. 98)

Sheet A

A ［秋葉原(あきはばら) *Akihabara*］ Ask your partner.

(1) 秋葉原(あきはばら)は　どんな　ところですか。
Akihabara wa don'na tokoro desu ka.

(2) どこに　ありますか。
Doko ni arimasu ka.

(3) どんな　ことが　できますか。
Don'na koto ga dekimasu ka.

(4) おみやげは　何(なに)が　いいですか。　どうしてですか。
O-miyage wa nani ga ii desu ka. Dōshite desu ka.

(5) きせつは　いつが　いちばん　いいですか。
Kisetsu wa itsu ga ichiban ii desu ka.

B ［金沢(かなざわ) *Kanazawa*］ Read the following and answer your partner's questions.

金沢(かなざわ)は　れきしの　ながい　町(まち)です。日本(にほん)の　ふるい　ぶんかが　あります。
Kanazawa wa rekishi no nagai machi desu. Nihon no furui bunka ga arimasu.

たとえば、さむらいの　うちや　ゆうめいな　ふるい　にわです。
Tatoeba, samurai no uchi ya yūmeina furui niwa desu.

金沢は　日本海(にほんかい)がわに　あります。
Kanazawa wa Nihonkai-gawa ni arimasu.

東京(とうきょう)から　しんかんせんで　2時間半(じかんはん)ぐらいです。
Tōkyō kara shinkansen de 2-jikan han gurai desu.

でんとうてきな　りょうりが　食(た)べられます。おいしい　おさけも　飲(の)めます。
Dentōtekina ryōri ga taberaremasu. Oishii o-sake mo nomemasu.

きせつは　はるが　いちばん　いいです。さくらが　とても　きれいですから。
Kisetsu wa haru ga ichiban ii desu. Sakura ga totemo kirei desu kara.

おみやげは　おさけが　いいです。とても　おいしいですよ。
O-miyage wa o-sake ga ii desu. Totemo oishii desu yo.

3 Ask your partner questions and report his/her answers to the class.

(1) 箱根(はこね)、沖縄(おきなわ)、金沢、秋葉原、休(やす)みに　どこに　行(い)きたいですか。
Hakone, Okinawa, Kanazawa, Akihabara, yasumi ni doko ni ikitai desu ka.

(2) どうしてですか。
Dōshite desu ka.

Task 5 りょこうに 行きたいんですが *Ryokō ni ikitai-n-desu ga* (I want to go on a trip)

1 Listen to the CD and complete the conversation. 19-9

Pen-san is asking Mori-san for travel advice.

ペン：森さん、ちょっと いいですか。
Pen: Mori-san, chotto ii desu ka.

森： 何ですか。
Mori: Nan desu ka.

ペン：りょこうに ① ______________________。
Ryokō ni

森： そうですね…… 何を したいですか。
Sō desu ne... Nani o shitai desu ka.

ペン：おいしい 日本りょうりを 食べたいです。おんせんに 入りたいです。
Oishii Nihon-ryōri o tabetai desu. Onsen ni hairitai desu.

そして、② ______________________。
Soshite,

森： うみと 山、どちらが いいですか。
Umi to yama, dochira ga ii desu ka.

ペン：③ ______________________

森： じゃ、箱根が いいですよ。富士山の ちかくです。
Ja, Hakone ga ii desu yo. Fuji-san no chikaku desu.

ペン：④ ______________________

森： おいしい 日本りょうりが 食べられます。おんせんも あります。
Oishii Nihon-ryōri ga taberaremasu. Onsen mo arimasu.

のんびりできますよ。もちろん、富士山も 見えます。
Nonbiri dekimasu yo. Mochiron, Fuji-san mo miemasu.

ペン：⑤ ______________________

森： あきが いちばん いいです。こうようが きれいですから。
Aki ga ichiban ii desu. Kōyō ga kirei desu kara.

ペン：⑥ ______________________

森： おかしは どうですか。おいしいですよ。
O-kashi wa dō desu ka. Oishii desu yo.

2 CD Simulation Have a conversation with the CD, and then role-play it with your partner. 19-10

3 You are interested in traveling your partner's country. Ask him/her the following questions.

Ex. あなた：(Partner's country) に りょこうに 行きたいんですが……
Anata ___ *ni* *ryokō ni* *ikitai-n-desu ga . . .*
(*Continue the conversation*)

Question	Answer
(1) どこが いいですか。 *Doko ga ii desu ka.*	
(2) どんな ところですか。 *Don'na tokoro desu ka.*	
(3) どこに ありますか。 *Doko ni arimasu ka.*	
(4) どんな ことが できますか。 *Don'na koto ga dekimasu ka.*	
(5) きせつは？ どうして？ *Kisetsu wa Dōshite?*	
(6) おみやげは？ どうして？ *O-miyage wa? Dōshite?*	

Final Task 私の 国の おすすめ スポット
Watashi no kuni no osusume supotto
(Vacation spots in my country)

1 Listen to the CD. 19-11

* *Burū-Mosuku:* Blue Mosque (Sultanahmet Camii) *Ayasofia: Hagia* Sophia
kebabu: kebab *berī dansu:* belly dance

2 Read the presentation and answer the questions.

ぜひ、私の 国、トルコに 来てください。
Zehi, watashi no kuni, Toruko ni kite kudasai.
トルコは アジアと ヨーロッパの 間に あります。れきしの ながい 国です。
Toruko wa Ajia to Yōroppa no aida ni arimasu. Rekishi no nagai kuni desu.
アジアの ぶんかも ヨーロッパの ぶんかも あります。とても おもしろいです。
Ajia no bunka mo Yōroppa no bunka mo arimasu. Totemo omoshiroi desu.
トルコで いちばん 大きい 町は イスタンブールです。毎日 人が たくさん
Toruko de ichiban ookii machi wa Isutanbūru desu. Mainichi hito ga takusan
かんこうに 来ます。とても にぎやかです。きれいな ふるい モスクが
kankō ni kimasu. Totemo nigiyaka desu. Kireina furui mosuku ga

写真提供（右）：トルコ共和国大使館 文化広報参事官室
(TURKISH EMBASSY Office of The Cultural and Information Counsellor)

たくさん　あります。　とくに　ブルーモスク*や　アヤソフィア*は　ゆうめいです。
takusan arimasu. Tokuni Burū-Mosuku ya Ayasofia* wa yūmei desu.*

トルコりょうりも　ゆうめいです。　レストランで　おいしい　ケバブ*や　ピザが
Toruko-ryōri mo yūmei desu. Resutoran de oishii kebabu ya piza ga*

食(た)べられます。　ベリーダンス*も　見(み)られます。　たのしいですよ。
taberaremasu. Berī dansu mo miraremasu. Tanoshii desu yo.*

きせつは　6月(がつ)から　9月が　いいです。　おみやげは　コーヒーや　アクセサリーが
Kisetsu wa 6-gatsu kara 9-gatsu ga ii desu. O-miyage wa kōhī ya akusesarī ga

いいです。
ii desu.

トルコは　ほんとうに　いい　国(くに)です。　ぜひ、トルコに　来(き)てください。
Toruko wa hontōni ii kuni desu. Zehi, Toruko ni kite kudasai.

Questions:

(1) トルコは　どこに　ありますか。
Toruko wa doko ni arimasu ka.

(2) トルコは　どんな　国ですか。
Toruko wa don'na kuni desu ka.

(3) イスタンブールは　どんな　町(まち)ですか
Isutanbūru wa don'na machi desu ka.

(4) レストランで　何(なに)が　できますか。
Resutoran de nani ga dekimasu ka.

(5) きせつは　ふゆが　いちばん　いいですか。
Kisetsu wa fuyu ga ichiban ii desu ka.

(6) おみやげは　何が　いいですか。
O-miyage wa nani ga ii desu ka.

3 Write about a place in your country that you recommend visiting and tell it to the class.

ぜひ、私(わたし)の　国、________________ に　来てください。
Zehi, watashi no kuni, ni kite kudasai.

____

____

____

____

________________ は　ほんとうに　いい　国です。
wa hontōni ii kuni desu.

ぜひ、________________ に　来てください。
Zehi, ni kite kudasai.

Grammar

1. どちらが いいですか *(Dochira ga ii desu ka)* (Which is better?)

When asking if someone prefers A or B, use *dochira*.

Q: AとB、どちらが いいですか。 *A to B, dochira ga ii desu ka.*	Q: Which one is better, A or B? (Which do you prefer, A or B?)
A1: Aのほうが いいです。 *A no hō ga ii desu.*	A1: A is better. (I prefer A.)
A2: どちらも いいです。 *Dochiramo ii desu.*	A2: Both are good.

2. どれが いちばん いいですか *(Dore ga ichiban ii desu ka)* (Which is best?)

When asking someone's preference regarding three or more things, use *dore*.

Q: どれが いちばん いいですか。 *Dore ga ichiban ii desu ka.*	Q: Which one is best? (Which do you prefer the most?)
A: Aが (いちばん) いいです。 *A ga (ichiban) ii desu.*	A: A is best.

When asking when, where, or what is best, use *itsu*, *doko*, or *nani*, respectively.

Q: きせつは いつが いちばん いいですか。 *Kisetsu wa **itsu** ga ichiban ii desu ka.*	Q: Which season is the best? (lit., As for the season, when is best?)
A: はるが (いちばん) いいです。 *Haru ga (ichiban) ii desu.*	A: Spring is best.
Q: ホテルは どこが いちばん いいですか。 *Hoteru wa **doko** ga ichiban ii desu ka.*	Q: Which hotel is the best? (lit., As for the hotel, where is best?)
A: サンホテルが (いちばん) いいです。 *San Hoteru ga (ichiban) ii desu.*	A: Sun Hotel is the best.
Q: おみやげは 何(なに)が いちばん いいですか。 *O-miyage wa **nani** ga ichiban ii desu ka.*	Q: What is the best souvenir? (lit., As for souvenirs, what is best?)
A: パイナップルが (いちばん) いいです。 *Painappuru ga (ichiban) ii desu.*	A: Pineapples are best.

3. 見(み)えます／見られます *(miemasu / miraremasu)* (can see; be visible)

Both *miemasu* and *miraremasu* (potential form learned in Unit 18) are generally translated as "can see," but they are different in their implications. *Miemasu* means that something is visible independent of the speaker's intention, while *miraremasu* implies that he/she intends to see it. That's why *miemasu* is often used when talking about scenery. Note that both *miemasu* and *miraremasu* use the particle *ga* to mark their objects.

まどから 富士山(ふじさん)が よく 見(み)えます。 *Mado kara Fuji-san **ga** yoku miemasu.*	We can see Mt. Fuji from the window. (lit., From the window, Mt. Fuji is visible.)
きのう ほしが 見えませんでした。 *Kinō hoshi **ga** miemasendeshita.*	I couldn't see any stars yesterday. (lit., Yesterday the stars were not visible.)
しぶやで おもしろい ものが 見られます。 *Shibuya de omoshiroi mono **ga** miraremasu.*	You can see interesting things in Shibuya (if you go there).
ぎんざで かぶきが 見られます。 *Ginza de kabuki **ga** miraremasu.*	You can watch Kabuki in Ginza (if you go there).

Vocabulary

Verbs

W	のんびりする	*nonbiri suru*	[3] relax
T1	おんせんに　入(はい)る	*onsen ni hairu*	[1] take a bath in a hot spring
T4	見(み)える	*mieru*	[2] be visible; can see

Nouns

W	きせつ	*kisetsu*	season
	はる	*haru*	spring
	なつ	*natsu*	summer
	あき	*aki*	autumn; fall
	ふゆ	*fuyu*	winter
	れきし	*rekishi*	history
	ぶんか	*bunka*	culture
	かんこう	*kankō*	sightseeing [-*suru*]
T1	じんじゃ	*jinja*	shrine
	けしき	*keshiki*	scenery
T2	いちばん	*ichiban*	the first; the best
	二(に)ばんめ	*ni-ban me*	the second
T3	りょかん	*ryokan*	Japanese-style hotel
	いなか	*inaka*	countryside
	とかい	*tokai*	city; urban area
	わしょく	*washoku*	Japanese dishes
	ようしょく	*yōshoku*	Western dishes
	さくら	*sakura*	cherry blossoms
	こうよう	*kōyō*	fall/colored leaves
T4	しま	*shima*	island
	マリンスポーツ	*marin supōtsu*	marine sports
T4	さむらい	*samurai*	samurai warrior
	にわ	*niwa*	garden
	アニメグッズ	*anime guzzu*	anime-related goods
	電気(でんき)せいひん	*denki seihin*	electric product
	日本海(にほんかい)がわ	*Nihonkai-gawa*	the Sea of Japan side
	富士山(ふじさん)	*Fuji-san*	Mt. Fuji
	箱根(はこね)	*Hakone*	[*place name*]
	金沢(かなざわ)	*Kanazawa*	[*place name*]
FT	間(あいだ)	*aida*	between
	イスタンブール	*Isutanbūru*	Istanbul
	モスク	*mosuku*	mosque
	ピザ	*piza*	pizza
	アクセサリー	*akusesarī*	accessories

Adjectives

T4	ながい	*nagai*	long
	でんとうてき(な)	*dentōteki(na)*	traditional

Adverbs

T2	いちばん	*ichiban*	most; best
T4	もちろん	*mochiron*	of course; surely
	いつでも	*itsudemo*	anytime
FT	ぜひ	*zehi*	definitely
	とくに	*tokuni*	especially; particularly

Interrogative

T2	どちら	*dochira*	which one

Expressions

T3	どちらも　いいです。	*Dochiramo ii desu.*	I like both.; Both are good.
FT	ぜひ、私(わたし)の　国(くに)に　来(き)てください。	*Zehi, watashi no kuni ni kite kudasai.*	You should definitely come to my country.

Task 4

2 **Pair Work** (Sheet A: p. 92)

Sheet B

A ［秋葉原(あきはばら) *Akihabara*］ Read the following and answer your partner's questions.

秋葉原(あきはばら)は　あたらしい　ぶんかの　町(まち)です。とても　おもしろい　町です。
Akihabara wa atarashii bunka no machi desu. Totemo omoshiroi machi desu.
東京(とうきょう)に　あります。東京駅(えき)から　電車(でんしゃ)で　5分(ふん)ぐらいです。
Tōkyō ni arimasu. Tōkyō-eki kara densha de 5-fun gurai desu.
いろいろな　アニメグッズや　電気(でんき)せいひんが　買(か)えます。
Iroirona anime guzzu ya denki seihin ga kaemasu.
めずらしい　りょうりが　食(た)べられます。めずらしい　飲(の)みものが　飲めます。
Mezurashii ryōri ga taberaremasu. Mezurashii nomimono ga nomemasu.
めずらしい　人(ひと)に　会(あ)えます。きせつは　いつでも　いいです。
Mezurashii hito ni aemasu. Kisetsu wa itsudemo ii desu.
おみやげは　もちろん、アニメグッズや　電気せいひんが　いいです。
O-miyage wa mochiron, anime guzzu ya denki seihin ga ii desu.

B ［金沢(かなざわ) *Kanazawa*］ Ask your partner.

(1) 金沢(かなざわ)は　どんな　ところですか。
Kanazawa wa don'na tokoro desu ka.

(2) どこに　ありますか。
Doko ni arimasu ka.

(3) どんな　ことが　できますか。
Don'na koto ga dekimasu ka.

(4) おみやげは　何(なに)が　いいですか。どうしてですか。
O-miyage wa nani ga ii desu ka. Dōshite desu ka.

(5) きせつは　いつが　いちばん　いいですか。どうしてですか。
Kisetsu wa itsu ga ichiban ii desu ka. Dōshite desu ka.

Unit 20

気(き)に しないでください

Ki ni shinaide kudasai (Please don't worry)

- Telling someone to refrain from doing something
- Expressing "have to/must" and "don't have to"
- Reading a Japanese folktale
- *Nai*-form of verbs

Key Sentences 20-1

1
・おくれないでください。
Okurenaide kudasai.
・Please don't be late.

・開(あ)けないで！
Akenaide!
・Don't open it! [*urgent/casual setting*]

2
これは ひみつです。
Kore wa himitsu desu.
This is a secret.

だれにも 言(い)わないでください。
Darenimo iwanaide kudasai.
Please don't tell anyone.

3
A: きのうは すみませんでした。
Kinō wa sumimasendeshita.
A: I'm sorry for yesterday.

B: だいじょうぶですよ。
Daijōbu desu yo.
B: It's OK.

そんなに 気(き)に しないでください。
Son'nani ki ni shinaide kudasai.
Please don't worry so much.

4
・あした ゴルフに 行(い)かなくちゃ いけません。
Ashita gorufu ni ikanakucha ikemasen.
・I have to go play golf tomorrow.

・日曜日(にちようび)に しごとを しなくても いいです。
Nichi-yōbi ni shigoto o shinakutemo ii desu.
・I don't have to work on Sunday.

Task 1 わすれないでください *Wasurenaide kudasai* (Please don't forget me)

Words for the Task 20-2

Ex. (a) おくれる *okureru*

(1) (   ) わすれる *wasureru*　(2) (   ) すてる *suteru*　(3) (   ) ごみばこ *gomibako*

(4) (   ) ひみつ *himitsu*　(5) (   ) しごと中（ちゅう） *shigoto-chū*　(6) (   ) ちゅうしゃきんし *chūsha kinshi*

a. be late　**b.** throw away　**c.** forget　**d.** during work
e. no parking　**f.** secret　**g.** garbage can

1 Study the *-naide kudasai* phrases.

A Listen to the phrases for each picture. 20-3

(1)

Don't park

(2)

Don't look

(3)

Don't sleep

(4)

Don't be late

(5)

Don't forget

(6)

Don't throw away

(7)

Don't open

(8)

Don't eat

B Match the phrases with the pictures.

a. とめないでください。
Tomenaide kudasai.

b. すてないでください。
Sutenaide kudasai.

c. わすれないでください。
Wasurenaide kudasai.

d. おくれないでください。
Okurenaide kudasai.

e. ねないでください。
Nenaide kudasai.

f. 見(み)ないでください。
Minaide kudasai.

g. 食(た)べないで！
Tabenaide!

h. 開(あ)けないで！
Akenaide!

2 Review Look at the pictures in 1 and complete the sentences.

(1) ここは ちゅうしゃきんしです。 ______________ください。
Koko wa chūsha kinshi desu. *kudasai.*

(2) ひみつの しゃしんです。 ______________ください。
Himitsu no shashin desu. *kudasai.*

(3) しごと中(ちゅう)です。 ______________ください。
Shigoto-chū desu. *kudasai.*

(4) おそいですよ！ ______________ください。
Osoi desu yo! *kudasai.*

(5) さようなら。 私(わたし)を ______________ください。
Sayōnara. *Watashi o* *kudasai.*

(6) そこは ごみばこじゃないですよ。 ______________ください。
Soko wa gomibako ja nai desu yo. *kudasai.*

(7) キャー！ ______________！ [*urgent*]
Kyā!

(8) おとうとと いもうとです。 ______________！ [*urgent*]
Otōto to imōto desu.

3 CD Simulation Look at the pictures in 1 and say what not to do after the beeps.

20-4

Task 2 *Nai*-form of Verbs

1 Categorize the following verbs.

a. なく naku	b. おくれる okureru	c. わすれる wasureru	d. おす osu	e. かく kaku
f. いう iu	g. おこる okoru	h. とめる tomeru	i. みる miru	j. すてる suteru
k. くる kuru	l. する suru	m. つかう tsukau		

↓

Group 1	Group 2	Group 3 (*Suru/Kuru* Verbs)
a	b	

2 Change the dictionary form into the *nai*-form.

■**Group 1**

Dictionary form		*Nai*-form			Dictionary form		*Nai*-form		
い i	う u	(い i	わ wa	ない) nai	ま ma	つ tsu	(		ない) nai
つか tsuka	う u	(		ない) nai	あそ aso	ぶ bu	(		ない) nai
い i	く ku	(		ない) nai	の no	む mu	(		ない) nai
な na	く ku	(		ない) nai	よ yo	む mu	(		ない) nai
はな hana	す su	(		ない) nai	おこ oko	る ru	(		ない) nai
お o	す su	(		ない) nai	と to	る ru	(		ない) nai

わ wa	か ka	(　)	(　)	(　)	(　)	(　)
い i	き ki	し shi	ち chi	び bi	み mi	り ri
う u	く ku	す su	つ tsu	ぶ bu	む mu	る ru
え e	け ke	せ se	て te	べ be	め me	れ re
お o	こ ko	そ so	と to	ぼ bo	も mo	ろ ro

Group 2

Dictionary form	*Nai*-form
たべ る *tabe ru*	(たべ ない) *tabe nai*
すて る *sute ru*	(ない) *nai*
わすれ る *wasure ru*	(ない) *nai*

Group 3 (*Suru*/*Kuru* Verbs)

Dictionary form	*Nai*-form
くる *kuru*	(ない) *nai*
しんぱい する *shinpai suru*	(ない) *nai*
きに する *ki ni suru*	(ない) *nai*

3 Rhythm/Intonation Listen and repeat. 20-5

(1)	すてます *sutemasu* →	すてる *suteru* →	すてない *sutenai* →	すてないでください *sutenaide kudasai*
(2)	わすれます *wasuremasu*	わすれる *wasureru*	わすれない *wasurenai*	わすれないでください *wasurenaide kudasai*
(3)	とめます *tomemasu*	とめる *tomeru*	とめない *tomenai*	とめないでください *tomenaide kudasai*
(4)	行[い]きます *ikimasu*	行く *iku*	行かない *ikanai*	行かないでください *ikanaide kudasai*
(5)	話[はな]します *hanashimasu*	話す *hanasu*	話さない *hanasanai*	話さないでください *hanasanaide kudasai*
(6)	入[はい]ります *hairimasu*	入る *hairu*	入らない *hairanai*	入らないでください *hairanaide kudasai*
(7)	言[い]います *iimasu*	言う *iu*	言わない *iwanai*	言わないでください *iwanaide kudasai*
(8)	気[き]に　します *ki ni shimasu*	気に　する *ki ni suru*	気に　しない *ki ni shinai*	気に　しないでください *ki ni shinaide kudasai*
(9)	来[き]ます *kimasu*	来[く]る *kuru*	来[こ]ない *konai*	来[こ]ないでください *konaide kudasai*

Task 3 なかないでください *Nakanaide kudasai* (Please don't cry)

Words for the Task 20-6

(1) (　　) 言う *iu*	(2) (　　) おす *osu*	(3) (　　) なく *naku*
(4) (　　) おこる *okoru*	(5) (　　) しんぱい する *shinpai suru*	(6) (　　) 気に する *ki ni suru*

a. get angry	b. push	c. say; tell
d. worry	e. cry	f. mind; worry

1 Study the *-naide kudasai* phrases.

A Listen to the phrases for each picture. 20-7

(1)

Don't push

(2)

Don't get angry

(3)

Don't say/tell

(4)

Don't cry

(5)

Don't go

(6)

Don't worry

(7)

Don't mind

(8)

Don't come

B Match the phrases with the pictures.

a. 言わないでください。
Iwanaide kudasai.

b. 行かないでください。
Ikanaide kudasai.

c. おさないでください。
Osanaide kudasai.

d. おこらないでください。
Okoranaide kudasai.

e. なかないでください。
Nakanaide kudasai.

f. しんぱい　しないでください。
Shinpai shinaide kudasai.

g. 気に　しないでください。
Ki ni shinaide kudasai.

h. 来ないで！
Konaide!

2 Review Look at the pictures in 1 and complete the sentences.

(1) いたい！ ＿＿＿＿＿＿＿＿ ください。
Itai! kudasai.

(2) どうして　おこっていますか。 ＿＿＿＿＿＿＿＿ ください。
Dōshite okotte imasu ka. kudasai.

(3) これは　ひみつです。 だれにも ＿＿＿＿＿＿＿＿ くださいね。
Kore wa himitsu desu. Darenimo kudasai ne.

(4) どうしたんですか。 どうして　ないていますか。 ＿＿＿＿＿＿＿＿ ください。
Dō shita-n-desu ka. Dōshite naite imasu ka. kudasai.

(5) まって！ まってください。 ＿＿＿＿＿＿＿＿ ください。
Matte! Matte kudasai. kudasai.

(6) だいじょうぶですよ。 元気です。 ＿＿＿＿＿＿＿＿ ください。
Daijōbu desu yo. Genki desu. kudasai.

(7) A: すみません！ ごめんなさい。
Sumimasen! Gomen'nasai.

B: だいじょうぶです。 ＿＿＿＿＿＿＿＿ ください。
Daijōbu desu. kudasai.

(8) キャー！ だめです。 ＿＿＿＿＿＿＿＿ ！ [urgent]
Kyā! Dame desu.

3 CD Simulation Look at the pictures in 1 and say what not to do after the beeps.

20-8

Task 4 そんなに 気に しないでください Son'nani ki ni shinaide kudasai (Please don't worry so much)

Scene 1

1 Practice the conversation.

男の人と 女の人が 話しています。 ひみつの 話です。
Otoko no hito to on'na no hito ga hanashite imasu. Himitsu no hanashi desu.

→ A: (ヒソヒソ *in whispers*)
Hisohiso

B: ええっ! それは しりませんでした。
Eeh! Sore wa shirimasendeshita.

A: でも、かちょうに 言わないでください。
Demo, kachō ni iwanaide kudasai.

これは ひみつです。 ぜったいに 言わないでください。
Kore wa himitsu desu. Zettaini iwanaide kudasai.

B: わかりました。 ぜったいに かちょうに 言いません。
Wakarimashita. Zettaini kachō ni iimasen.

■ Variations

- かれに
  kare ni
- かのじょに
  kanojo ni
- だれにも
  darenimo

2 Shadowing Say the conversation aloud with the CD. 20-9

Scene 2

1 Practice the conversation.

男の人と 女の人が 話しています。 男の人は あした 電話を します。
Otoko no hito to on'na no hito ga hanashite imasu. Otoko no hito wa ashita denwa o shimasu.

→ A: あした、電話を ください。 あの…、わすれないでくださいね。
Ashita, denwa o kudasai. Ano…, wasurenaide kudasai ne.

B: だいじょうぶ。 わすれません。 電話を します。
Daijōbu. Wasuremasen. Denwa o shimasu.

* * * * * *

B: きのうは すみませんでした。 電話を わすれました。
Kinō wa sumimasendeshita. Denwa o wasuremashita.

A: だいじょうぶですよ。
Daijōbu desu yo.

B: ほんとうに もうしわけありません。
Hontōni mōshiwake arimasen.

A: そんなに 気に しないでください。
Son'nani ki ni shinaide kudasai.

■ Variations

- メール
  mēru
- へんじ
  henji
- れんらく
  renraku

2 Shadowing Say the conversation aloud with the CD. 20-10

Scene 3

1 Ask your teacher not to do something.

Ex. 先生(せんせい)は 日本語(にほんご)を とても はやく 話(はな)しています。
Sensei wa Nihon-go o totemo hayaku hanashite imasu.

→ 学生(がくせい)：先生、そんなに はやく 話さないでください。
Gakusei Sensei, son'nani hayaku hanasanaide kudasai.

(1) 先生は 学生に 漢字(かんじ)を たくさん おしえました。
Sensei wa gakusei ni kanji o takusan oshiemashita.

→ 学生：______________________________

(2) 先生は 学生を とても おこっています。
Sensei wa gakusei o totemo okotte imasu.

→ 学生：______________________________

(3) 先生は 学生の 名前(なまえ)を わすれました。
Sensei wa gakusei no namae o wasuremashita.

→ 学生：______________________________

2 CD Simulation Tell your teacher what not to do after the beeps. 20-11

Scene 4

1 Ask your boyfriend/girlfriend not to do something.

Ex. ボーイフレンド／ガールフレンドは たばこを たくさん すっています。
Bōifurendo Gārufurendo wa tabako o takusan sutte imasu.

→ あなた：そんなに たばこを すわないで。
Anata Son'nani tabako o suwanaide.

(1) ボーイフレンド／ガールフレンドは おさけを たくさん 飲(の)んでいます。
Bōifurendo Gārufurendo wa o-sake o takusan nonde imasu.

→ あなた：______________________________

(2) ボーイフレンド／ガールフレンドは ケーキを たくさん 食(た)べています。
Bōifurendo Gārufurendo wa kēki o takusan tabete imasu.

→ あなた：______________________________

(3) ボーイフレンド／ガールフレンドは あさから ばんまで しごとを しています。
Bōifurendo Gārufurendo wa asa kara ban made shigoto o shite imasu.

→ あなた：______________________________

2 CD Simulation Tell your boyfriend/girlfriend what not to do after the beeps.

20-12

Task 5 しなくちゃ いけません／しなくても いいです

shinakucha ikemasen/shinakutemo ii desu (have to do/don't have to do)

Phrases for the Task 20-13

Obligation:

- しなくちゃ いけません (have to do)
  shinakucha ikemasen
- 行(い)かなくちゃ いけません (have to go)
  ikanakucha ikemasen

No obligation:

- しなくても いいです (don't have to do)
  shinakutemo ii desu
- 行かなくても いいです (don't have to go)
  ikanakutemo ii desu

1 Must-do Checklist 20-14

A Mark the things on the list that you have or don't have to do. (Yes - ○ / No - ✕)

B Ask your partner.

会社(かいしゃ)で *Kaisha de*	A You	B Partner
(1) 9時(じ)に 会社(かいしゃ)に 行(い)かなくちゃ いけません。 *9-ji ni kaisha ni ikanakucha ikemasen.*		
(2) 毎日(まいにち) かいぎを しなくちゃ いけません。 *Mainichi kaigi o shinakucha ikemasen.*		
(3) 毎週(まいしゅう) しゅっちょう しなくても いいです。 *Maishū shutchō shinakutemo ii desu.*		
(4) ぜんぜん ざんぎょう しなくても いいです。 *Zenzen zangyō shinakutemo ii desu.*		
うちで *Uchi de*	**A You**	**B Partner**
(5) 毎週 クリーニングやに 行かなくちゃ いけません。 *Maishū kurīningu-ya ni ikanakucha ikemasen.*		
(6) 子(こ)どもに べんきょうを おしえなくちゃ いけません。 *Kodomo ni benkyō o oshienakucha ikemasen.*		
(7) しゅうまつ せんたくや そうじを しなくても いいです。 *Shūmatsu sentaku ya sōji o shinakutemo ii desu.*		
(8) 毎日 スーパーで 買(か)いものを しなくても いいです。 *Mainichi sūpā de kaimono o shinakutemo ii desu.*		
日本語(にほんご)のクラスで *Nihon-go no kurasu de*	**A You**	**B Partner**
(9) 漢字(かんじ)を 読(よ)まなくちゃ いけません。 *Kanji o yomanakucha ikemasen.*		
(10) 日本語(にほんご)だけ 話(はな)さなくちゃ いけません。 *Nihon-go dake hanasanakucha ikemasen.*		
(11) 漢字を 書(か)かなくても いいです。 *Kanji o kakanakutemo ii desu.*		
(12) あたらしい ことばを おぼえなくても いいです。 *Atarashii kotoba o oboenakutemo ii desu.*		

2 Tell the class the biggest difference between you and your partner.

Task 6 ペンさんの ゆううつ *Pen-san no yūutsu* (Pen-san's gloom)

Scene 1

1 **Read the situation and make up a suitable conversation.**

ペンさんは あまり ゴルフが 好きじゃないです。
Pen-san wa amari gorufu ga suki ja nai desu.

でも、あしたは ゴルフに 行かなくちゃ いけません。
Demo, ashita wa gorufu ni ikanakucha ikemasen.

ゴルフじょう*は ペンさんの うちから とても とおいです。
Gorufujō wa Pen-san no uchi kara totemo tooi desu.*

あしたの あさ 3時に おきなくちゃ いけません。
Ashita no asa 3-ji ni okinakucha ikemasen.

たいへんです。
Taihen desu.

* *gorufujō:* golf course

会社の人： ペンさん、あした どこか 行きますか。
Kaisha no hito: Pen-san, ashita dokoka ikimasu ka.

ペン： あした ゴルフに ① ＿＿＿＿＿＿＿＿＿＿＿＿ 。
Pen: Ashita gorufu ni

会社の人： ゴルフ！ いいですね。
Gorufu! Ii desu ne.

ペン： でも、ゴルフは 好きじゃないです。
Demo, gorufu wa suki ja nai desu.

会社の人： へえ……
Hē . . .

ペン： そして、あした あさ 3時に ② ＿＿＿＿＿＿＿＿＿＿＿＿ 。
Soshite, ashita asa 3-ji ni

たいへんです。 行きたくないです。
Taihen desu. Ikitaku nai desu.

会社の人： そんなこと 言わないでください。 たのしんでください。
Son'na koto iwanaide kudasai. Tanoshinde kudasai.

2 **CD Simulation** **Have a conversation with the CD, and then role-play it with your partner.** 20-15

Scene 2

1 Read the situation and make up a suitable conversation.

ペンさんは　来月　ハワイに　しゅっちょう　しなくちゃ　いけません。
Pen-san wa raigetsu Hawai ni shutchō shinakucha ikemasen.

ペンさんは　ハワイが　好きじゃないです。あついですから。
Pen-san wa Hawai ga suki ja nai desu. Atsui desu kara.

そして、ペンさんは　英語が　あまり　上手じゃないです。
Soshite, Pen-san wa eigo ga amari jōzu ja nai desu.

これから　英語を　べんきょう　しなくちゃ　いけません。
Korekara eigo o benkyō shinakucha ikemasen.

たいへんです。
Taihen desu.

会社の人： ペンさん　いそがしそうですね。
Kaisha no hito　Pen-san, isogashisō desu ne.

ペン： 来月、ハワイに ① ______________________________ 。
Pen　Raigetsu, Hawai ni

会社の人： ハワイ⁉　いいですね。
Hawai!?　Ii desu ne.

ペン： でも、ハワイは　好きじゃないです。あついですから。
Demo, Hawai wa suki ja nai desu. Atsui desu kara.

会社の人： へえ……
Hē…

ペン： そして、英語を ② ______________________________ 。
Soshite, eigo o

たいへんです。ハワイに　行きたくないです。
Taihen desu. Hawai ni ikitaku nai desu.

会社の人： そんなこと　言わないでください。たのしんでください。
Son'na koto iwanaide kudasai. Tanoshinde kudasai.

2 CD Simulation　Have a conversation with the CD, and then role-play it with your partner. 20-16

Final Task つるの おんがえし *Tsuru no ongaeshi* (The Grateful Crane)

This is one of the most famous Japanese folk stories.

Words and Phrases for the Task 20-17

- つる *tsuru* (crane)
- おんがえし *ongaeshi* (showing one's gratitude)
- ゆき *yuki* (snow)
- つう *Tsū* (name of a girl in this story)
- おじいさん *ojīsan* (old man)
- おばあさん *obāsan* (old lady)
- きもの *kimono* (kimono)
- おれいに *oreini* (in appreciation)
- へん(な) *hen(na)* (strange)
- とめてください *tomete kudasai* (let me stay overnight)
- たすける *tasukeru* (save)
- たすけてもらう *tasukete morau* (be saved)

1 Read the following first, and listen to the rest of the story on the CD.

20-18/20-19/20-20

つるの おんがえし *Tsuru no ongaeshi* (The Grateful Crane)

Long, long ago there lived an old man and his wife in a village. They were very poor and very kind. One very cold day, the old man went to the town to sell some wood. On his way back home, he found a crane in a trap. Feeling sorry for it, he set it free. The crane flew away toward the mountains in the evening sky.

The old man came home and told his wife what happened. Then there was the sound of knocking at the door.

2 Answer the following questions. (True - ○ / False - ×)

(1) (　　) おじいさんは 山(やま)で つるを たすけました。
Ojīsan wa yama de tsuru o tasukemashita.

(2) (　　) おばあさんは きものを つくりました。
Obāsan wa kimono o tsukurimashita.

(3) (　　) おじいさんと おばあさんは ドアを 開(あ)けませんでした。
Ojīsan to obāsan wa doa o akemasendeshita.

(4) (　　) おじいさんと おばあさんは へやの 中(なか)を 見(み)ました。
Ojīsan to obāsan wa heya no naka o mimashita.

3 Read and enjoy the story.

(20-18)

おじいさんは　うちに　かえりました。そして、おばあさんに　言(い)いました。
Ojīsan wa uchi ni kaerimashita. Soshite, obāsan ni iimashita.

おじいさん：今日(きょう)、山(やま)で　つるを　たすけましたよ。
Ojīsan Kyō, yama de tsuru o tasukemashita yo.

おばあさん：そうですか。おじいさんは　やさしいですね。
Obāsan Sō desu ka. Ojīsan wa yasashii desu ne.

（コンコン [*Knocking*]）
Konkon

おじいさんは　ドアを　開(あ)けました。ゆきの　中(なか)に　きれいな　女(おんな)の人(ひと)が　いました。
Ojīsan wa doa o akemashita. Yuki no naka ni kireina on'na no hito ga imashita.

女の人は　言いました。
On'na no hito wa iimashita.

女の人：こんばんは。私(わたし)の　名前(なまえ)は　「つう」です。
On'na no hito Konbanwa. Watashi no namae wa "Tsū" desu.

こんばん　ここに　とめてください。
Konban koko ni tomete kudasai.

おばあさん：どうぞ、どうぞ。
Obāsan Dōzo, dōzo.

- つぎの　あさ *Tsugi no asa*

つう：おじいさん、おばあさん、きのうは　どうも　ありがとう
Tsū Ojīsan, obāsan, kinō wa dōmo arigatō

ございました。私は　おれいに　きものを　つくります。
gozaimashita. Watashi wa oreini kimono o tsukurimasu.

でも、へやの　ドアを　開けないでください。
Demo, heya no doa o akenaide kudasai.

おじいさん：わかりました。
Ojīsan Wakarimashita.

おばあさん：開けません。
Obāsan Akemasen.

(20-19)

つうは　あさから　ばんまで　一人(ひとり)で　きものを　つくりました。あさごはんを
Tsū wa asa kara ban made hitoride kimono o tsukurimashita. Asa-gohan o

食(た)べませんでした。ひるごはんも　食べませんでした。ばんごはんも
tabemasendeshita. Hiru-gohan mo tabemasendeshita. Ban-gohan mo

食べませんでした。一人で　へやの　中で　きものを　つくりました。
tabemasendeshita. Hitoride heya no naka de kimono o tsukurimashita.

おじいさん：へんですね。（コンコン）つうさん、だいじょうぶですか。
Ojīsan Hen desu ne. Konkon Tsū-san, daijōbu desu ka.

おばあさん：ドアを　開けても　いいですか。
Obāsan Doa o aketemo ii desu ka.

つう： しんぱい しないでください。ドアを 開けないでください。
Tsū Shinpai shinaide kudasai. Doa o akenaide kudasai.

おじいさん：わかりました。
Ojīsan Wakarimashita.

• つぎの あさ *Tsugi no asa*

おじいさん：（コンコン） つうさん、だいじょうぶですか。
Ojīsan Konkon Tsū-san, daijōbu desu ka.

おばあさん：ドアを 開けても いいですか。
Obāsan Doa o aketemo ii desu ka.

つう： しんぱい しないでください。ドアを 開けないでください。
Tsū Shinpai shinaide kudasai. Doa o akenaide kudasai.

おじいさん・おばあさん：へんですね。
Ojīsan Obāsan Hen desu ne.

(20-20)

• つぎの あさ *Tsugi no asa*

おじいさん：（コンコン） つうさん、開けますよ。
Ojīsan Konkon Tsū-san, akemasu yo.

つう： 開けないでください。ぜったいに 中を 見ないでください。
Tsū Akenaide kudasai. Zettaini naka o minaide kudasai.

おじいさんと おばあさんは がまん できませんでした。二人は へやの ドアを 開けました。
Ojīsan to obāsan wa gaman dekimasendeshita. Futari wa heya no doa o akemashita.

（ガラガラ [The door rattles]）
Garagara

おじいさん・おばあさん：ああっ！
Ojīsan Obāsan Aah!

そこに つるが いました。その つるは きものを つくっていました。
Soko ni tsuru ga imashita. Sono tsuru wa kimono o tsukutte imashita.

じぶんの はねで* きものを つくっていました。
Jibun no hane de kimono o tsukutte imashita.*

つう： 私は つるです。おじいさんに たすけてもらいました。
Tsū Watashi wa tsuru desu. Ojīsan ni tasukete moraimashita.

ですから、おれいに きものを つくりました。
Desukara, oreini kimono o tsukurimashita.

おじいさんと おばあさんは 私を 見ました。
Ojīsan to obāsan wa watashi o mimashita.

私は 山に かえらなくちゃ いけません。
Watashi wa yama ni kaeranakucha ikemasen.

ざんねんです。さようなら…。
Zan'nen desu. Sayōnara…

* *jibun no hane de*: with one's own feathers

Grammar

1. *Nai*-form of verbs

The following chart shows how to make the *nai*-form of verbs.

Group 1		Group 2		Group 3 (*Suru/Kuru* Verbs)	
iu	iwanai	taberu	tabenai	suru	shinai
suu	suwanai	neru	nenai	kuru	konai
iku	ikanai	iru	inai		
naku	nakanai	akeru	akenai		
osu	osanai	tomeru	tomenai		
okoru	okoranai	wasureru	wasurenai		
*aru	*nai	suteru	sutenai		

Note that the *nai*-form of *aru* is "*nai*." Do not use "*aranai*."

2. ～ないでください (*~naide kudasai*)

The *nai*-form of verbs + *de kudasai*, that is, *~naide kudasai*, means "Don't ~." It can be used for making commands, requests or pleading, depending on how it is said.

れんらくを　わすれないでください。 *Renraku o wasurenaide kudasai.*	(Please) don't forget to contact me.
おくれないでください。 *Okurenaide kudasai.*	(Please) don't be late.
そんなに　なかないでください。 *Son'nani nakanaide kudasai.*	(Please) don't cry like that. (You are overreacting.)
おさないでください。 *Osanaide kudasai.*	(Please) don't push me.

In a casual setting with family and close friends or in urgent situations, you can omit *kudasai*.

来(こ)ないで！ *Konaide!*	Don't come! [*urgent*]
たばこを　すわないで。 *Tabako o suwanaide.*	Don't smoke. [*casual setting*]

3. ～なくちゃ　いけません／～なくても　いいです (*~nakucha ikemasen / ~nakutemo ii desu*)

~nakucha ikemasen means "have to."

5時(じ)に　おきなくちゃ　いけません。 *5-ji ni okinakucha kemasen.*	I have to wake up at five o'clock. (lit., Not waking up at five o'clock is not an option.)
会社(かいしゃ)に　行(い)かなくちゃ　いけません。 *Kaisha ni ikanakucha ikemasen.*	I have to go to the office. (lit., Not going to the office is not an option.)
しごとを　しなくちゃ　いけません。 *Shigoto o shinakucha ikemasen.*	I have to work. (lit., Not working is not an option.)

~nakutemo ii desu means "don't have to do."

なっとうを 食(た)べなくても いいです。 *Nattō o tabenakutemo ii desu.*	You don't have to eat *natto*. (lit., Not eating *natto* is OK.)
会社(かいしゃ)に 行(い)かなくても いいです。 *Kaisha ni ikanakutemo ii desu.*	You don't have to go to the office. (lit., Not going to the office is OK.)

You can make *~nakucha ikemasen* and *~nakutemo ii desu* by changing the *nai* of a verb in the *nai*-form.

~nai		*~nakucha ikemasen*	*~nakutemo ii desu*
*oki**nai***	→	*okinakucha ikemasen*	*okinakutemo ii desu*
*ika**nai***	→	*ikanakucha ikemasen*	*ikanakutemo ii desu*
*shi**nai***	→	*shinakucha ikemasen*	*shinakutemo ii desu*

4. 気(き)に しないでください／しんぱい しないでください *(Ki ni shinaide kudasai / Shinpai shinaide kudasai)*

Both *ki ni shinaide kudasai* and *shinpai shinaide kudasai* roughly mean "Don't worry," but they are used in different contexts. *Ki ni suru* is used for minor situations, while *shinpai suru* is used for more serious situations.

A: ほんとうに すみません。 *Hontōni sumimasen.*	I'm so sorry. (I think I did something wrong to you.)
B: 気(き)に しないでください。 *Ki ni shinaide kudasai.*	No need to apologize.; That's OK.; Don't worry about it.

A: だいじょうぶですか。 *Daijōbu desu ka.*	Are you OK? (I'm worried about you.)
B: しんぱい しないでください。 *Shinpai shinaide kudasai.*	Don't worry about me. (I'm OK.)

5. そんなに ～ないでください *(Son'nani ~naide kudasai)*

Son'nani ~naide kudasai basically means "Please don't do something so much/fast/etc."

そんなに 気に しないでください。 *Son'nani ki ni shinaide kudasai.*	Please don't worry so much.
そんなに はやく 話(はな)さないでください。 *Son'nani hayaku hanasanaide kudasai.*	Please don't speak so fast.
そんなに たくさん しごとを しないで。 *Son'nani takusan shigoto o shinaide.*	Don't work so much.
そんなに なかないで。 *Son'nani nakanaide.*	Don't cry like that.
そんなに おこらないで。 *Son'nani okoranaide.*	Don't get so mad.

Vocabulary

Verbs

T1	すてる	*suteru*	[2] throw away
T3	言(い)う	*iu*	[1] say; tell
	おす	*osu*	[1] push
	なく	*naku*	[1] cry
	おこる	*okoru*	[1] get angry
	しんぱい　する	*shinpai suru*	[3] worry
	気(き)に　する	*ki ni suru*	[3] mind; worry
FT	たすける	*tasukeru*	[2] save; rescue
	たすけてもらう	*tasukete morau*	[1] be saved; get help

Nouns

T1	ごみばこ	*gomibako*	garbage can
	ひみつ	*himitsu*	secret
	しごと中(ちゅう)	*shigoto-chū*	during work
	ちゅうしゃきんし	*chūsha kinshi*	no parking
T4	へんじ	*henji*	reply; response
	れんらく	*renraku*	contact
	ガールフレンド	*gārufurendo*	girlfriend
	ケーキ	*kēki*	cake
T5	しゅっちょう	*shutchō*	business trip [*-suru*]
	ざんぎょう	*zangyō*	overtime work [*-suru*]
	クリーニングや	*kurīningu-ya*	dry cleaners
T5	～だけ	*~ dake*	only
	日本語(にほんご)だけ	*Nihon-go dake*	only Japanese
	ことば	*kotoba*	word; language
T6	どこか	*dokoka*	somewhere
	来月(らいげつ)	*raigetsu*	next month
	ハワイ	*Hawai*	Hawaii
FT	つる	*tsuru*	crane
	おんがえし	*ongaeshi*	showing one's gratitude
	ゆき	*yuki*	snow
	おばあさん	*obāsan*	old lady
	きもの	*kimono*	kimono
	こんばん	*konban*	tonight
	つぎの　あさ	*tsugi no asa*	next morning

Adjectives

T6	とおい	*tooi*	far
FT	やさしい	*yasashii*	gentle
	へん（な）	*hen(na)*	strange

Adverbs

T3	だれにも	*darenimo*	to nobody [*used in negative sentence*]
T4	そんなに	*son'nani*	that much; like that

Expressions

T1	さようなら。	*Sayōnara.*	Good-bye.
	キャー！	*Kyā!*	[*screaming*]
T3	ごめんなさい。	*Gomen'nasai.*	I'm sorry.
T4	ええっ！	*Eeh!*	What?; No kidding!
	それは　しりませんでした。	*Sore wa shirimasendeshita.*	I didn't know that.
	もうしわけありません。	*Mōshiwake arimasen.*	I'm sorry. [*very polite*]
T6	そんなこと　言(い)わないでください。	*Son'na koto iwanaide kudasai.*	Don't say that.
	たのしんでください。	*Tanoshinde kudasai.*	Please enjoy.; Please have fun.
FT	とめてください。	*Tomete kudasai.*	Let me stay overnight.
	おれいに	*oreini*	in appreciation

Unit 21
わすれられない 思い出

Wasurerarenai omoide (Unforgettable memories)

- Talking about your experiences
- Expressing “when”
- Having a small talk about your unforgettable memories
- *Ta*-form of verbs

Key Sentences 21-1

1 A: じつは 私は おばけを 見たことが あります。
Jitsuwa watashi wa obake o mita koto ga arimasu.
A: As a matter of fact, I have seen a ghost.

B: ええっ！ ほんとうですか。 いつですか。 (*surprised*)
Eeh! Hontō desu ka. Itsu desu ka.
B: Oh! Really? When?

A: 子どもの ときです。
Kodomo no toki desu.
A: It was when I was a child.

B: どうでしたか。 (*with strong interest*)
Dō deshita ka.
B: How did you feel?

A: こわかったです。
Kowakatta desu.
A: I was scared.

B: そうですか。 それは すごい けいけんでしたね。
Sō desu ka. Sore wa sugoi keiken deshita ne.
B: I see . . . That’s an incredible experience.

2 かぞくと はじめて えいがかんで えいがを 見ました。 そのとき、とても たのしかったです。
Kazoku to hajimete eigakan de eiga o mimashita. Sonotoki, totemo tanoshikatta desu.
I saw a movie at the theater with my family for the first time. I had a very fun time. (lit., At that time, it was very fun.)

3 これは 私にとって たいせつな 思い出です。 今でも わすれられません。
Kore wa watashi ni totte taisetsuna omoide desu. Imademo wasureraremasen.
This is a precious memory to me. I still remember it clearly. (lit., I still can’t forget it.)

Words for This Unit 21-2

Ex. (a) はずかしい *hazukashii*

(1) (　　) こわい *kowai*

(2) (　　) さびしい *sabishii*

(3) (　　) しあわせ(な) *shiawase(na)*

(4) (　　) がっかりする *gakkari suru*

(5) (　　) びっくりする *bikkuri suru*

(6) (　　) つかれる *tsukareru*

a.

shy

b.

be surprised

c.

scared

d.

get tired

e.

be disappointed

f.

happy

g.

lonely

Task 1 ひまな とき、スポーツを しますか *Himana toki, supōtsu o shimasu ka* (Do you play sports when you have time?)

1 Checklist of things you usually do 21-3

A Mark the things on the list that you usually do in each situation. (Yes - ○ / No - ×)

B Ask your partner.

ひまな とき *Himana toki*	A You	B Partner
(1) テレビや えいがを 見(み)ます。 *Terebi ya eiga o mimasu.*		
(2) スポーツを します。 *Supōtsu o shimasu.*		
(3) おんがくを 聞(き)きます。 *Ongaku o kikimasu.*		
さびしい とき *Sabishii toki*	**A You**	**B Partner**
(4) おもしろい えいがを 見ます。 *Omoshiroi eiga o mimasu.*		
(5) さびしい えいがを 見ます。 *Sabishii eiga o mimasu.*		
病気(びょうき)の とき *Byōki no toki*	**A You**	**B Partner**
(6) くすりを 飲(の)みます。 *Kusuri o nomimasu.*		
(7) できるだけ* くすりを 飲みません。 *Dekirudake* kusuri o nomimasen.*		
かいぎの とき *Kaigi no toki*	**A You**	**B Partner**
(8) じぶんの いけんを はっきり 言(い)います。 *Jibun no iken o hakkiri iimasu.*		
(9) みんなの いけんを よく 聞きます。 *Min'na no iken o yoku kikimasu.*		
(10) ときどき ねます。 *Tokidoki nemasu.*		
りょこうの とき *Ryokō no toki*	**A You**	**B Partner**
(11) ひつような ものだけ もっていきます。 *Hitsuyōna mono dake motte ikimasu.*		
(12) 好(す)きな 本(ほん)を もっていきます。 *Sukina hon o motte ikimasu.*		
(13) かぞくの しゃしんを もっていきます。 *Kazoku no shashin o motte ikimasu.*		
おこった とき* *Okotta toki**	**A You**	**B Partner**
(14) カラオケで 大(おお)ごえで* うたいます。 *Karaoke de oogoe de* utaimasu.*		
(15) 本や ざっしを かべに なげます。* *Hon ya zasshi o kabe ni nagemasu.**		
(16) じぶんに「おこらないでください」と 言います。* *Jibun ni "okoranaide kudasai" to iimasu.**		

＊ *dekirudake (~ masen):* as little as *okotta toki:* when angry *oogoe de:* in a loud voice
kabe ni nagemasu: throw against a wall ~ *to iimasu:* say that ~

2 Tell the class the biggest difference between you and your partner.

Task 2 *Ta*-form of Verbs

1 Categorize the following verbs.

a. あう au	b. わすれる wasureru	c. みる miru	d. のる noru	e. いく iku
f. なく naku	g. おこる okoru	h. おしえる oshieru	i. あける akeru	j. のむ nomu
k. くる kuru	l. する suru	m. のぼる (climb) noboru		

Group 1	Group 2	Group 3 (*Suru/Kuru* Verbs)
a	b	

2 Change the dictionary form into the *ta*-form.

■ **Group 1**

Dictionary form		*Ta*-form	Dictionary form		*Ta*-form
き ki	く ku	(き ki い i た ta)	か ka	う u	(た ta)
な na	く ku	(た ta)	あ a	う u	(た ta)
いそ iso	ぐ gu	(だ da)	もら mora	う u	(た ta)
お o	す su	(た ta)	つか tsuka	う u	(た ta)
はな hana	す su	(た ta)	ま ma	つ tsu	(た ta)
あそ aso	ぶ bu	(だ da)	も mo	つ tsu	(た ta)
やす yasu	む mu	(だ da)	のぼ nobo	る ru	(た ta)
の no	む mu	(だ da)	の no	る ru	(た ta)
			い i	く ku	(た ta)

■ **Group 2**

Dictionary form		*Ta*-form
おしえ oshie	る ru	(た ta)
わすれ wasure	る ru	(た ta)
み mi	る ru	(た ta)

■ **Group 3** (*Suru/Kuru* Verbs)

Dictionary form		*Ta*-form
	くる kuru	(た ta)
しんぱい shinpai	する suru	(た ta)
きに ki ni	する suru	(た ta)

Task 3 まじめださんの すごい けいけん *Majimeda-san no sugoi keiken* (Majimeda-san's incredible experiences)

1 Ask your partner.

Ex. 21-4 Q: 富士山(ふじさん)に のぼったことが ありますか。
Fuji-san ni nobotta koto ga arimasu ka.

A1: いいえ、ありません。／ A2: はい、あります。
Iie, arimasen. / Hai, arimasu.

Ex.

富士山／のぼる
Fuji-san noboru

(1)

UFO／見(み)る
yūfō miru

(2)

おばけ／見る
obake miru

(3)

おすもうさん／会(あ)う
osumōsan au

(4)

ゆうめい人(じん)／サイン／もらう
yūmei-jin sain morau

(5)

東京(とうきょう)タワー／のぼる
Tōkyō-tawā noboru

(6)

ざぜん* する
zazen suru*

* *zazen:* Zen meditation

(7)

たいふうの とき、さんぽ する
taifū no toki, sanpo suru

2 Listen to Majimeda-san's incredible experiences and complete the conversations. Then, role-play them with your partner.

(1) 21-5

まじめだ：じつは 私(わたし)は ①＿＿＿＿＿＿＿＿＿＿＿＿＿＿＿＿。
Majimeda: Jitsuwa watashi wa

ペン：ええっ！ ほんとうですか。 いつですか。 [*surprised*]
Pen: Eeh! Hontō desu ka. Itsu desu ka.

まじめだ：②＿＿＿＿＿＿＿＿＿＿＿＿＿＿ です。
desu.

ペン：だれと？ [*with strong interest*]
Dare to?

まじめだ：③＿＿＿＿＿＿＿＿＿＿＿＿＿＿＿＿

ペン：どうでしたか。 [*with strong interest*]
Dō deshita ka.

まじめだ：つかれました。 ④＿＿＿＿＿＿＿＿＿＿＿＿＿＿
Tsukaremashita.
でも、いい 思(おも)い出(で)です。
Demo, ii omoide desu.

ペン：そうですか。 それは すごい けいけんですね。
Sō desu ka. Sore wa sugoi keiken desu ne.

* *Eberesuto:* Mt. Everest

(2) 21-6

まじめだ：じつは 私(わたし)は ① ______________________________。
Majimeda　Jitsuwa　watashi wa

ペン：　ええっ！ ほんとうですか。 いつですか。 [*surprised*]
Pen　Eeh!　Hontō desu ka.　Itsu desu ka.

まじめだ：② ______________________________ です。
desu.

ペン：　どこで？ [*with strong interest*]
Doko de?

まじめだ：③ ______________________________

ペン：　どうでしたか。 [*with strong interest*]
Dō deshita ka.

まじめだ：④ ______________________________

わすれられません。
Wasureraremasen.

ペン：　そうですか。 それは すごい けいけんですね。
Sō desu ka.　Sore wa　sugoi　keiken desu ne.

(3) 21-7

まじめだ：じつは 私は ① ______________________________。
Majimeda　Jitsuwa　watashi wa

ペン：　ええっ！ ほんとうですか。 いつですか。 [*surprised*]
Pen　Eeh!　Hontō desu ka.　Itsu desu ka.

まじめだ：② ______________________________ です。
desu.

ペン：　どこで？ [*with strong interest*]
Doko de?

まじめだ：③ ______________________________

ペン：　どうでしたか。 [*with strong interest*]
Dō deshita ka.

まじめだ：びっくりしました。④ ______________________________
Bikkuri shimashita.

わすれられません。
Wasureraremasen.

ペン：　そうですか。 それは すごい けいけんですね。
Sō desu ka.　Sore wa　sugoi　keiken desu ne.

**eiga-sutā:* movie star

3 Shadowing Say the conversations of 2 (1)-(3) aloud with the CD, and then role-play them with your partner.

(1) 21-8 → 2 (1)　(2) 21-9 → 2 (2)　(3) 21-10 → 2 (3)

4 Wrap-up Complete the presentations and give them to the class.

(1)

まじめださんは エベレストに ① ＿＿＿＿＿＿＿＿ 。
Majimeda-san wa Eberesuto ni

② ＿＿＿＿＿＿ とき、かぞくと ③ ＿＿＿＿＿＿＿＿ 。
toki kazoku to

つかれました。とても たいへんでした。でも、いい 思(おも)い出(で)です。
Tsukaremashita. Totemo taihen deshita. Demo, ii omoide desu.

(2)

まじめださんは おばけを ① ＿＿＿＿＿＿＿＿ 。
Majimeda-san wa obake o

② ＿＿＿＿＿＿ とき、友(とも)だちの うちで ③ ＿＿＿＿＿＿＿＿ 。
toki, tomodachi no uchi de

とても こわかったです。わすれられません。
Totemo kowakatta desu. Wasureraremasen.

(3)

まじめださんは えいがスターに ① ＿＿＿＿＿＿＿＿ 。
Majimeda-san wa eiga-sutā ni

② ＿＿＿＿＿＿ とき、パーティーで ③ ＿＿＿＿＿＿＿＿ 。
toki, pātī de

びっくりしました。とても かっこよかったです。
Bikkuri shimashita. Totemo kakkoyokatta desu.

わすれられません。
Wasureraremasen.

5 Write your own unusual experience and tell it to the class.

じつは 私(わたし)は ＿＿＿＿＿＿＿＿＿＿＿＿ ことが あります。
Jitsuwa watashi wa koto ga arimasu.

＿＿＿＿＿＿＿＿ の とき、＿＿＿＿＿＿＿＿＿＿＿＿
no toki,

＿＿＿＿＿＿＿＿＿＿＿＿＿＿＿＿＿＿＿＿＿＿＿＿

＿＿＿＿＿＿＿＿＿＿＿＿＿＿＿＿＿＿＿＿＿＿＿＿

＿＿＿＿＿＿＿＿＿＿＿＿＿＿＿＿＿＿＿＿＿＿＿＿

Task 4 はじめて ビールを 飲みました *Hajimete bīru o nomimashita* (I drank beer for the first time)

Words for the Task 21-11

(1) (　　) ストーリー *sutōrī*　(2) (　　) のりかた *norikata*　(3) (　　) 二日よい *futsukayoi*

(4) (　　) ころぶ *korobu*　(5) (　　) はつこいの人 *hatsukoi no hito*　(6) (　　) はじめて *hajimete*

a. hangover	b. fall down	c. first love
d. how to ride	e. story	f. for the first time

1 Listen to the stories and take notes.

Ex. 森さん 21-12
Mori-san

いつ： 6さい ＿＿＿ 何を： えいが ＿＿＿
itsu *6-sai* *nani o* *eiga*

どう： たのしかったです ＿＿＿
dō *tanoshikatta desu*

ストーリー、わすれました ＿＿＿
sutōrī, *wasuremashita*

(1) まじめださん 21-13
Majimeda-san

いつ： ＿＿＿ 何を： ＿＿＿
itsu *nani o*

どう： ＿＿＿
dō

＿＿＿

(2) ペンさん 21-14
Pen-san

いつ： ＿＿＿ 何を： ＿＿＿
itsu *nani o*

どう： ＿＿＿
dō

＿＿＿

(3) ペンさん 21-15
Pen-san

いつ： ＿＿＿ 何を： ＿＿＿
itsu *nani o*

どう： ＿＿＿
dō

＿＿＿

2 Read the following "my first memories" and underline the time expressions.

Ex. 森(もり)さん *Mori-san*

私(わたし)は 6さいの とき、かぞくと はじめて えいがかんで
Watashi wa 6-sai no toki, kazoku to hajimete eigakan de
えいがを 見(み)ました。
eiga o mimashita.
そのとき、とても たのしかったです。
Sonotoki, totemo tanoshikatta desu.
でも、今(いま)は その えいがの ストーリーを わすれました。
Demo, ima wa sono eiga no sutōrī o wasuremashita.

(1) まじめださん *Majimeda-san*

私は 26さいの とき、はじめて ビールを 飲(の)みました。
Watashi wa 26-sai no toki, hajimete bīru o nomimashita.
そのとき、ぜんぜん おいしくなかったです。 がっかりしました。
Sonotoki, zenzen oishiku nakatta desu. Gakkari shimashita.
つぎの あさ、あたまが いたかったです。 二日(ふつか)よいでした。
Tsugi no asa, atama ga itakatta desu. Futsukayoi deshita.
今でも 飲めません。
Imademo nomemasen.

(2) ペンさん *Pen-san*

私は 7さいの とき、はじめて 自転車(じてんしゃ)に のりました。
Watashi wa 7-sai no toki, hajimete jitensha ni norimashita.
父(ちち)に のりかたを おしえてもらいました。
Chichi ni norikata o oshiete moraimashita.
そのとき、たくさん ころびました。 いたかったです。
Sonotoki, takusan korobimashita. Itakatta desu.
でも、がんばりました。
Demo, ganbarimashita.

(3) ペンさん *Pen-san*

私は 5さいの とき、はつこいの人(ひと)に 会(あ)いました。
Watashi wa 5-sai no toki, hatsukoi no hito ni aimashita.
とても かわいい 女(おんな)の子(こ)でした。
Totemo kawaii on'na no ko deshita.
そのとき、ちょっと はずかしかったです。 でも、毎日(まいにち) しあわせでした。
Sonotoki, chotto hazukashikatta desu. Demo, mainichi shiawase deshita.
その 女の子に また 会いたいです。
Sono on'na no ko ni mata aitai desu.

3 Ask your partner about his/her first memories of the following and take notes.

Ex. 21-16

Q: 何(なん)さいの　とき、はじめて　えいがかんで　えいがを　見(み)ましたか。
Nan-sai no toki, hajimete eigakan de eiga o mimashita ka.

A: 6 さいの　ときです。
6-sai no toki desu.

Q: そのとき、どうでしたか。
Sonotoki, dō deshita ka.

A: とても　たのしかったです。
Totemo tanoshikatta desu.

	何さい *nan-sai*	どう *dō*
(1) えいがかん *eigakan*		
(2) ビール *bīru*		
(3) 自転車(じてんしゃ) *jitensha*		
(4) はつこいの人(ひと) *hatsukoi no hito*		

4 Tell the class your partner's most interesting first memories.

Final Task わすれられない 思(おも)い出(で) *Wasurerarenai omoide* (Unforgettable memories)

1 Enjoy two stories of "*Wasurerarenai omoide.*"

A はじめての プール *Hajimete no pūru*

(1) Listen to the CD. 21-17

(2) Read the presentation and answer the questions.

10 さいの とき、私(わたし)は はじめて プールに 行(い)きました。
10-sai no toki, watashi wa hajimete pūru ni ikimashita.

その プールは とても きれいでした。
Sono pūru wa totemo kirei deshita.

そのとき、私は ぜんぜん およげませんでした。
Sonotoki, watashi wa zenzen oyogemasendeshita.

ですから、友(とも)だちに およぎかたを おしえてもらいました。
Desukara, tomodachi ni oyogikata o oshiete moraimashita.

私は れんしゅう しました。 がんばりました。
Watashi wa renshū shimashita. Ganbarimashita.

1 メートル、5 メートル、そして 30 メートル……。
1-mētoru, 5-mētoru, soshite 30-mētoru . . .

とても たいへんでした。 でも、ほんとうに たのしかったです。
Totemo taihen deshita. Demo, hontōni tanoshikatta desu.

これは 私にとって たいせつな 思(おも)い出(で)です。 今(いま)でも わすれられません。
Kore wa watashi ni totte taisetsuna omoide desu. Imademo wasureraremasen.

Questions:

① 何(なに)を おしえてもらいましたか。
Nani o oshiete moraimashita ka.

② 何(なん)さいの ときでしたか。
Nan-sai no toki deshita ka.

③ どうでしたか。
Dō deshita ka.

B はつこいの人 *Hatsukoi no hito*

(1) Listen to the CD. 21-18

(2) Read the presentation and answer the questions.

16さいの　とき、私は　学生でした。毎日　学校で　べんきょう　していました。
16-sai no toki, watashi wa gakusei deshita. Mainichi gakkō de benkyō shite imashita.

ある日、としょかんに　行きました。私の　前に　とても　かわいい　女の子が　いました。その　女の子は　ほしの　本を　読んでいました。
Aru hi, toshokan ni ikimashita. Watashi no mae ni totemo kawaii on'na no ko ga imashita. Sono on'na no ko wa hoshi no hon o yonde imashita.

私は　べんきょうが　できませんでした。何も　おぼえられませんでした。
Watashi wa benkyō ga dekimasendeshita. Nanimo oboeraremasendeshita.

女の子は　私に　言いました。
On'na no ko wa watashi ni iimashita.

女の子：こんばん　いっしょに　ほしを　見ませんか。
On'na no ko Konban isshoni hoshi o mimasen ka.

私：　いいですね。行きましょう。
Watashi Ii desu ne. Ikimashō.

その　よる、そらに　ほしが　たくさん　ありました。すごく　きれいでした。
Sono yoru, sora ni hoshi ga takusan arimashita. Sugoku kirei deshita.

でも、かのじょは　ほしより　きれいでした。私たちは　ほしの　下で　ずっと　話しました。そして、私は　かのじょと　はじめて　キスを　しました。
Demo, kanojo wa hoshi yori kirei deshita. Watashi-tachi wa hoshi no shita de zutto hanashimashita. Soshite, watashi wa kanojo to hajimete kisu o shimashita.

その　よる、私は　せかいで　いちばん　しあわせでした。
Sono yoru, watashi wa sekai de ichiban shiawase deshita.

これは　私にとって　たいせつな　思い出です。今でも　わすれられません。
Kore wa watashi ni totte taisetsuna omoide desu. Imademo wasureraremasen.

Questions:

① だれに　会いましたか。
Dare ni aimashita ka.

② 何さいの　ときでしたか。
Nan-sai no toki deshita ka.

③ どうでしたか。
Dō deshita ka.

2 Write your own "*Wasurerarenai omoide*" and tell it to the class.

______ さいの とき、私(わたし)は ________________________
sai no toki, watashi wa

____

____

____

____

____

____

これは 私にとって たいせつな 思(おも)い出(で)です。 今(いま)でも わすれられません。
Kore wa watashi ni totte taisetsuna omoide desu. Imademo wasureraremasen.

Coffee Break: Refusing Persistent Offers

Can you decline a persistent offer?

Ex. たこ*／食(た)べられない
tako taberarenai

* *tako:* octopus

(1) おさけ／飲(の)めない
o-sake nomenai

(2) カラオケ／できない
karaoke dekinai

Ex. 21-19

A: **たこを 食べた**ことが ありますか。
__Tako o__ __tabeta__ koto ga arimasu ka.

B: いいえ、ありません。
Iie, arimasen.

A: じゃ、いかがですか。
Ja, ikaga desu ka.

B: すみません、ちょっと……
Sumimasen, chotto . . .

A: どうぞ えんりょ しないでください*。
*Dōzo enryo shinaide kudasai.**

B: すみません。じつは **たこ**は だめなんです。**食べられない**んです。
Sumimasen. Jitsuwa __tako__ wa damena-n-desu. __Taberarenai__-n-desu.

* *enryo shinaide kudasai:* please do not hesitate

Grammar

1. *Ta*-form of verbs

The following chart shows how to make the *ta*-form of verbs. The *ta*-form is made the same way as the *te*-form. (See p. 40.)

Group 1		Group 2		Group 3 (*Suru/Kuru* Verbs)	
*ki**ku***	*ki**ita***	*tabe**ru***	*tabe**ta***	*suru*	***shita***
*hana**su***	*hana**shita***	*mi**ru***	*mi**ta***	*kuru*	***kita***
*no**mu***	*no**nda***	*oshie**ru***	*oshie**ta***		
au	***atta***				
*iku**	*itta**				

Note that the *ta*-form of *iku* is "*itta.*" Do not use "*iita.*"

2. 〜た ことが あります *(-ta koto ga arimasu)*

The *ta*-form of a verb with *koto ga arimasu* is used to talk about things you have done and experiences you have had.

(私(わたし)は) 京都(きょうと)に 行(い)ったことが あります。 *(Watashi wa) Kyōto ni itta koto ga arimasu.*	I have been to Kyoto.
ペンさんは フランス語(ご)を べんきょう したことが あります。 *Pen-san wa Furansu-go o benkyō shita koto ga arimasu.*	Pen-san has studied French.
(私は) おばけを 見(み)たことが あります。 *(Watashi wa) obake o mita koto ga arimasu.*	I have seen a ghost.
Q: ゴルフを したことが ありますか。 *Gorufu o shita koto ga arimasu ka.*	**Q:** Have you ever played golf?
A1: はい、あります。 *Hai, arimasu.*	**A1:** Yes, I have.
A2: いいえ、ありません。 *Iie, arimasen.*	**A2:** No, I haven't.

3. とき *(toki)* with nouns and adjectives

Toki is used to express "when," "during" or "at the time of." In this unit you learn how to use *toki* with nouns and adjectives.

Noun	かいぎの とき *kaigi **no** toki*	during a meeting; at the time of a meeting
Na-adj.	ひまな とき *hima**na** toki*	when I have free time
I-adj.	ねむい とき *nemui toki*	when I am sleepy

Talking about usual activities:

(私は) かいぎの とき、はっきり いけんを 言(い)います。 *(Watashi wa) kaigi no toki, hakkiri iken o iimasu.*	During meetings, I clearly express my opinion.
ひまな とき、えいがを 見ます。 *himana toki, eiga o mimasu.*	When I'm free, I watch movies.
ねむい とき、かおを あらいます。 *nemui toki, kao o araimasu.*	When I'm sleepy, I wash my face.

Talking about past activities:

(私(わたし)は) 子(こ)どもの **とき**、ケーキが 大好(だいす)きでした。 *(Watashi wa) kodomo no toki, kēki ga daisuki deshita.*	When I was a child, I loved cakes.
ひまな **とき**、本(ほん)を 読(よ)みました。 *hima na toki, hon o yomimashita.*	When I was free, I read books.
わかい **とき**、サーファーでした。 *wakai toki, sāfā deshita.*	When I was young, I was a surfer.

Talking about future activities:

あした かいぎの **とき**、プレゼンテーションを します。 *Ashita kaigi no toki, purezentēshon o shimasu.*	I will give a presentation at the meeting tomorrow.

4. そのとき *(sonotoki)*

Sonotoki means "at that time" or "then." It expresses the time when the action or event mentioned in the previous sentence was done or occurred.

かぞくと はじめて えいがかんで えいがを 見(み)ました。 *Kazoku to hajimete eigakan de eiga o mimashita.*	I saw a movie at the theater with my family for the first time.
そのとき、とても たのしかったです。 *Sonotoki, totemo tanoshikatta desu.*	I had a very fun time. (lit., At that time, it was very fun.)
私は 去年(きょねん) 日本(にほん)に 来(き)ました。 *Watashi wa kyonen Nihon ni kimashita.*	I came to Japan last year.
そのとき、日本語(にほんご)が 話(はな)せませんでした。 *Sonotoki, Nihon-go ga hanasemasendeshita.*	At that time, I wasn't able to speak Japanese.

5. 私(わたし)にとって *(watashi ni totte)*

Consider the following sentence featuring "to me" (*watashi ni totte*).

これは **私にとって** たいせつな 思(おも)い出(で)です。 *Kore wa watashi ni totte taisetsuna omoide desu.*	This is a precious memory to me.

English speakers often use "*ni totte*" for thoughts like "This photograph is really important *to me*." Sometimes it works. The sentence could become "*Kono shashin wa, watashi ni totte totemo taisetsu desu.*" However, *ni totte* is used far less frequently than "to me" is in English. With *ni totte*, the feeling of exception is stronger: even though your photograph is unremarkable to others, it has special significance to you. Therefore, *ni totte* should not be used for casual remarks, such as "*Sore wa watashi ni totte oishii desu.*"

Vocabulary

Verbs

W	つかれる	*tsukareru*	[2] get tired
	がっかりする	*gakkari suru*	[3] be disappointed
	びっくりする	*bikkuri suru*	[3] be surprised
T1	もっていく	*motte iku*	[1] take (something)
	うたう	*utau*	[1] sing
T3	のぼる	*noboru*	[1] climb
T4	ころぶ	*korobu*	[1] fall

Nouns

T1	じぶん	*jibun*	oneself
	もの	*mono*	thing; stuff
	ざっし	*zasshi*	magazine
T3	UFO	*yūfō*	UFO
	おばけ	*obake*	ghost
	おすもうさん	*osumōsan*	sumo wrestler
	ゆうめい人（じん）	*yūmei-jin*	famous person; celebrity
	サイン	*sain*	signature; autograph
	東京（とうきょう）タワー	*Tōkyō-tawā*	Tokyo Tower
	たいふう	*taifū*	typhoon
	ほんとう	*hontō*	truth
	思（おも）い出（で）	*omoide*	memory
	けいけん	*keiken*	experience
T4	ストーリー	*sutōrī*	story
	のりかた	*norikata*	how to ride
	二日（ふつか）よい	*futsukayoi*	hangover
T4	はつこいの人（ひと）	*hatsukoi no hito*	first love
FT	およぎかた	*oyogikata*	how to swim
	れんしゅう	*renshū*	practice [-*suru*]
	ある日（ひ）	*aru hi*	one day
	ほし	*hoshi*	star
	そら	*sora*	sky
	私（わたし）たち	*watashi-tachi*	we
	キス	*kisu*	kiss [-*suru*]
	せかい	*sekai*	world

Adjectives

W	はずかしい	*hazukashii*	shy; embarrassed
	こわい	*kowai*	scary; scared
	さびしい	*sabishii*	lonely
	しあわせ（な）	*shiawase(na)*	happy
T1	ひつよう（な）	*hitsuyō(na)*	necessary
FT	たいせつ（な）	*taisetsu(na)*	important; precious

Adverbs

T1	はっきり	*hakkiri*	clearly
	よく	*yoku*	well
T4	はじめて	*hajimete*	for the first time
	今（いま）でも	*imademo*	still now; even now

Conjunction

T4	そのとき	*sonotoki*	that time; at that time

Expressions

T3	それは　すごい　けいけんですね。	*Sore wa sugoi keiken desu ne.*	That's an incredible experience.
FT	私（わたし）にとって	*watashi ni totte*	for me; to me
CB	～は　だめなんです	*~ wa damena-n-desu*	I can't accept ~

Unit 22
どう 思(おも)いますか

Dō omoimasu ka (What do you think?)

- Expressing your opinion
- Discussing urban legends, world mysteries, and Japanese society and people
- Expressing agreement/disagreement properly
- Short forms

Key Sentences 22-1

1

A: 何(なん)だと 思(おも)いますか。
Nan da to omoimasu ka.
A: What do you think it is?

B: まつの 木(き)だと 思います。
Matsu no ki da to omoimasu.
B: I think it's a pine tree.

A: そうですね。 まつの 木みたいですね。
Sō desu ne. Matsu no ki mitai desu ne.
A: Oh, yes. It looks like a pine tree.

でも、じつは、男(おとこ)の人(ひと)です。
Demo, jitsuwa, otoko no hito desu.
But, in fact, it's a man.

2

Q:「かっぱ」について どう 思いますか。
"Kappa" ni tsuite dō omoimasu ka.
Q: What do you think of *kappa* stories?

A1: ほんとうだと 思います。
Hontō da to omoimasu.
A1: I think they're true.

A2: ほんとうじゃないと 思います。
Hontō ja nai to omoimasu.
A2: I think they aren't true.

A3: ほんとう かもしれません。
Hontō kamo shiremasen.
A3: They might be true.

A4: ほんとうだと 思いたいです。
Hontō da to omoitai desu.
A4: I want to think they're true.

3

・アトランティスは 大西洋(たいせいよう)に あったと 思います。
Atorantisu wa Taiseiyō ni atta to omoimasu.
・I think Atlantis existed in the Atlantic.

4

A: 日本人(にほんじん)は いつも しずかだと 思います。
Nihon-jin wa itsumo shizuka da to omoimasu.
A: I think Japanese people are always quiet.

B: そうですね。 私(わたし)も そう 思います。
Sō desu ne. Watashi mo sō omoimasu.
B: Oh, yes. I think so, too.

C: うーん、そうですね……。
Ūn, sō desu ne . . .
C: Well, (I understand your stance) . . .

でも、私は そう 思いません。
Demo, watashi wa sō omoimasen.
but I don't think so.

Task 1 Short Forms of Adjectives and Nouns

1 Match the short form with the *desu*-form.

A

Short form	Desu-form
Ex. おいしい *oishii*	a. おいしくなかったです *oishiku nakatta desu*
(1) おいしかった *oishikatta*	b. おいしかったです *oishikatta desu*
(2) おいしくない *oishiku nai*	c. おいしいです *oishii desu*
(3) おいしくなかった *oishiku nakatta*	d. おいしくないです *oishiku nai desu*

B

Short form	Desu-form
(4) 雨(あめ)だ *ame da*	e. 雨じゃないです *ame ja nai desu*
(5) 雨だった *ame datta*	f. 雨じゃなかったです *ame ja nakatta desu*
(6) 雨じゃない *ame ja nai*	g. 雨でした *ame deshita*
(7) 雨じゃなかった *ame ja nakatta*	h. 雨です *ame desu*

2 Rhythm/Intonation Listen and repeat. 22-2

(1)	おいしい *oishii*	おいしかった *oishikatta*	おいしくない *oishiku nai*	おいしくなかった *oishiku nakatta*
(2)	高(たか)い *takai*	高かった *takakatta*	高くない *takaku nai*	高くなかった *takaku nakatta*
(3)	しずかだ *shizuka da*	しずかだった *shizuka datta*	しずかじゃない *shizuka ja nai*	しずかじゃなかった *shizuka ja nakatta*
(4)	ほんとうだ *hontō da*	ほんとうだった *hontō datta*	ほんとうじゃない *hontō ja nai*	ほんとうじゃなかった *hontō ja nakatta*

Task 2 どこだと 思(おも)いますか *Doko da to omoimasu ka* (Where do you think it is?)

1 Guess the countries.

Ex.

(1)

(2)

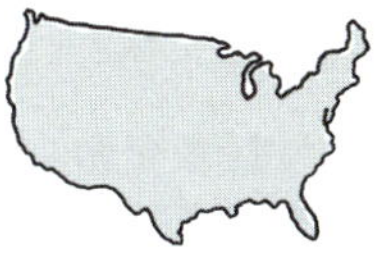

(3)

Ex. 22-3

Q: どこだと 思(おも)いますか。
Doko da to omoimasu ka.

A: **イタリアだ**と 思います。
Itaria da to omoimasu.

Hints

- トルコ *Toruko*
- アメリカ *Amerika*
- イタリア *Itaria*
- ブラジル *Burajiru*
- インドネシア *Indoneshia*

2 Guess what they are. (See p. 146 for the answers.)

Ex.

(1)

(2)

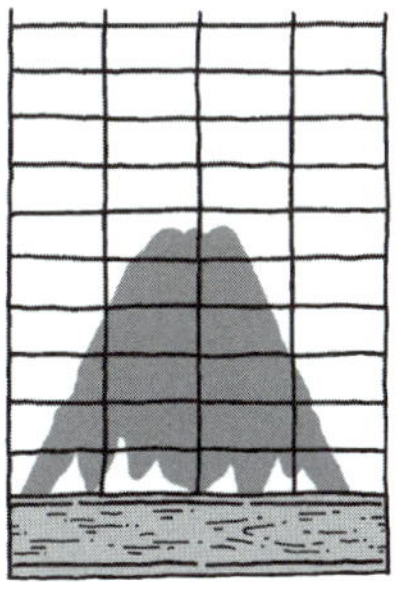

Ex. 22-4

A: 何(なん)だと 思いますか。
Nan da to omoimasu ka.

B: **まつの 木(き)だ**と 思います。
Matsu no ki da to omoimasu.

A: そうですね。**まつの 木みたい**ですね。
Sō desu ne. Matsu no ki mitai desu ne.

でも、じつは、男(おとこ)の人(ひと)です。
Demo, jitsuwa, otoko no hito desu.

Hints

- まつの 木(き)* *matsu no ki*
- とり* *tori*
- 男(おとこ)の人(ひと) *otoko no hito*
- 富士山(ふじさん) *Fuji-san*

* *matsu no ki:* pine tree *tori:* bird

Task 3 日本の としでんせつ *Nihon no toshi densetsu* (Japanese urban legends)

Phrases for the Task 22-5

- ほんとうだと 思います。
  Hontō da to omoimasu.
  (I think it is true.)
- ほんとうじゃないと 思います。
  Hontō ja nai to omoimasu.
  (I don't think it is true.)
- ほんとう かもしれません。
  Hontō kamo shiremasen.
  (It might be true.)
- ほんとうだと 思いたいです。
  Hontō da to omoitai desu.
  (I want to think it is true.)

Listen to Japanese urban legends. Do you think they are true? (Scripts: p. 186)

Ex. **22-6** (1) **22-7** (2) **22-8** (3) **22-9**

Ex. ハチ公
Hachikō

dōzō: bronze statue
sawaru: touch
negai ga kanau: wishes come true

Q: 「ハチ公」について どう 思いますか。
"Hachikō" ni tsuite dō omoimasu ka.

A1: ほんとうだと 思います。
Hontō ***da to omoimasu.***

A2: ほんとうじゃないと 思います。
Hontō ***ja nai to omoimasu.***

A3: ほんとう かもしれません。
Hontō ***kamo shiremasen.***

A4: ほんとうだと 思いたいです。
Hontō ***da to omoitai desu.***

(1) くも
kumo

kumo: cloud
jishin: earthquake

(2) かっぱ
kappa

mukashi: long time ago
kappa: [a mythical amphibious creature]

(3) 東京タワー
Tōkyō-tawā

raito: light
kieru: (lights) go out

Task 4 Short Forms of Verbs

1 Match the short form with the *masu*-form.

A

Short form		*Masu*-form
Ex. 食(た)べる *taberu*	→ b.	a. 食べません *tabemasen*
(1) 食べた *tabeta*		b. 食べます *tabemasu*
(2) 食べない *tabenai*		c. 食べませんでした *tabemasendeshita*
(3) 食べなかった *tabenakatta*		d. 食べました *tabemashita*

B

Short form		*Masu*-form
(4) ある *aru*		e. ありました *arimashita*
(5) あった *atta*		f. ありませんでした *arimasendeshita*
(6) ない *nai*		g. あります *arimasu*
(7) なかった *nakatta*		h. ありません *arimasen*

2 Rhythm/Intonation Listen and repeat. 22-10

(1)	食べる *taberu*	食べた *tabeta*	食べない *tabenai*	食べなかった *tabenakatta*
(2)	言(い)う *iu*	言った *itta*	言わない *iwanai*	言わなかった *iwanakatta*
(3)	住(す)んでいる *sunde iru*	住んでいた *sunde ita*	住んでいない *sunde inai*	住んでいなかった *sunde inakatta*
(4)	ある *aru*	あった *atta*	ない *nai*	なかった *nakatta*

3 Change the *masu*-form into the short form.

Ex. たべます *tabemasu* → (たべる *taberu*)

(1) いきます *ikimasu* → (　　　　)

(2) いきました *ikimashita* → (　　　　)

(3) いきません *ikimasen* → (　　　　)

(4) いきませんでした *ikimasendeshita* → (　　　　)

Task 5 せかいの ふしぎ *Sekai no fushigi* (World mysteries)

Read the following world mysteries and express your opinion.

(1)

アマゾン川(がわ)*には 20メートルぐらいの
Amazon-gawa niwa 20-mētoru gurai no*

大(おお)きい へびが います。名前(なまえ)は「アナコンダ」です。
ookii hebi ga imasu. Namae wa "Anakonda" desu.

その へびは ときどき 人(ひと)を 食(た)べます。
Sono hebi wa tokidoki hito o tabemasu.

* *Amazon-gawa:* the Amazon

▶ あなたは どう 思(おも)いますか。( )
Anata wa dō omoimasu ka.

a. アナコンダは 人を 食べると 思います。
Anakonda wa hito o taberu to omoimasu.

b. アナコンダは 人を 食べないと 思います。
Anakonda wa hito o tabenai to omoimasu.

c. アナコンダは 人を 食べる かもしれません。
Anakonda wa hito o taberu kamo shiremasen.

(2) むかし、大西洋(たいせいよう)*に 大きい しまが ありました。
Mukashi, Taiseiyō ni ookii shima ga arimashita.*

名前は「アトランティス」です。
Namae wa "Atorantisu" desu.

そこに たくさん 人が 住(す)んでいました。
Soko ni takusan hito ga sunde imashita.

でも、アトランティスは きえました。今(いま)は ありません。
Demo, Atorantisu wa kiemashita. Ima wa arimasen.

* *Taiseiyō:* Atlantic Ocean

▶ あなたは どう 思いますか。( )
Anata wa dō omoimasu ka.

a. アトランティスは あったと 思います。
Atorantisu wa atta to omoimasu.

b. アトランティスは なかったと 思います。
Atorantisu wa nakatta to omoimasu.

c. アトランティスは あった かもしれません。
Atorantisu wa atta kamo shiremasen.

(3) 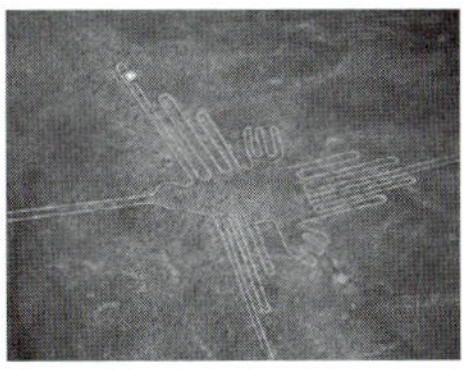

ペルーの ナスカ*には とても 大(おお)きい 「え」が
Perū no Nasuka* niwa totemo ookii "e" ga

あります。 それは むかし UFOの くうこうでした。
arimasu. Sore wa mukashi yūfō no kūkō deshita.

＊ Nasuka: Nazca

▶ あなたは どう 思(おも)いますか。（ ）
Anata wa dō omoimasu ka.

a. ナスカの 「え」は UFOの くうこうだったと 思います。
Nasuka no "e" wa yūfō no kūkō datta to omoimasu.

b. ナスカの 「え」は UFOの くうこうじゃなかったと 思います。
Nasuka no "e" wa yūfō no kūkō ja nakatta to omoimasu.

c. ナスカの 「え」は UFOの くうこうだった かもしれません。
Nasuka no "e" wa yūfō no kūkō datta kamo shiremasen.

(4) 70年前(ねんまえ)、アメリカの いなかの 町(まち)に
70-nen mae, Amerika no inaka no machi ni

UFOが おちました。
yūfō ga ochimashita.

その UFOの 中(なか)に うちゅう人(じん)が いました。
Sono yūfō no naka ni uchū-jin ga imashita.

その うちゅう人は 今(いま)も その 町に 住(す)んでいます。
Sono uchū-jin wa imamo sono machi ni sunde imasu.

▶ あなたは どう 思いますか。（ ）
Anata wa dō omoimasu ka.

a. うちゅう人は 今も その 町に 住んでいると 思います。
Uchū-jin wa imamo sono machi ni sunde iru to omoimasu.

b. UFOは その 町に おちたと 思います。
Yūfō wa sono machi ni ochita to omoimasu.
でも、今、その 町に うちゅう人は 住んでいないと 思います。
Demo, ima, sono machi ni uchū-jin wa sunde inai to omoimasu.

c. UFOは その 町に おちなかったと 思います。
Yūfō wa sono machi ni ochinakatta to omoimasu.

Final Task 私(わたし)の いけん *Watashi no iken* (My opinion)

Words and Phrases for the Task 22-11

- まじめすぎます *majime-sugimasu* (too serious)
- 多(おお)すぎます *oo-sugimasu* (too many/much)
- むずかしすぎます *muzukashi-sugimasu* (too difficult)
- 高(たか)すぎます *taka-sugimasu* (too expensive)

- ほんね *hon'ne* (real intention)
- 時間(じかん)を まもる *jikan o mamoru* (be punctual)
- ぶっか *bukka* (cost of living)
- こうつう *kōtsū* (transportation)
- 安全(あんぜん)(な) *anzen(na)* (safe)
- へいわ(な) *heiwa(na)* (peaceful)

1 Do you agree or disagree with the following opinions?

A 日本人(にほんじん)について *Nihon-jin ni tsuite*

Ex. 22-12

「いつも しずかです。」
Itsumo shizuka desu.

→ **Q:** 「日本人(にほんじん)は いつも しずかです。」この いけんについて どう 思(おも)いますか。
"Nihon-jin wa itsumo shizuka desu." Kono iken ni tsuite dō omoimasu ka.

A1 (Agreeing): そうですね。私も そう 思います。
Sō desu ne. Watashi mo sō omoimasu.
たとえば、かいぎの とき、
Tatoeba, kaigi no toki,
日本人は とても しずかです。
Nihon-jin wa totemo shizuka desu.

A2 (Disagreeing): うーん、そうですね……。でも、私は そう 思いません。
Ūn, sō desu ne . . . Demo, watashi wa sō omoimasen.
たとえば、はなみの とき、
Tatoeba, hanami no toki,
日本人は とても にぎやかです。
Nihon-jin wa totemo nigiyaka desu.

(1)「まじめすぎます。」
Majime-sugimasu.

(2)「ほんねを 言(い)いません。」
Hon'ne o iimasen.

(3)「時間を まもります。」
Jikan o mamorimasu.

(4)「しんせつです。」
Shinsetsu desu.

B 日本語(にほんご)について *Nihon-go ni tsuite*

(1)「漢字(かんじ)が 多(おお)すぎます。」
Kanji ga oo-sugimasu.

(2)「むずかしすぎます。」
Muzukashi-sugimasu.

(3)「きれいです。」
Kirei desu.

(4)「おもしろいです。」
Omoshiroi desu.

C 日本について *Nihon ni tsuite*

(1)「ぶっかが 高(たか)すぎます。」
Bukka ga taka-sugimasu.

(2)「こうつうが べんりです。」
Kōtsū ga benri desu.

(3)「安全(あんぜん)です。 そして、へいわです。」
Anzen desu. Soshite, heiwa desu.

(4)「山(やま)や うみが きれいです。」
Yama ya umi ga kirei desu.

2 Make a presentation and give it to the class.

~日本人(にほんじん)・日本語・日本について~
Nihon-jin・Nihon-go・Nihon ni tsuite

まず 日本人について、私(わたし)は ______________________
Mazu, Nihon-jin ni tsuite, watashi wa

と思(おも)います。 たとえば、______________________。
to omoimasu. Tatoeba,

つぎに、日本語について、私は ______________________
Tsugini, Nihon-go ni tsuite, watashi wa

と思います。 たとえば、______________________。
to omoimasu. Tatoeba,

さいごに 日本について、私は ______________________
Saigoni Nihon ni tsuite, watashi wa

と思います。 たとえば、______________________。
to omoimasu. Tatoeba,

日本は 私にとって ______________________。
Nihon wa watashi ni totte

ごせいちょう ありがとうございました。*
*Go-seichō arigatō gozaimashita.**

＊ *Go-seichō arigatō gozaimashita.*: Thank you for your kind attention.

Coffee Break The World of the 22nd Century

▸ 22 せいきの せかいについて、どう 思いますか。
22-seiki no sekai ni tsuite, dō omoimasu ka.

a. そう 思います。 *Sō omoimasu.*
b. そう 思いません。 *Sō omoimasen.*
c. そう かもしれません。 *Sō kamo shiremasen.*

(1) (　　) せかいは へいわです。
Sekai wa heiwa desu.

(2) (　　) 人は 150 さいまで いきられます。*
*Hito wa 150-sai made ikiraremasu.**

(3) (　　) 今より 病気が たくさん あります。
Ima yori byōki ga takusan arimasu.

(4) (　　) 病気は ありません。 病院も ありません。
Byōki wa arimasen. Byōin mo arimasen.

(5) (　　) 今より おいしい 食べものが あります。
Ima yori oishii tabemono ga arimasu.

(6) (　　) 毎日 えいようドリンク*だけ 飲んでいます。
Mainichi eiyō-dorinku dake nonde imasu.*

(7) (　　) ガソリン*の 車は ありません。
Gasorin no kuruma wa arimasen.*

(8) (　　) コンピューターが 車を うんてん しています。
Konpūtā ga kuruma o unten shite imasu.

(9) (　　) 今より ストレスが たくさん あります。
Ima yori sutoresu ga takusan arimasu.

(10) (　　) みんな しあわせです。
Min'na shiawase desu.

＊ *ikirareru:* can live　*eiyō-dorinku:* energy drink　*gasorin:* gasoline

Grammar

1. Short forms

The following charts show the short forms of verbs, adjectives, and nouns.

Verbs

	affirmative	past	negative	past negative
masu-form	食(た)べます *tabemasu*	食べました *tabemashita*	食べません *tabemasen*	食べませんでした *tabemasendeshita*
short form	食べる *taberu*	食べた *tabeta*	食べない *tabenai*	食べなかった *tabenakatta*
masu-form	行(い)きます *ikimasu*	行きました *ikimashita*	行きません *ikimasen*	行きませんでした *ikimasendeshita*
short form	行く *iku*	行った *itta*	行かない *ikanai*	行かなかった *ikanakatta*
masu-form	飲(の)みます *nomimasu*	飲みました *nomimashita*	飲みません *nomimasen*	飲みませんでした *nomimasendeshita*
short form	飲む *nomu*	飲んだ *nonda*	飲まない *nomanai*	飲まなかった *nomanakatta*
masu-form	あります *arimasu*	ありました *arimashita*	ありません *arimasen*	ありませんでした *arimasendeshita*
short form	ある *aru*	あった *atta*	ない *nai*	なかった *nakatta*

***I*-adjectives**

desu-form	高(たか)いです *takai desu*	高かったです *takakatta desu*	高くないです *takaku nai desu*	高くなかったです *takaku nakatta desu*
short form	高い *takai*	高かった *takakatta*	高くない *takaku nai*	高くなかった *takaku nakatta*
desu-form	おもしろいです *omoshiroi desu*	おもしろかったです *omoshirokatta desu*	おもしろくないです *omoshiroku nai desu*	おもしろくなかったです *omoshiroku nakatta desu*
short form	おもしろい *omoshiroi*	おもしろかった *omoshirokatta*	おもしろくない *omoshiroku nai*	おもしろくなかった *omoshiroku nakatta*
desu-form	いいです *ii desu*	よかったです *yokatta desu*	よくないです *yoku nai desu*	よくなかったです *yoku nakatta desu*
short form	いい *ii*	よかった *yokatta*	よくない *yoku nai*	よくなかった *yoku nakatta*

***Na*-adjectives and Nouns**

desu-form	きれいです *kirei desu*	きれいでした *kirei deshita*	きれいじゃないです *kirei ja nai desu*	きれいじゃなかったです *kirei ja nakatta desu*
short form	きれいだ *kirei da*	きれいだった *kirei datta*	きれいじゃない *kirei ja nai*	きれいじゃなかった *kirei ja nakatta*
desu-form	べんりです *benri desu*	べんりでした *benri deshita*	べんりじゃないです *benri ja nai desu*	べんりじゃなかったです *benri ja nakatta desu*
short form	べんりだ *benri da*	べんりだった *benri datta*	べんりじゃない *benri ja nai*	べんりじゃなかった *benri ja nakatta*
desu-form	学生(がくせい)です *gakusei desu*	学生でした *gakusei deshita*	学生じゃないです *gakusei ja nai desu*	学生じゃなかったです *gakusei ja nakatta desu*
short form	学生だ *gakusei da*	学生だった *gakusei datta*	学生じゃない *gakusei ja nai*	学生じゃなかった *gakusei ja nakatta*
desu-form	雨(あめ)です *ame desu*	雨でした *ame deshita*	雨じゃないです *ame ja nai desu*	雨じゃなかったです *ame ja nakatta desu*
short form	雨だ *ame da*	雨だった *ame datta*	雨じゃない *ame ja nai*	雨じゃなかった *ame ja nakatta*

2. Short form ＋と思います *(to omoimasu)*

~ *to omoimasu* means "I think ~." ~ *to omoimasu* is proceeded by the short form. Basically *omoimasu* is used to say what *you* think. When saying what someone else thinks, use *omotte imasu* (see Grammar 4 in Unit 23).

Short form (verb) ＋と思います *(to omoimasu)*

ペンさんは *Pen-san wa*	大阪に *Ōsaka ni*	行く ***iku***	と思います。 *to omoimasu*	I think that Pen-san is going to Osaka.
		行った ***itta***		I think that Pen-san went to Osaka.
		行かない ***ikanai***		I think that Pen-san isn't going to Osaka.
		行かなかった ***ikanakatta***		I think that Pen-san didn't go to Osaka.

Short form (adjective/noun) ＋と思います *(to omoimasu)*

ペンさんは *Pen-san wa*	いそがしい ***isogashii***	と思います。 *to omoimasu*	I think that Pen-san is busy.
	いそがしくない ***isogashiku nai***		I think that Pen-san isn't busy.
ペンさんは *Pen-san wa*	ひまだった ***hima datta***	と思います。 *to omoimasu*	I think that Pen-san was free.
	ひまじゃなかった ***hima ja nakatta***		I think that Pen-san wasn't free.
ペンさんは *Pen-san wa*	ペンギンだ ***pengin da***	と思います。 *to omoimasu*	I think that Pen-san is a penguin.
	ペンギンじゃない ***pengin ja nai***		I think that Pen-san isn't a penguin.

WH question word ＋思いますか *(omoimasu ka)*

どこ／だれ／なん／いつ *Doko Dare Nan Itsu*	だと ***da*** *to*	思いますか。 *omoimasu ka.*	Where/Who/What/When do you think (it is)?
どう *Dō*		思いますか。 *omoimasu ka.*	What do you think (about it)?

Note that there is no "*da to*" in *Dō omoimasu ka*.

3. Short form ＋かもしれません *(kamo shiremasen)*

~ *kamo shiremasen* means "might ~" or "may ~."

Short form (verb) ＋かもしれません *(kamo shiremasen)*

ペンさんは *Pen-san wa*	大阪に *Ōsaka ni*	行く ***iku***	かもしれません。 *kamo shiremasen.*	Pen-san might go to Osaka.
		行った ***itta***		Pen-san might have gone to Osaka.
		行かない ***ikanai***		Pen-san might not go to Osaka.
		行かなかった ***ikanakatta***		Pen-san might have not gone to Osaka.

Short form (adjective/noun) ＋かもしれません *(kamo shiremasen)*

ペンさんは *Pen-san wa*	いそがしい *isogashii*	かもしれません。 *kamo shiremasen.*	Pen-san might be busy.
	いそがしくない *isogashiku nai*		Pen-san might not be busy.
ペンさんは *Pen-san wa*	ひまだった *hima datta*	かもしれません。 *kamo shiremasen.*	Pen-san might have been free.
	ひまじゃなかった *hima ja nakatta*		Pen-san might have not been free.
ペンさんは *Pen-san wa*	ペンギン* *pengin*	かもしれません。 *kamo shiremasen.*	Pen-san might be a penguin.
	ペンギンじゃない *pengin ja nai*		Pen-san might not be a penguin.

Note that when using *kamoshiremasen*, *da* is not used before the noun and *na*-adjective.

4. Noun ＋みたいです *(mitai desu)*

When expressing a resemblance or similarity, you can use *mitai desu* with the noun indicating the thing/person resembled.

さかなみたいです *sakana mitai desu*	it's like a fish	へびみたいです *hebi mitai desu*	it's like a snake
木(き)みたいです *ki mitai desu*	it's like a tree	山(やま)みたいです *yama mitai desu*	it's like a mountain

5. Adjective ＋すぎます *(-sugimasu)*

-sugimasu is added to the adjectives and make their meaning "too ~." Please note the last "*i*" of *i*-adjectives is dropped when added *sugimasu*.

むずかしすぎます *muzukashi-sugimasu*	it's too difficult	高(たか)すぎます *taka-sugimasu*	it's too expensive
おもしろすぎます *omoshiro-sugimasu*	it's too funny	しずかすぎます *shizuka-sugimasu*	it's too quiet

6. Disagreeing delicately

The following example shows how to disagree in a more delicate way. While *Sō desu ne* is usually used to express agreement, it can also be used when disagreeing, though the intonation is, of course, different.

Opinion:	日本人(にほんじん)は いつも しずかだと 思(おも)います。 *Nihon-jin wa itsumo shizuka da to omoimasu.*	I think Japanese people are always quiet.
Agree:	そうですね。私(わたし)も そう 思います。 *Sō desu ne. Watashi mo sō omoimasu.*	Oh, yes. I think so, too.
Disagree:	うーん、そうですね…でも、私は そう 思いません。 *Ūn, sō desu ne… Demo, watashi wa sō omoimasen.*	Well, (I understand your stance) . . . but I don't think so.

Vocabulary

Verbs

T2	思(おも)う	*omou*	[1] think
T3	気(き)を　つける	*ki o tsukeru*	[2] be careful
T5	きえる	*kieru*	[2] disappear; vanish
	おちる	*ochiru*	[2] fall; drop
FT	時間(じかん)を　まもる	*jikan o mamoru*	[1] be punctual

Nouns

T2	イタリア	*Itaria*	Italy
	インドネシア	*Indoneshia*	Indonesia
T5	むかし	*mukashi*	long time ago; old days
	ペルー	*Perū*	Peru
	くうこう	*kūkō*	airport
T5	うちゅう人(じん)	*uchū-jin*	alien
FT	はなみ	*hanami*	cherry blossom viewing
	ほんね	*hon'ne*	real intention
	ぶっか	*bukka*	cost of living
	こうつう	*kōtsū*	transportation; traffic
CB	～せいき	*-seiki*	~th century
	21 せいき	*nijūis-seiki*	21st century
	うんてん	*unten*	driving [*-suru*]
	ストレス	*sutoresu*	stress

Adjectives

FT	安全(あんぜん)(な)	*anzen(na)*	safe
	へいわ(な)	*heiwa(na)*	peaceful

Expressions

T2	そうですね。	*Sō desu ne.*	You're right.; Oh, yes.
FT	そう　思(おも)います。	*Sō omoimasu.*	I think so.
	うーん、そうですね……。	*Ūn, sō desu ne . . .*	Eh . . . well . . . (I understand your stance).
	そう　思(おも)いません。	*Sō omoimasen.*	I don't think so.
	まず	*mazu*	first (of all)
	つぎに	*tsugini*	next; secondly
	さいごに	*saigoni*	lastly

Answers for Task 2 **2** (p. 135)

Ex.

(1)

(2)

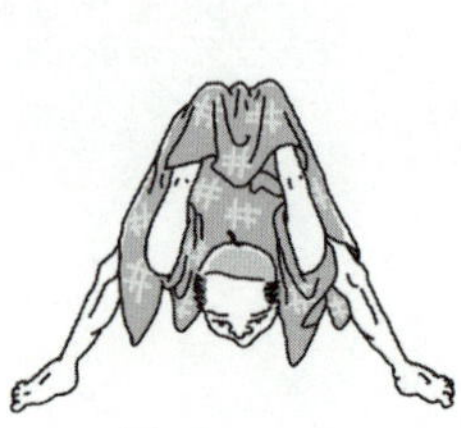

参考：歌川広重「即興かげぼしづくし」根上りのまつ・梅に鶯・ふじの山

Unit 23
もし まほうが つかえたら

Moshi mahō ga tsukaetara (If I could use magic)

- Expressing "if" and "even if"
- Having a small talk about your dreams, hopes, and wishes

Key Sentences 23-1

1

Q: これ、買(か)いますか。
Kore, kaimasu ka.

Q: Would you like to buy this?

A: そうですね……。安(やす)かったら、買います。
Sō desu ne… Yasukattara, kaimasu.

A: Well, if it is cheap, I will buy it.

2

A: 日曜日(にちようび)に うみに 行(い)きませんか。
Nichi-yōbi ni umi ni ikimasen ka.

A: Why don't we go to the sea on Sunday?

B: いいですね。でも、雨(あめ) かもしれませんよ。
Ii desu ne. Demo, ame kamo shiremasen yo.

B: Sounds good. But it may rain.

A: そうなんですか？ 雨だったら、やめましょう。
Sō na-n-desu ka? Ame dattara, yamemashō.

A: Is that true? If it rains, let's cancel our plans.

C: 雨でも、行きたいです。
Ame demo, ikitai desu.

C: Even if it rains, I want to go.

3

もし タイムマシンが あったら、のりますか。
Moshi taimumashin ga attara, norimasu ka.

If there were time machines, would you ride one?

4

毎日(まいにち) いそがしすぎます。
Mainichi isogashi-sugimasu.

I'm too busy every day.

もっと ひまだったら いいのに……。
Motto hima dattara ii noni…

I wish I had more free time. (lit., It would be better if I had more free time.)

Task 1 ハートだったら、私(わたし)の かちです
Hāto dattara, watashi no kachi desu
(If the card is a heart, I win)

Phrases for the Task 23-2

- ハートだったら
  hāto dattara
  (if it is a heart)
- ダイヤだったら
  daiya dattara
  (if it is a diamond)
- 7より 大(おお)きかったら
  7 yori ookikattara
  (if it is bigger than 7)
- 7より 小(ちい)さかったら
  7 yori chiisakattara
  (if it is smaller than 7)

1 Card game: Guess the card's suit.

Ex. 23-3

A: ハートだと 思(おも)いますか。ダイヤだと 思いますか。
Hāto da to omoimasu ka. Daiya da to omoimasu ka.

B: ハートだと 思います。
Hāto da to omoimasu.

A: 私(わたし)は ダイヤだと 思います。
Watashi wa daiya da to omoimasu

B: **ハートだったら**、私の かちです。*
*Hāto dattara, watashi no kachi desu.**

A: **ダイヤだったら**、私の かちです。
Daiya dattara, watashi no kachi desu.

(*Turning the card over*)

B: ハートです。私の かちです。
Hāto desu. Watashi no kachi desu.

A: ざんねん！ 私の まけです。*
*Zan'nen! Watashi no make desu.**

* *watashi no kachi desu:* I win/won
* *watashi no make desu:* I lose/lost

2 Card game: Guess the card's number.

Ex. 23-4

A: 7より 大きいと 思いますか。小さいと 思いますか。
7 yori ookii to omoimasu ka. Chiisai to omoimasu ka.

B: 7より 大きいと 思います。
7 yori ookii to omoimasu.

A: 私は 7より 小さいと 思います。
Watashi wa 7 yori chiisai to omoimasu.

B: **7より 大きかったら**、私の かちです。
7 yori ookikattara, watashi no kachi desu.

A: **7より 小さかったら**、私の かちです。
7 yori chiisakattara, watashi no kachi desu.

(*Turning the card over*)

B: 7より 大きいです。私の かちです。
7 yori ookii desu. Watashi no kachi desu.

A: ざんねん！ 私の まけです。
Zan'nen! Watashi no make desu.

Task 2 安(やす)かったら 買(か)います *Yasukattara kaimasu* (I'll buy it if it is inexpensive)

Phrases for the Task 23-5

- いい 天気(てんき)だったら
  ii tenki dattara
  (if the weather is good)
- さかなだったら
  sakana dattara
  (if it is fish)
- 安(やす)かったら
  yasukattara
  (if it is inexpensive)
- おもしろかったら
  omoshirokattara
  (if it is interesting)
- むずかしくなかったら
  muzukashiku nakattara
  (if it is not difficult)
- たいへんじゃなかったら
  taihen ja nakattara
  (if it is not hard)

1 Tryout Answer the teacher's questions.

(1)

(2)

(3)

(4)

(5)

(6)

2 Review Complete the conversations.

(1) A: これ、買(か)いますか。
Kore, kaimasu ka.

B: そうですね……。____________________、買います。
Sō desu ne . . . (If it is inexpensive) *kaimasu.*

(2) A: この DVD、見(み)たいですか。
Kono dībuidī, mitai desu ka.

B: そうですね……。____________________、見たいです。
Sō desu ne . . . (If it is interesting) *mitai desu.*

(3) A: この 日本語(にほんご)の 本(ほん)、読(よ)みたいですか。
Kono Nihon-go no hon, yomitai desu ka.

B: そうですね……。____________________、読みたいです。
Sō desu ne . . . (If it is not difficult) *yomitai desu.*

(4) A: ここから 富士山(ふじさん)が 見えますか。
Koko kara Fuji-san ga miemasu ka.

B: そうですね……。____________________、見えます。
Sō desu ne . . . (If the weather is good) *miemasu.*

(5) A: あの 山(やま)に のぼりますか。
Ano yama ni noborimasu ka.

B: そうですね……。 ______________________ 、のぼります。
Sō desu ne . . . (If it is not hard) noborimasu.

(6) A: これ、食(た)べますか。
Kore, tabemasu ka.

B: そうですね……。 ______________________ 、食べます。
Sō desu ne . . . (If it is fish) tabemasu.

3 CD Simulation **Have conversations with the CD, and then role-play them with your partner.** 23-6

Task 3 いい 天気(てんき)だったら *Ii tenki dattara* (If it is a good weather) •Noun/Adjective＋たら *(tara)*

1 **Make ~*tara* clauses.**

Ex. いい 天気(てんき) → いい 天気だったら
ii tenki → *ii tenki dattara*

(1) 雨(あめ) *ame* → ______________________

(2) たいへん *taihen* → ______________________

(3) 高(たか)い *takai* → ______________________

(4) おもしろい *omoshiroi* → ______________________

(5) 雨じゃない *ame ja nai* → ______________________

(6) たいへんじゃない *taihen ja nai* → ______________________

(7) 高くない *takaku nai* → ______________________

(8) おもしろくない *omoshiroku nai* → ______________________

2 Rhythm/Intonation Listen and repeat. 23-7

(1) いい 天気(てんき)だ *ii tenki da*	いい 天気だった *ii tenki datta*	いい 天気だったら *ii tenki dattara*
雨(あめ)だ *ame da*	雨だった *ame datta*	雨だったら *ame dattara*
たいへんだ *taihen da*	たいへんだった *taihen datta*	たいへんだったら *taihen dattara*
(2) 高(たか)い *takai*	高かった *takakatta*	高かったら *takakattara*
おもしろい *omoshiroi*	おもしろかった *omoshirokatta*	おもしろかったら *omoshirokattara*
(3) おもしろくない *omoshiroku nai*	おもしろくなかった *omoshiroku nakatta*	おもしろくなかったら *omoshiroku nakattara*
たいへんじゃない *taihen ja nai*	たいへんじゃなかった *taihen ja nakatta*	たいへんじゃなかったら *taihen ja nakattara*

Task 4 雨(あめ)でも 行(い)きたいです *Ame demo ikitai desu* (I want to go out even if it rains)

Phrases for the Task 23-8

- 雨だったら／雨でも
  ame dattara (if it rains) / *ame demo* (even if it rains)
- たいふうだったら／たいふうでも
  taifū dattara (if a typhoon comes) / *taifū demo* (even if a typhoon comes)
- さむかったら／さむくても
  samukattara (if it is cold) / *samukutemo* (even if it is cold)
- 安(やす)くなかったら／安くなくても
  yasuku nakattara (if it isn't cheap) / *yasuku nakutemo* (even if it isn't cheap)
- おもしろくなかったら／おもしろくなくても
  omoshiroku nakattara (if it isn't interesting) / *omoshiroku nakutemo* (even if it isn't interesting)

1 Tryout Respond to the teacher's invitation.

(1) はなび
hanabi

(2) うみ
umi

(3) こうえん
kōen

(4) バーゲンセール
bāgensēru

(5) えいが
eiga

2 Review Complete the conversations.

(1) ペン： 日曜日（にちようび）に　はなびに　行（い）きませんか。
Pen *Nichi-yōbi ni hanabi ni ikimasen ka.*

森（もり）： いいですね。でも、雨（あめ）　かもしれませんよ。
Mori *Ii desu ne. Demo, ame kamo shiremasen yo.*

ペン： そうなんですか？ [*surprised*]
Sō na-n-desu ka?

① ______________________________ 、やめましょう。
(If it rains) *yamemashō.*

まじめだ： ② ______________________________ 、行きたいです。
Majimeda (Even if it rains) *ikitai desu.*

(2) ペン： 日曜日に　うみに　行きませんか。
Nichi-yōbi ni umi ni ikimasen ka.

森： いいですね。でも、たいふう　かもしれませんよ。
Ii desu ne. Demo, taifū kamo shiremasen yo.

ペン： そうなんですか？ [*surprised*]
Sō na-n-desu ka?

① ______________________________ 、やめましょう。
(If a typhoon comes) *yamemashō.*

まじめだ： ② ______________________________ 、行きたいです。
(Even if a typhoon comes) *ikitai desu.*

(3) ペン： 日曜日(にちようび)に こうえんに 行(い)きませんか。
Nichi-yōbi ni kōen ni ikimasen ka.

森(もり)： いいですね。 でも、さむい かもしれませんよ。
Ii desu ne. Demo, samui kamo shiremasen yo.

ペン： そうなんですか？ [surprised]
Sō na-n-desu ka?

① ______________________________ 、やめましょう。
(If it is cold) *yamemashō.*

まじめだ： ② ______________________________ 、行きたいです。
(Even if it is cold) *ikitai desu.*

(4) ペン： 日曜日に バーゲンセールに 行きませんか。
Nichi-yōbi ni bāgensēru ni ikimasen ka.

森： いいですね。 でも、あまり 安(やす)くない かもしれませんよ。
Ii desu ne. Demo, amari yasuku nai kamo shiremasen yo.

ペン： そうなんですか？ [surprised]
Sō na-n-desu ka?

① ______________________________ 、すぐ かえりましょう。
(If it isn't cheap) *sugu kaerimashō.*

まじめだ： ② ______________________________ 、何(なに)か 買(か)います。
(Even if it isn't cheap) *nanika kaimasu.*

(5) ペン： 日曜日に えいがに 行きませんか。
Nichi-yōbi ni eiga ni ikimasen ka.

森： いいですね。 でも、おもしろくない かもしれませんよ。
Ii desu ne. Demo, omoshiroku nai kamo shiremasen yo.

ペン： そうなんですか？ [surprised]
Sō na-n-desu ka?

① ______________________________ 、すぐ かえります。
(If it isn't interesting) *sugu kaerimasu.*

まじめだ： ② ______________________________ 、だいじょうぶです。 見(み)たいです。
(Even if it isn't interesting) *daijōbu desu. Mitai desu.*

3 CD Simulation Have conversations of 2 (1)-(5) with the CD, and then role-play them with your partner.

(1) 23-9 → 2 (1)　(2) 23-10 → 2 (2)　(3) 23-11 → 2 (3)

(4) 23-12 → 2 (4)　(5) 23-13 → 2 (5)

Task 5 はしったら　まにあいます *Hashittara maniaimasu* (You can make it if you run)

Phrases for the Task 23-14

- はしったら *hashittara* (if running)
- がんばったら *ganbattara* (if working hard)
- 時間が　あったら *jikan ga attara* (if there is time)
- こんでいなかったら *konde inakattara* (if it is not crowded)

1 Tryout Answer the teacher.

(1)

(2)

(3)

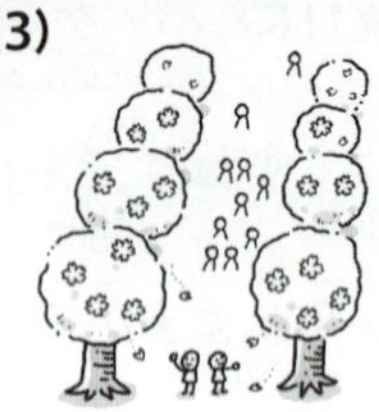

(4)

2 Review Complete the conversations.

(1) A: あしたの　パーティー、行きますか。
Ashita no pātī, ikimasu ka.

B: そうですね……。 ______________________ 、行きたいです。
Sō desu ne... (If there is time) *ikitai desu.*

(2) A: まにあいますか。
Maniaimasu ka.

B: そうですね……。 ______________________ 、まにあいます。
Sō desu ne... (If running) *maniaimasu.*

(3) A: 日曜日に　はなみに　行きますか。
Nichi-yōbi ni hanami ni ikimasu ka.

B: そうですね……。 ______________________ 、行きたいです。
Sō desu ne... (If it is not crowded) *ikitai desu.*

(4) A: できますか。
Dekimasu ka.

B: そうですね……。 ______________________ 、できます。
Sō desu ne... (If working hard) *dekimasu.*

3 CD Simulation Have conversations with the CD, and then role-play them with your partner. 23-15

Task 6 がんばったら *Ganbattara* (If you work hard)

•Verb + たら *(tara)*

1 Make ~*tara* clauses.

Ex. ある *aru* → あったら *attara*

(1) はしる *hashiru* → ______

(2) がんばる *ganbaru* → ______

(3) こんでいる *konde iru* → ______

(4) ない *nai* → ______

(5) はしらない *hashiranai* → ______

(6) がんばらない *ganbaranai* → ______

(7) こんでいない *konde inai* → ______

2 Rhythm/Intonation Listen and repeat. 23-16

(1)	こんでいる *konde iru*	こんでいた *konde ita*	こんでいたら *konde itara*
	こんでいない *konde inai*	こんでいなかった *konde inakatta*	こんでいなかったら *konde inakattara*
(2)	はしる *hashiru*	はしった *hashitta*	はしったら *hashittara*
	はしらない *hashiranai*	はしらなかった *hashiranakatta*	はしらなかったら *hashiranakattara*
(3)	がんばる *ganbaru*	がんばった *ganbatta*	がんばったら *ganbattara*
	がんばらない *ganbaranai*	がんばらなかった *ganbaranakatta*	がんばらなかったら *ganbaranakattara*
(4)	時間(じかん)が ある *jikan ga aru*	時間が あった *jikan ga atta*	時間が あったら *jikan ga attara*
	時間が ない *jikan ga nai*	時間が なかった *jikan ga nakatta*	時間が なかったら *jikan ga nakattara*

Words for Tasks 7 and 8 🔊 23-17

Ex. (d) しごとを　やめる
shigoto o　yameru

(1) (　　) ボーナスを　もらう
bōnasu o　morau

(2) (　　) そつぎょう　する
sotsugyō　suru

(3) (　　) きゅうりょうが　上がる
kyūryō ga　agaru

a.
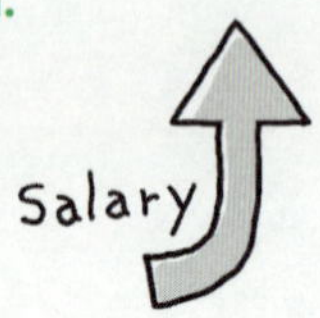

b.

c.

d.

Task 7 かぞく　かいぎ *Kazoku kaigi* (Family meeting)

Listen to the conversations and complete the sentences. (Scripts: pp. 186-187)

🔊 (1) 23-18 (2) 23-19 (3) 23-20 (4) 23-21

(1) むすめさんは　たんじょう日に　① ______________ が　ほしいです。
Musume-san wa　tanjōbi ni　ga　hoshii desu.

たくさん　② ______________ たら、むすめさんは　③ ______________ が　もらえます。
Takusan　tara,　musume-san wa　ga　moraemasu.

④ ______________ たら、むすめさんは　⑤ ______________ が　もらえません。
tara,　musume-san wa　ga　moraemasen.

(2) おくさんは　たんじょう日に　① ______________ が　ほしいです。
Okusan wa　tanjōbi ni　ga　hoshii desu.

② ______________ たら、ごしゅじんは　おくさんに　プレゼント　します。
tara,　go-shujin wa　okusan ni　purezento　shimasu.

③ ______________ たら、ごしゅじんは　おくさんに　プレゼント　しません。
tara,　go-shujin wa　okusan ni　purezento　shimasen.

(3) ごしゅじんは　たんじょう日に　あたらしい　① ______________ を　買いたいです。
Go-shujin wa　tanjōbi ni　atarashii　o　kaitai desu.

きゅうりょうが　② ______________ たら、買っても　いいです。
Kyūryō ga　tara,　kattemo　ii desu.

きゅうりょうが　③ ______________ たら、買っては　いけません。
Kyūryō ga　tara,　kattewa　ikemasen.

(4) むすこさんは　来年　かのじょと　① ______________ たいです。
Musuko-san wa　rainen　kanojo to　tai desu.

来年　② ______________ たら、③ ______________ いいです。
Rainen　tara,　ii desu.

来年　④ ______________ たら、⑤ ______________ いけません。
Rainen　tara,　ikemasen.

Task 8 もし タイムマシンが あったら
Moshi taimumashin ga attara
(If there were time machines)

1 Answer the questions.

(1) もし 1年(ねん) 休(やす)みが あったら、どんな ことを したいですか。
Moshi 1-nen yasumi ga attara, don'na koto o shitai desu ka.

a. 南(みなみ)の しまで のんびりしたいです。
Minami no shima de nonbiri shitai desu.

b. 日本語(にほんご)を べんきょう したいです。
Nihon-go o benkyō shitai desu.

c. せかい中(じゅう)を りょこう したいです。
Sekai-jū o ryokō shitai desu.

d. 日本中の おんせんに 行(い)きたいです。
Nihon-jū no onsen ni ikitai desu.

e. 本(ほん)を 書(か)きたいです。
Hon o kakitai desu.

(2) もし 50おく円(えん) もらったら、どんな ことを したいですか。
Moshi 50oku-en morattara, don'na koto o shitai desu ka.

a. お金(かね)のない人(ひと)*に あげたいです。
O-kane no nai hito ni agetai desu.*

b. あたらしい しごとを はじめたいです。
Atarashii shigoto o hajimetai desu.

c. いろいろな ものを 買(か)いたいです。たとえば…
Iroirona mono o kaitai desu. Tatoeba . . .

d. いろいろな ことを したいです。たとえば…
Iroirona koto o shitai desu. Tatoeba . . .

e. ぎんこうに ちょきん します。*
*Ginkō ni chokin shimasu.**

* *o-kane no nai hito:* poor people
chokin suru: save money

(3) もし 今(いま)、6さいの 子(こ)どもだったら、どんな ことを したいですか。
Moshi ima, 6-sai no kodomo dattara, don'na koto o shitai desu ka.

a. 毎日(まいにち) サッカーの れんしゅうを したいです。
Mainichi sakkā no renshū o shitai desu.

b. 毎日 えを かきたいです。
Mainichi e o kakitai desu.

c. 毎日 アニメを 見(み)たいです。
Mainichi anime o mitai desu.

d. ピアノの れんしゅうを したいです。
Piano no renshū o shitai desu.

e. 日本語を べんきょう したいです。
Nihon-go o benkyō shitai desu.

(4) もし　ふろうふしの　くすり*が　あったら、飲(の)みますか。どうしてですか。
Moshi　furōfushi no　kusuri ga　attara,　nomimasu ka.　Dōshite desu ka.*

* *furōfushi no kusuri:* elixir of immortality

(5) もし　タイムマシン*が　あったら、のりますか。どうしてですか。
Moshi　taimumashin ga　attara,　norimasu ka.　Dōshite desu ka.*

* *taimumashin:* time machine

(6) もし　テレパシー*が　つかえたら、つかいますか。どうしてですか。
Moshi　terepashī ga　tsukaetara,　tsukaimasu ka.　Dōshite desu ka.*

* *terepashī:* telepathy

2 Ask your partner the same questions in 1.

If...	Answer
(1) 1年(ねん)　休(やす)みが　ある *1-nen　yasumi ga　aru*	
(2) 50おく円(えん)　もらう *50oku-en　morau*	
(3) 今(いま)、6さいの　子(こ)どもだ *ima　6-sai no　kodomo da*	
(4) ふろうふしの　くすりが　ある *furōfushi no　kusuri ga　aru*	
(5) タイムマシンが　ある *taimumashin ga　aru*	
(6) テレパシーが　つかえる *terepashī ga　tsukaeru*	

3 Tell the class your partner's most interesting answer.

Final Task もし まほうが つかえたら *Moshi mahō ga tsukaetara* (If I could use magic)

1 Enjoy two presentations about "*Moshi mahō ga tsukaetara.*"

A 森(もり)さん *Mori-san*

(1) Listen to Mori-san's presentation. 23-22

(2) Read the presentation and answer the questions below.

もし まほうが つかえたら、私(わたし)は 大学生(だいがくせい)の「私」に もどりたい*です。
Moshi mahō ga tsukaetara, watashi wa daigakusei no "watashi" ni modoritai desu.*

もういちど 大学で べんきょう したいです。
Mō ichido daigaku de benkyō shitai desu.

友(とも)だちと いっしょに えいがを 見(み)たいです。うみに 行(い)きたいです。
Tomodachi to isshoni eiga o mitai desu. Umi ni ikitai desu.

そして、むかしの ボーイフレンドに 会(あ)いたいです。
Soshite, mukashi no bōifurendo ni aitai desu.

もういちど デートを したいです。
Mō ichido dēto o shitai desu.

＊ *modoritai:* want to go back

Questions: True or false? (○ or ×)

① (　　) 森(もり)さんは 大学生の「私」に もどりたいと 思(おも)っています。
Mori-san wa daigakusei no "watashi" ni modoritai to omotte imasu.

② (　　) 大学で べんきょう したくないと 思っています。
Daigaku de benkyō shitaku nai to omotte imasu.

③ (　　) 大学の 先生(せんせい)に 会いたいと 思っています。
Daigaku no sensei ni aitai to omotte imasu.

④ (　　) もういちど デートを したいと 思っています。
Mō ichido dēto o shitai to omotte imasu.

B 岡田(おかだ)さん *Okada-san*

(1) Listen to Okada-san's presentation. 🔊 **23-23**

(2) Read the presentation and answer the questions below.

もし　まほうが　つかえたら、　私(わたし)は　南(みなみ)の　しまに　住(す)みたいです。
Moshi　mahō ga　tsukaetara,　watashi wa minami no shima ni sumitai desu.

あさは　うみで　およぎたいです。
Asa wa　umi de　oyogitai desu.

午後(ごご)は　子(こ)どもと　サッカーや　テニスを　したいです。
Gogo wa　kodomo to　sakkā ya　tenisu o　shitai desu.

そして　よるは、　つまと　ほしを　見(み)たいです。
Soshite　yoru wa,　tsuma to　hoshi o　mitai desu.

いつも　かぞくと　いっしょです。　しごとは　しません。
Itsumo　kazoku to　issho desu.　Shigoto wa　shimasen.

お金(かね)は　あまり　ひつようじゃないと　思(おも)います。
O-kane wa　amari　hitsuyō ja nai to　omoimasu.

もし　まほうが　つかえたら、　私は　かぞくと　いっしょに
Moshi　mahō ga　tsukaetara,　watashi wa kazoku to　isshoni

南の　しまに　住みたいです。
minami no shima ni sumitai desu.

Questions: True or false? (○ or ×)

① (　　) 岡田(おかだ)さんは　南の　しまに　住みたいと　思っています。
Okada-san wa　minami no shima ni sumitai to　omotte imasu.

② (　　) しごとを　したいと　思っています。
Shigoto o　shitai to　omotte imasu.

③ (　　) お金は　ひつようだと　思っています。
O-kane wa　hitsuyō da to　omotte imasu.

④ (　　) 一人(ひとり)で　のんびりしたいと　思っています。
Hitoride　nonbiri shtiai to　omotte imasu.

2 Choose your wish from a-f and give a presentation to the class.

▶ もし　まほうが　1かいだけ　つかえたら、どんな　ことを　したいですか。
Moshi mahō ga 1-kai dake tsukaetara, don'na koto o shitai desu ka.

a. 6さいの「私(わたし)」に　もどりたいです。
6-sai no "watashi" ni modoritai desu.

b. お金(かね)を　たくさん　もらいたいです。
O-kane o takusan moraitai desu.

c. はつこいの人(ひと)に　会(あ)いたいです。
Hatsukoi no hito ni aitai desu.

d. お金のない人を　たすけたいです。
O-kane no nai hito o tasuketai desu.

e. 生(う)まれかわりたいです。*
*Umarekawaritai desu.**

f. ______________________ たいです。
tai desu.

* *umarekawaru:* be reincarnated

↓

もし　まほうが　つかえたら、私は ______________________
Moshi mahō ga tsukaetara, watashi wa

____

____

____

____

____

Coffee Break

Making Wishes

Agree or disagree? (○ or ×)

	You	Friend
(1) 毎日(まいにち) いそがしすぎます。 *Mainichi isogashi-sugimasu.* もっと ひまだったら いいのに……。 *Motto hima dattara, ii noni . . .*		
(2) 東京(とうきょう)の なつは あつすぎます。 *Tōkyō no natsu wa atsu-sugimasu.* もっと すずしかったら いいのに……。 *Motto suzushikattara ii noni . . .*		
(3) 東京は ぶっかが 高(たか)すぎます。 *Tōkyō wa bukka ga taka-sugimasu.* もっと 安(やす)かったら いいのに……。 *Motto yasukattara ii noni . . .*		
(4) 東京の 町(まち)は ごみばこが 少(すく)なすぎます。 *Tōkyō no machi wa gomibako ga sukuna-sugimasu.* もっと たくさん あったら いいのに……。 *Motto takusan attara ii noni . . .*		
(5) 日本(にほん)は 休(やす)みが 少なすぎます。 *Nihon wa yasumi ga sukuna-sugimasu.* 休みが もっと 多(おお)かったら いいのに……。 *Yasumi ga motto ookattara ii noni . . .*		
(6) 日本の つゆが きらいです。 *Nihon no tsuyu ga kirai desu.* つゆが なかったら いいのに……。 *Tsuyu ga nakattara ii noni . . .*		
(7) 東京の あさの ラッシュアワー*は たいへんです。 *Tōkyō no asa no rasshuawā* wa taihen desu.* ラッシュアワーが なかったら いいのに……。 *Rasshuawā ga nakattara ii noni . . .*		
(8) 1日(にち) 24時間(じかん)は みじかすぎます。 *1-nichi 24-jikan wa mijika-sugimasu.* 1日 30時間だったら いいのに……。 *1-nichi 30-jikan dattara ii noni . . .*		

＊ *rasshuawā:* rush hour

Grammar

1. ～たら (*~tara*)

To make *~tara* clauses, add *ra* to the past tense of short forms.

	Positive	Negative
Noun	日本人(にほんじん)だったら *Nihon-jin datta ra*	日本人じゃなかったら *Nihon-jin ja nakatta ra*
Na-Adj.	しずかだったら *shizuka datta ra*	しずかじゃなかったら *shizuka ja nakatta ra*
I-Adj.	高(たか)かったら *takakatta ra*	高くなかったら *takaku nakatta ra*
Verb	食(た)べたら *tabeta ra* あったら *atta ra* つかえたら* *tsukaeta ra**	食べなかったら *tabenakatta ra* なかったら *nakatta ra* つかえなかったら *tsukaenakatta ra*

* *Tsukaeru* is the potential form of *tsukau* (to use) and means "can use."

Clauses with *~tara* have three main uses.

(1) Conditional statements (If ~, then ~)

Clauses with *~tara* are used to express conditional situations. The situation preceding *~tara* must happen in order for the situation following it to occur.

あした 雨(あめ)だったら、行(い)きません。 *Ashita ame dattara, ikimasen.*	If it rains tomorrow, I will not go.
あした ひまだったら、せんたく してください。 *Ashita hima dattara, sentaku shite kudasai.*	If you are free tomorrow, please do the laundry.
安(やす)かったら、買(か)います。 *Yasukattara, kaimasu.*	If it is cheap, I will buy it.
高かったら、買いません。 *Takakattara, kaimasen.*	If it is expensive, I will not buy it.

(2) Hypothetical statements

Clauses with *~tara* are also used to express hypothetical or imaginary circumstances.

1000万円(まんえん) もらったら、どう しますか。 *1000man-en morattara, dō shimasu ka.*	If you received 10 million yen, what would you do?
6さいの 子(こ)どもだったら、やきゅうの れんしゅうを します。 *6-sai no kodomo dattara, yakyū no renshū o shimasu.*	If I were six years old, I would practice baseball.

The phrase *~tara ii noni* can even be used to express a wish contrary to reality.

もっと ひまだったら いいのに……。 *Motto hima dattara ii noni…*	I wish I had more free time. (lit., If I had more free time, it would be good.)
つゆが なかったら いいのに……。 *Tsuyu ga nakattara ii noni…*	I wish there were no rainy season. (lit., If there were no rainy season, it would be good.)

(3) Statements expressing a sequence of events

Finally, clauses with *~tara* can describe two events happening in sequence. This usage will be discussed further in Unit 24.

しごとが　おわったら、いざかやに　行(い)きます。 *Shigoto ga owattara, izakaya ni ikimasu.*	I am going to an *izakaya* after work.
うちに　かえったら、電話(でんわ)　します。 *Uchi ni kaettara, denwa shimasu.*	I will call you when I get home.

2. ～ても／でも (~ temo/demo)

The ~ *temo/demo* pattern means "even if ~; even though ~." Use it to express that you will do (or not do) something regardless of the situation. The following chart shows how to make the ~ *temo/demo* patterns.

	Positive	Negative
Noun	雨(あめ)でも *ame demo*	雨じゃなくても *ame ja naku temo*
Na-Adj.	ひまでも *hima demo*	ひまじゃなくても *hima ja naku temo*
I-Adj.	高(たか)くても *takaku temo*	高くなくても *takaku naku temo*
Verb	食(た)べても *tabe temo*	食べなくても *tabenaku temo*
	あっても *at temo*	なくても *naku temo*
	がんばっても *ganbat temo*	がんばらなくても *ganbaranaku temo*

Noun / *Na*-adj. + *demo*	
雨でも　だいじょうぶです。 *Ame demo daijōbu desu.*	Even if it rains, I don't mind.
たいふうでも　うみに　行きたいです。 *Taifū demo umi ni ikitai desu.*	Even if a typhoon comes, I want to go to the beach.
べんりでも　つかいません。 *Benri demo tsukaimasen.*	Even if it is convenient, I'm not going to use it.
I*-adj. + *temo	
さむくても　だいじょうぶです。 *Samukutemo daijōbu desu.*	Even if it is cold, I don't mind.
高くても　買(か)います。 *Takakutemo kaimasu.*	Even if it is expensive, I'm going to buy it.
おもしろくなくても　えいがを　見(み)ます。 *Omoshiroku nakutemo eiga o mimasu.*	Even if the movie isn't interesting, I'm going to watch it.
Verb + *temo*	
こんでいても　だいじょうぶです。 *Konde itemo daijōbu desu.*	Even if it is crowded, I don't mind.
時間(じかん)が　あっても　行きません。 *Jikan ga attemo ikimasen.*	Even if I have time, I won't go.

3. Casual speech style

Japanese language has several speech styles. One of them is the polite speech style, which uses *desu*-form and *masu*-form to convey respect. Another speech style is the casual speech style, which is used in casual settings with close friends or family members. In the casual speech style, short forms are used. (See Grammar 1 in Unit 22 for short forms.)

Q: こんばん カラオケ 行(い)く？↗ *Konban karaoke iku?* ↗	**Q:** Are you going to go to karaoke tonight?
A1: うん、行く。 *Un, iku.*	**A1:** Yes, I'm going.
A2: ううん、行かない。 *Uun, ikanai.*	**A2:** No, I'm not going.
Q: カラオケ 好(す)き？↗ *Karaoke suki?* ↗	**Q:** Do you like karaoke?
A: うん、好き。 *Un, suki.*	**A:** Yes, I like it.
Q: どう だった？↗ *Dō datta?* ↗	**Q:** How was it?
A: たのしかった。 *Tanoshikatta.*	**A:** It was fun.

Note that *da* in the present affirmative of the short form of nouns and *na*-adjectives (e.g., *ame da*, *suki da*) tends to be dropped in casual speech style.

4. 思(おも)っています (*omotte imasu*)

When saying what a third person (he/she/they) thinks, *omotte imasu* is used instead of *omoimasu* (see Grammar 2 in Unit 22).

岡田(おかだ)さんは ペンさんは いそがしいと 思っています。 *Okada-san wa Pen-san wa isogashii to omotte imasu.*	Okada-san thinks that Pen-san is busy.
(私(わたし)は) ペンさんは いそがしいと 思います。 *(Watashi wa) Pen-san wa isogashii to omoimasu.*	I think that Pen-san is busy.

5. そうなんですか？ (*Sō na-n-desu ka?*)

Sō desu ka is used to show understanding. *Sō na-n-desu ka?* is used to show understanding with emotion (skepticism, surprise, sympathy, etc., depending on the context).

A: きのう えいがを 見(み)ました。 *Kinō eiga o mimashita.*	**A:** I watched a movie yesterday.
B: そうですか。↘ どうでしたか。 *Sō desu ka.* ↘ *Dō deshita ka.*	**B:** I see. How was it?
A: その あたらしい くつ、きれいですね！ *Sono atarashii kutsu, kirei desu ne!*	**A:** How pretty those new shoes are!
B: そうですか？↗ ありがとう。 *Sō desu ka?* ↗ *Arigatō.*	**B:** Really? Thank you.
A: じつは 来週(らいしゅう) けっこん します。 *Jitsuwa raishū kekkon shimasu.*	**A:** As a matter of fact, I'm getting married next week.
B: ええっ！ そうなんですか？↗ *Eeh! Sō na-n-desu ka?* ↗	**B:** Really? Is that so? [*surprised*]
それは しりませんでした。 *Sore wa shirimasendeshita.*	I didn't know that.

Vocabulary

Verbs

T4	やめる	*yameru*	[2] quit; resign
T5	時間(じかん)が ある	*jikan ga aru*	[1] have time
	まにあう	*maniau*	[1] be on time; make it in time
	こんでいる	*konde iru*	[2] be crowded
T7	上(あ)がる	*agaru*	[1] rise; go up
T8	はじめる	*hajimeru*	[2] begin; start
FT	住(す)む	*sumu*	[1] live

Nouns

T1	ハート	*hāto*	heart [*card suit*]
	ダイヤ	*daiya*	diamond
T2	天気(てんき)	*tenki*	weather
T4	はなび	*hanabi*	fireworks
	バーゲンセール	*bāgensēru*	sale
T7	ボーナス	*bōnasu*	bonus
	そつぎょう	*sotsugyō*	graduation [*-suru*]
	(お)きゅうりょう	*(o-)kyūryō*	salary
T8	せかい中(じゅう)	*sekai-jū*	all over the world
	日本中(にほんじゅう)	*Nihon-jū*	all over Japan
FT	まほう	*mahō*	magic
CB	つゆ	*tsuyu*	the rainy season in Japan

Adjectives

T7	むり(な)	*muri(na)*	impossible; unreasonable
CB	すずしい	*suzushii*	cool [*temperature*]
	みじかい	*mijikai*	short
	きらい(な)	*kirai(na)*	dislike; hate

Adverb

T8	もし	*moshi*	if [*used with tara*]

Expressions

T4	そうなんですか？	*Sō na-n-desu ka?*	Is that right?
T7	うん。	*Un.*	Yes. [*casual*]
	ううん。	*Uun.*	No. [*casual*]

Unit 24
おかげさまで 上手(じょうず)に なりました

Okagesamade jōzu ni narimashita (Thanks to you, it has improved)

- Describing then and now
- Asking for and giving advice
- Having a small talk about your improvement

Key Sentences 24-1

1 A: じが 小(ちい)さいです。 よく 見(み)えません。
Ji ga chiisai desu. Yoku miemasen.
A: The letters are small. I cannot see them well.

B: じゃ、これを つかってみてください。
Ja, kore o tsukatte mite kudasai.
B: Well, try using this.

じが 大(おお)きくなりますよ。
Ji ga ookiku narimasu yo.
The letters will become bigger.

2 A: 日本語(にほんご)が 上手(じょうず)に なりません。
Nihon-go ga jōzu ni narimasen.
A: My Japanese has not become better.

どうしたら いいですか。
Dō shitara ii desu ka.
What should I do?

B: できるだけ 日本人(にほんじん)と 話(はな)したら どうですか。
Dekirudake Nihon-jin to hanashitara dō desu ka.
B: Why don't you speak with Japanese as much as possible?

3 ・12時(じ)に なったら ひるごはんに 行(い)きましょう。
12-ji ni nattara hiru-gohan ni ikimashō.
・Let's go out for lunch at 12:00. (lit., Let's go out for lunch when it becomes 12:00.)

4 私(わたし)は 去年(きょねん) 日本に 来(き)ました。
Watashi wa kyonen Nihon ni kimashita.
I came to Japan last year.

そのとき、日本語が 話せませんでした。
Sonotoki, Nihon-go ga hanasemasendeshita.
At that time, I wasn't able to speak Japanese.

でも、今(いま)は 話せるように なりました。
Demo, ima wa hanaseru yōni narimashita.
But now, I have become able to speak Japanese.

おかげさまで、上手に なりました。
Okagesamade, jōzu ni narimashita.
Thanks to you, it has improved.

Task 1 10さいに なりました *10-sai ni narimashita* (I turned 10 years old)

1 Study the phrases with *~ni narimashita.*

A Look at the pictures and listen to the phrases. 🔊 **24-2**

(1) (　　)

(2) (　　)

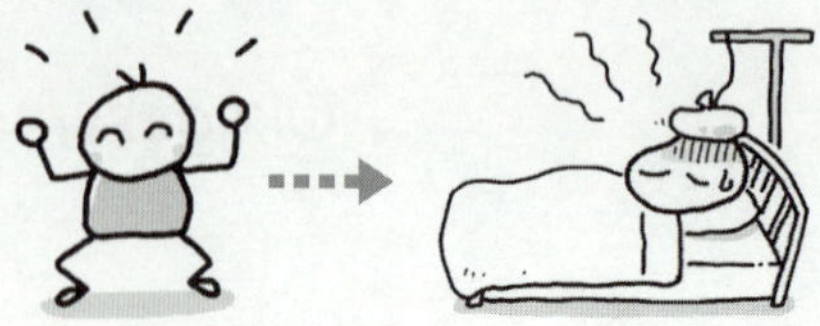

(3) (　　)

(4) (　　)

(5) (　　)

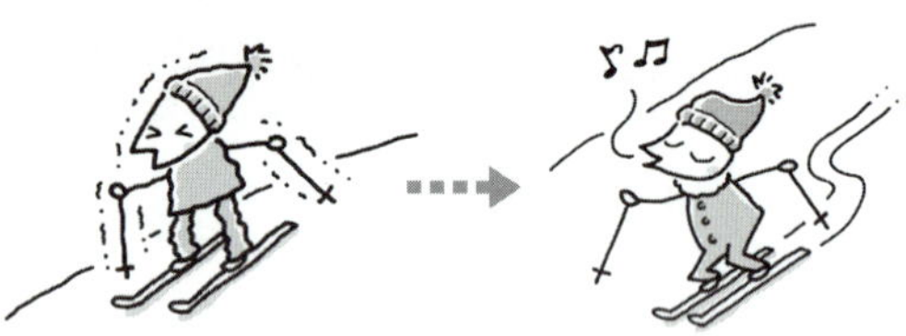

(6) (　　)

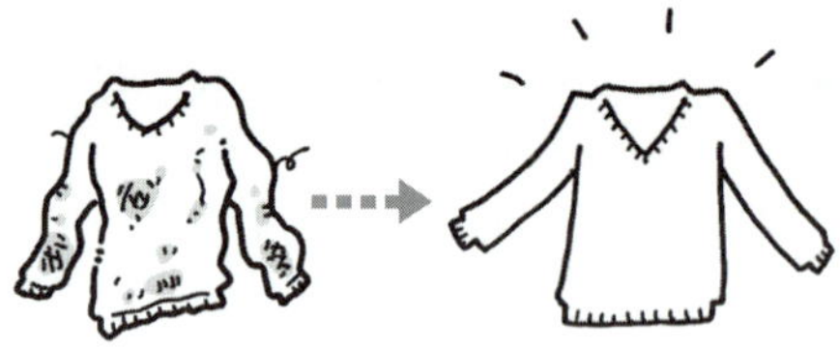

(7) (　　)

(8) (　　)

B Match the phrases with the pictures above.

a. 10さいに なりました
10-sai ni narimashita

b. はるに なりました
haru ni narimashita

c. 病気(びょうき)に なりました
byōki ni narimashita

d. 元気(げんき)に なりました
genki ni narimashita

e. きれいに なりました
kirei ni narimashita

f. しずかに なりました
shizuka ni narimashita

g. 上手(じょうず)に なりました
jōzu ni narimashita

h. べんりに なりました
benri ni narimashita

2 Make a story.

Ex. 24-3

きのうまで
kinō made

今日（きょう）
kyō

→ きのうまで　9 さいでした。
Kinō made　9-sai deshita.

今日（きょう）は　たんじょう日（び）です。**10 さいに　なりました。**
Kyō wa　tanjōbi desu.　10-sai ni　narimashita.

みんなで　ケーキを　食（た）べました。プレゼントを　もらいました。
Min'nade　kēki o　tabemashita.　Purezento o　moraimashita.

とても　うれしかったです。
Totemo　ureshikatta desu.

(1)

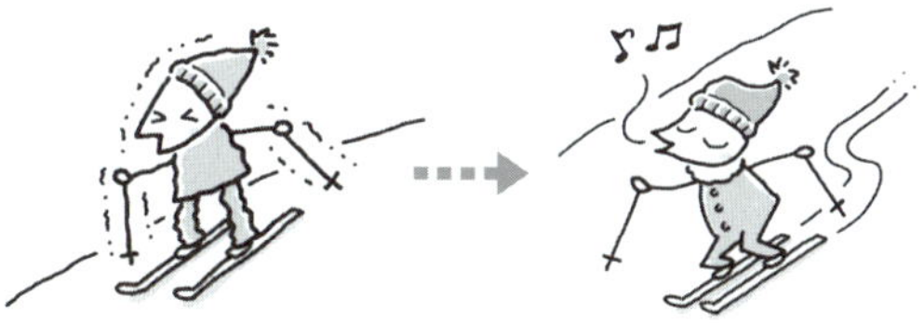

去年（きょねん）
kyonen

今年（ことし）
kotoshi

(2)

むかし
mukashi

今（いま）
ima

(3)

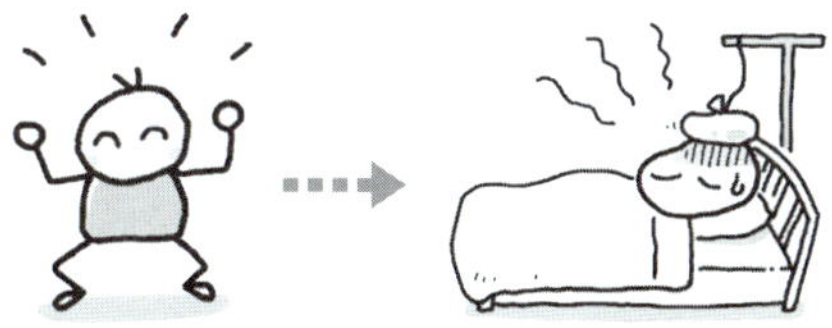

きのう
kinō

今日
kyō

(4)

パーティーのとき
pātī no toki

パーティーの　後（あと）
pātī no ato

Task 2 大(おお)きく　なりました *Ookiku narimashita* (It grew bigger)

1 Study the phrases with ~ *narimashita.*

A Look at the pictures and listen to the phrases. 24-4

(1) (　　)

(2) (　　)

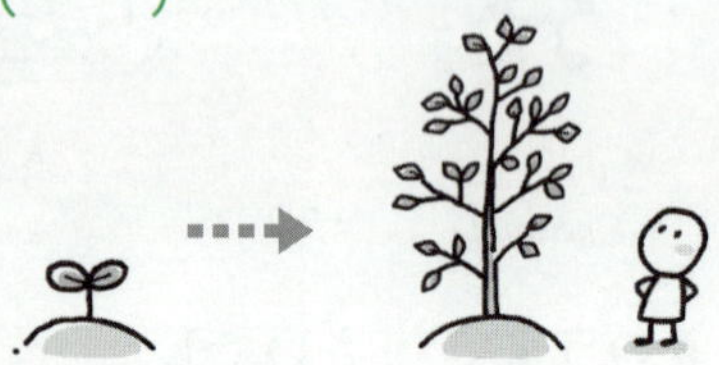

(3) (　　)

(4) (　　)

(5) (　　)

(6) (　　)

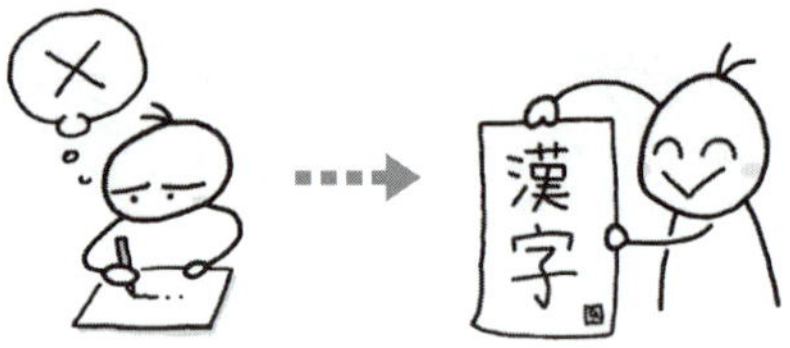

(7) (　　)

(8) (　　)

B Match the phrases with the pictures above.

a. 大(おお)きく　なりました
ookiku narimashita

b. ねむく　なりました
nemuku narimashita

c. たのしく　なりました
tanoshiku narimashita

d. あたたかく　なりました
atatakaku narimashita

e. できるように　なりました
dekiru yōni narimashita

f. 話(はな)せるように　なりました
hanaseru yōni narimashita

g. 読(よ)めるように　なりました
yomeru yōni narimashita

h. 書(か)けるように　なりました
kakeru yōni narimashita

2 Make a story.

Ex. 24-5

せんしゅう
先週
senshū

こんしゅう
今週
konshū

→ 先週　ゆきが　たくさん　ふりました。とても　さむかったです。
Senshū yuki ga takusan furimashita. Totemo samukatta desu.

今週　いい　天気(てんき)です。**あたたかく　なりました。**
Konshū ii tenki desu. **Atatakaku narimashita.**

(1)

パーティーの　前(まえ)
pātī no mae

パーティーの　とき
pātī no toki

(2)

クラスの　前
kurasu no mae

クラスの　とき
kurasu no toki

(3)

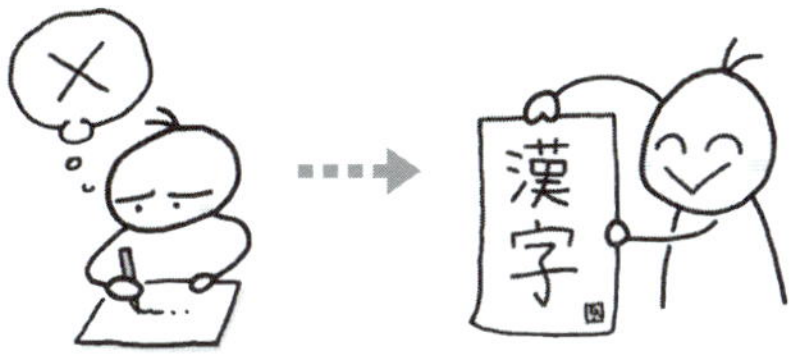

きょねん
去年
kyonen

ことし
今年
kotoshi

(4)

前
mae

いま
今
ima

Task 3 これを　つかってみてください *Kore o tsukatte mite kudasai* (Please try using this)

1 Tryout You are having problems. Your teacher will give you advice.

(1)

つかって
tsukatte

じが　小(ちい)さいです。
Ji ga　chiisai desu.

よく　読(よ)めません。
Yoku　yomemasen.

(2)

おして
oshite

おとが　小さいです。
Oto ga　chiisai desu.

よく　聞(き)こえません。
Yoku　kikoemasen.

(3)

つかって
tsukatte

きれいじゃないです。
Kirei ja nai desu.

(4)

つかって
tsukatte

じが　上手(じょうず)じゃないです。
Ji ga　jōzu ja nai desu.

2 Review Listen to the CD and complete the conversations.

(1) 24-6

A: こまりました。　じが　小さいです。　よく　読めません。
Komarimashita.　Ji ga　chiisai desu.　Yoku　yomemasen.

B: じゃ、これを　① ＿＿＿＿＿＿＿　ください。　じが　② ＿＿＿＿＿＿＿　ますよ。
Ja,　kore o　kudasai.　Ji ga　masu yo.

*　*　*

B: ③ ＿＿＿＿＿＿＿＿＿　ましたか。
mashita ka.

A: はい、④ ＿＿＿＿＿＿＿＿＿　ました。
Hai,　mashita.

(2) 24-7

A: こまりました。 おとが 小(ちい)さいです。 よく 聞(き)こえません。
Komarimashita. Oto ga chiisai desu. Yoku kikoemasen.

B: じゃ、ここを ① ______ ください。おとが ② ______ ますよ。
Ja, koko o kudasai. Oto ga masu yo.

* * *

B: ③ ______ ましたか。
mashita ka.

A: はい、④ ______ ました。
Hai, mashita.

(3) 24-8

A: こまりました。 きれいじゃないです。
Komarimashita. Kirei ja nai desu.

B: じゃ、これを ① ______ ください。② ______ ますよ。
Ja, kore o kudasai. masu yo.

* * *

B: ③ ______ ましたか。
mashita ka.

A: はい、④ ______ ました。
Hai, mashita.

(4) 24-9

A: こまりました。 じが 上手(じょうず)じゃないです。
Komarimashita. Ji ga jōzu ja nai desu.

B: じゃ、これを ① ______ ください。② ______ ますよ。
Ja, kore o kudasai. masu yo.

* * *

B: ③ ______ ましたか。
mashita ka.

A: はい、④ ______ ました。
Hai, mashita.

3 CD Simulation Have conversations of 2 (1)-(4) with the CD (you are B), and then role-play them with your partner.

(1) 24-10 → 2 (1)　　(2) 24-11 → 2 (2)

(3) 24-12 → 2 (3)　　(4) 24-13 → 2 (4)

Task 4 日本語で 話したら どうですか *Nihon-go de hanashitara dō desu ka* (Why don't you talk in Japanese?)

Practice the conversation.

Pen-san is asking Mori-san how to become more fluent in Japanese.

1 24-14

ペン：日本語が あまり 上手に なりません。 どうしたら いいですか。
Pen　Nihon-go ga amari jōzu ni narimasen. Dō shitara ii desu ka.

森：　できるだけ **日本人の 友だちと 日本語で 話したら** どうですか。
Mori　Dekirudake ***Nihon-jin no tomodachi to Nihon-go de hanashitara*** *dō desu ka.*

上手に なりますよ。
Jōzu ni narimasu yo.

ペン：ありがとう。 今日から そうします。
Arigatō. Kyō kara sō shimasu.

Variations

- 日本語の CD を 聞く
  Nihon-go no shīdī o kiku
- 日本語の テレビを 見る
  Nihon-go no terebi o miru
- 日本語で メールを 書く
  Nihon-go de mēru o kaku
- 日本の えいがを 見る
  Nihon no eiga o miru

2 つぎの 日 *Tsugi no hi* 24-15

ペン：ひるごはんに 行きませんか。
Pen　Hiru-gohan ni ikimasen ka.

森：　えっ？ でも、11時半ですよ。 12時に なったら、行きましょう。
Mori　Eh? Demo, 11-ji han desu yo. 12-ji ni nattara, ikimashō.

* * * * * *

ペン：いざかやに 行きませんか。
Izakaya ni ikimasen ka.

岡田：えっ？ でも、5時ですよ。 しごとが おわったら、行きましょう。
Okada　Eh? Demo, 5-ji desu yo. Shigoto ga owattara, ikimashō.

3 1か月 後 *1-kagetsu ato* 24-16

森：　上手に なりましたね。
Mori　Jōzu ni narimashita ne.

ペン：とんでもないです。 まだまだです。
Pen　Tondemonai desu. Madamada desu.

もっと 話せるように なりたいです。
Motto hanaseru *yōni naritai desu.*

Variations

- 漢字が 読める
  kanji ga yomeru
- かいぎが わかる
  kaigi ga wakaru
- 日本語で じょうだんが 言える
  Nihon-go de jōdan ga ieru
- しごとで 日本語が つかえる
  shigoto de Nihon-go ga tsukaeru
- 日本語で メールが できる
  Nihon-go de mēru ga dekiru

4 1年後(ねんあと) *1-nen ato* 24-17

森(もり)：　ほんとうに　上手(じょうず)に　なりましたね。
Mori　*Hontōni*　*jōzu ni*　*narimashita ne.*

ペン：おかげさまで、前(まえ)より　ちょっと　上手に　なりました。
Pen　*Okagesamade,*　*mae yori*　*chotto*　*jōzu ni*　*narimashita.*

でも、もっと　上手に　なりたいです。
Demo,　*motto*　*jōzu ni*　*naritai desu.*

まちがえたら、おしえてください。
Machigaetara,　*oshiete kudasai.*

森：　わかりました。そうします。
Wakarimashita.　*Sō shimasu.*

Task 5　できるように　なりました *Dekiru yōni narimashita* (I have become able to do it)

1 Choose the answer that fits you most.

(1) 私(わたし)は　日本(にほん)に　来(き)たとき*、漢字(かんじ)が　読(よ)めませんでした。
*Watashi wa Nihon ni kita toki,**　*kanji ga*　*yomemasendeshita.*

a. (　　) でも、今(いま)は　読めるように　なりました。
Demo,　*ima wa*　*yomeru yōni*　*narimashita.*

b. (　　) ちょっとだけ　読めるように　なりました。
Chotto dake　*yomeru yōni*　*narimashita.*

c. (　　) 今も　まだ　読めません。
Imamo　*mada*　*yomemasen.*

＊ *Nihon ni kita toki:* when I came to Japan

(2) 日本に　来たとき、日本語(にほんご)が　ぜんぜん　話(はな)せませんでした。
Nihon ni　*kita toki,*　*Nihon-go ga*　*zenzen*　*hanasemasendeshita.*

a. (　　) でも、今は　上手に　話せるように　なりました。
Demo,　*ima wa*　*jōzu ni*　*hanaseru yōni*　*narimashita.*

b. (　　) 前より　話せるように　なりました。
Mae yori　*hanaseru yōni*　*narimashita.*

c. (　　) 今も　まだ　上手じゃないです。
Imamo　*mada*　*jōzu ja nai desu.*

(3) 日本に　来たとき、日本語で　電話(でんわ)が　できませんでした。
Nihon ni　*kita toki,*　*Nihon-go de*　*denwa ga*　*dekimasendeshita.*

a. (　　) でも、今は　できるように　なりました。
Demo,　*ima wa*　*dekiru yōni*　*narimashita.*

b. (　　) かんたんな　電話だったら、できるように　なりました。
Kantan'na　*denwa dattara,*　*dekiru yōni*　*narimashita.*

c. (　　) あいさつだけだったら、できるように　なりました。
Aisatsu dake dattara,　*dekiru yōni*　*narimashita.*

(4) 日本(にほん)に 来(き)たとき、日本人(にほんじん)の かんがえかたが わかりませんでした。
Nihon ni kita toki, Nihon-jin no kangaekata ga wakarimasendeshita.

a. (　　) でも、今(いま)は わかるように なりました。
Demo, ima wa wakaru yōni narimashita.

b. (　　) 前(まえ)より わかるように なりました。
Mae yori wakaru yōni narimashita.

c. (　　) 今も まだ わかりません。たぶん これからも わからないと 思(おも)います。
Imamo mada wakarimasen. Tabun korekaramo wakaranai to omoimasu.

(5) 日本に 来たとき、なっとうが 食(た)べられませんでした。
Nihon ni kita toki, nattō ga taberaremasendeshita.

a. (　　) でも、今は 食べられるように なりました。
Demo, ima wa taberareru yōni narimashita.

b. (　　) 今も まだ 食べられません。
Imamo mada taberaremasen.

c. (　　) これからも ぜったいに 食べません。
Korekaramo zettaini tabemasen.

2 Ask your partner.

Ex. 私(わたし)は 日本に 来たとき、漢字(かんじ)が 読(よ)めませんでした。
Watashi wa Nihon ni kita toki, kanji ga yomemasendeshita.

でも、今は ちょっとだけ 読めるように なりました。
Demo, ima wa chotto dake yomeru yōni narimashita.

～さんは どうですか。
~san wa dō desu ka.

Questions	Answers
(1) 漢字が 読める kanji ga yomeru	
(2) 日本語(にほんご)が 話(はな)せる Nihon-go ga hanaseru	
(3) 日本語で 電話(でんわ)が できる Nihon-go de denwa ga dekiru	
(4) 日本人の かんがえかたが わかる Nihon-jin no kangaekata ga wakaru	
(5) なっとうが 食べられる nattō ga taberareru	

3 Tell the class the biggest difference between you and your partner.

Final Task おかげさまで 上手(じょうず)に なりました *Okagesamade jōzu ni narimashita* (Thanks to you, it has improved)

1 Listen to Pen-san's presentation. 24-18

2 Read the presentation.

私(わたし)は 去年(きょねん) 2月(がつ)に 日本(にほん)に 来(き)ました。そのとき、日本語(にほんご)が ぜんぜん
Watashi wa kyonen 2-gatsu ni Nihon ni kimashita. Sonotoki, Nihon-go ga zenzen

話(はな)せませんでした。ひらがなが 書(か)けませんでした。カタカナも
hanasemasendeshita. Hiragana ga kakemasendeshita. Katakana mo

読(よ)めませんでした。もちろん、漢字(かんじ)は ぜんぜん わかりませんでした。
yomemasendeshita. Mochiron, kanji wa zenzen wakarimasendeshita.

とても たいへんでした。でも、友(とも)だちや 先生(せんせい)に たくさん
Totemo taihen deshita. Demo, tomodachi ya sensei ni takusan

たすけてもらいました。日本語を たくさん おしえてもらいました。
tasukete moraimashita. Nihon-go o takusan oshiete moraimashita.

ですから、だんだん 上手(じょうず)に なりました。おかげさまで、日本語が
Desukara, dandan jōzu ni narimashita. Okagesamade, Nihon-go ga

話せるように なりました。
hanaseru yōni narimashita.

今(いま)まで 日本語の べんきょうは たいへんでした。でも、たのしかったです。
Imamade Nihon-go no benkyō wa taihen deshita. Demo, tanoshikatta desu.

そして、これからも たのしいと 思(おも)います。日本語の べんきょうを
Soshite, korekaramo tanoshii to omoimasu. Nihon-go no benkyō o

つづけたら、いつか しんぶんが 読めるように なる かもしれません。
tsuzuketara, itsuka shinbun ga yomeru yōni naru kamo shiremasen.

そのときまで*、がんばりたいと 思います。
Sonotoki made, ganbaritai to omoimasu.*

* *sonotoki made:* until then

2 Make your presentation.

私(わたし)は ________________ に 日本(にほん)に 来(き)ました。そのとき、__________
Watashi wa ________________ *ni Nihon ni kimashita. Sonotoki,*

____

____

____

____

でも、____
Demo,

____

____

____

____

________________________________ がんばりたいと 思(おも)います。
ganbaritai to omoimasu.

Coffee Break

Then and Now

True or false? (○ or ×)

	You	Friend
(1) 私(わたし)は　子(こ)どもの　とき、自転車(じてんしゃ)に　のれませんでした。 *Watashi wa kodomo no toki, jitensha ni noremasendeshita.* でも、今(いま)は　のれるように　なりました。 *Demo, ima wa noreru yōni narimashita.*		
(2) 私は　子どもの　とき、ホラーえいがが　見(み)られませんでした。 *Watashi wa kodomo no toki, horā eiga ga miraremasendeshita.* でも、今は　見られるように　なりました。 *Demo, ima wa mirareru yōni narimashita.*		
(3) 私は　子どもの　とき、しらない人(ひと)と　話(はな)せませんでした。 *Watashi wa kodomo no toki, shiranai hito to hanasemasendeshita.* でも、今は　しらない人と　話せるように　なりました。 *Demo, ima wa shiranai hito to hanaseru yōni narimashita.*		
(4) 私は　子どもの　とき、女(おんな)の子／男(おとこ)の子と　話せませんでした。 *Watashi wa kodomo no toki, on'na no ko/otoko no ko to hanasemasendeshita.* でも、今は　たのしく　話せる*ように　なりました。 *Demo, ima wa tanoshiku hanaseru* yōni narimashita.*		
(5) 私は　子どもの　とき、りょうしんの　気(き)もちが *Watashi wa kodomo no toki, ryōshin no kimochi ga* わかりませんでした。でも、今は　わかるように　なりました。 *wakarimasendeshita. Demo, ima wa wakaru yōni narimashita.*		
(6) 私は　子どもの　とき、女の子／男の子の　気もちが *Watashi wa kodomo no toki, on'na no ko/otoko no ko no kimochi ga* わかりませんでした。でも、今は　よく　わかるように *wakarimasendeshita. Demo, ima wa yoku wakaru yōni* なりました。 *narimashita.*		
(7) 私は　子どもの　とき、女の子／男の子の　気もちが *Watashi wa kodomo no toki, on'na no ko/otoko no ko no kimochi ga* わかりませんでした。今は　もっと　わからなく　なりました。 *wakarimasendeshita. Ima wa motto wakaranaku narimashita.*		

＊ *tanoshiku hanasu*: have an enjoyable talk

Grammar

1. Potential short form of verbs

The following chart shows how to make the potential short form from the potential *masu*-form.

	potential *masu*-form	potential short form
Group 1	nome**masu** nome**masen** nome**mashita** nome**masendeshita**	nome**ru** nome**nai** nome**ta** nome**nakatta**
Group 2	okirare**masu** okirare**masen** okirare**mashita** okirare**masendeshita**	okirare**ru** okirare**nai** okirare**ta** okirare**nakatta**
Group 3 (*Suru*/*Kuru* Verbs)	deki**masu** korare**masu**	deki**ru** korare**ru**

2. なります *(narimasu)*

Narimasu is similar to "become" in English. It is used to talk about changes in a situation or state. The following two charts show how to use it with nouns, adjectives, and the potential form of verbs.

Noun/Adjective ＋なります *(narimasu)*

Noun	ペンさんは エンジニア に なりました。 *Pen-san wa enginia **ni** narimashita.*	Pen-san has become an engineer.
	(私は) あした はたち に なります。 *(Watashi wa) ashita hatachi **ni** narimasu.*	I will turn twenty years old tomorrow.
	(私は) そうりだいじん に なりたいです。 *(Watashi wa) sōri-daijin **ni** naritai desu.*	I want to become a prime minister.
Na-adj.	ペンさんは 日本語が 上手 に なりました。 *Pen-san wa Nihon-go ga jōzu **ni** narimashita.*	Pen-san's Japanese has gotten better.
	ペンさんは なっとうが 好き に なりました。 *Pen-san wa nattō ga suki **ni** narimashita.*	Pen-san has come to like *natto*.
I-adj.	おいし く なりました。 *oishi **ku** narimashita.*	It has become delicious.
	さむ く なります。 *samu **ku** narimasu.*	It will become cold.

Potential short form of verb ＋なります *(narimasu)*

ペンさんは 漢字が 読める ように なりました。 *Pen-san wa kanji ga yomeru **yōni** narimashita.*	Pen-san has become able to read kanji.
ペンさんは 漢字が 書ける ように なります。 *Pen-san wa kanji ga kakeru **yōni** narimasu.*	Pen-san will become able to write kanji.
ペンさんは 話せ なく なりました。 *Pen-san wa hanase **naku** narimashita.*	Pen-san has become unable to speak.
ペンさんは でき なく なりました。 *Pen-san wa deki **naku** narimashita.*	Pen-san has become unable to do it.

3. Asking for and giving advice

Dō shitara ii desu ka is used to ask for advice, and *~tara dō desu ka* (Why don't you do ~?/What about doing ~?) is used when giving advice.

Q: どうしたら　いいですか。 *Dō shitara　ii desu ka.*	What should I do?
A1: 日本(にほん)の　えいがを　見(み)たら　どうですか。 *Nihon no　eiga o　mitara　dō desu ka.*	Why don't you watch Japanese movies?
A2: 日本語(にほんご)の　本(ほん)を　読(よ)んだら　どうですか。 *Nihon-go no hon o　yondara　dō desu ka.*	Why don't you read Japanese books?
A3: ペンさんに　そうだん　したら　どうですか。 *Pen-san ni　sōdan　shitara　dō desu ka.*	Why don't you talk to Pen-san?

4. ～てみてください *(~te mite kudasai)*

~te mite kudasai is used to advise someone to try doing something.

この　えいがを　見てみてください。 *Kono　eiga o　mite mite kudasai.*	Try watching this movie.
カウンセラーに　そうだん　してみてください。 *Kaunserā ni　sōdan　shite mite kudasai.*	Try asking the counselor.

Vocabulary

Verbs

T1	なる	*naru*	[1] become
T2	(雨(あめ)／ゆきが) ふる	*(ame/yuki ga) furu*	[1] rain; snow
T3	聞(き)こえる	*kikoeru*	[2] can hear
T4	おわる	*owaru*	[1] finish
	まちがえる	*machigaeru*	[2] make a mistake
FT	つづける	*tsuzukeru*	[2] continue

Nouns

T3	じ	*ji*	character; letter
	おと	*oto*	sound; noise
T4	1か月(げつ)	*ikkagetsu*	one month
	じょうだん	*jōdan*	joke
T5	あいさつ	*aisatsu*	greeting
T5	かんがえかた	*kangaekata*	way of thinking
CB	しらない人(ひと)	*shiranai hito*	stranger
	りょうしん	*ryōshin*	parents

Adjectives

T2	ねむい	*nemui*	sleepy
	あたたかい	*atatakai*	warm
T5	かんたん(な)	*kantan(na)*	easy; simple

Adverbs

T1	みんなで	*min'nade*	all together
T4	できるだけ	*dekirudake*	as much as possible
T5	今(いま)も	*imamo*	still now
	これからも	*korekaramo*	from now on (as well as until now)
FT	だんだん	*dandan*	gradually; step by step

Expressions

T3	こまりました。	*Komarimashita.*	I am in trouble.
T4	どうしたら　いいですか。	*Dō shitara ii desu ka.*	What should I do?
	そうします。	*Sō shimasu.*	I will do so.
	とんでもないです。	*Tondemo nai desu.*	Not at all.; No kidding.
	まだまだです。	*Madamada desu.*	It is still not enough.; (I) still have a long way.

Scripts CD スクリプト

These scripts are passages recorded in the accompanying MP3 CD but their scripts are not included in the text.

Unit 14

Task 1 1

(1) • 14-4 (p. 15)

Q: どんな　ところですか。

A: とても　べんりな　ところです。

Q: べんりな　ところ…。何(なに)か　うっていますか。

A: はい、うっています。

Q: たとえば…？

A: たとえば、パン、おべんとう、ミルク、ビール、しんぶんです。

Q: 大(おお)きい　みせですか。

A: いいえ、小(ちい)さい　みせです。

(2) • 14-5 (p. 15)

Q: どんな　ところですか。

A: たのしい　ところです。

Q: たのしい　ところ…。どんな　人(ひと)が　住(す)んでいますか。

A: 人は　住んでいません。

Q: え？　住んでいません？

A: はい、人は　住んでいません。でも、いろいろな　どうぶつが　住んでいます。

Q: どうぶつ？　たとえば…？

A: パンダ、ライオン、コアラです。

(3) • 14-6 (p. 15)

Q: どんな　ところですか。

A: しずかな　ところです。

Q: しずかな　ところ…。だれが　住(す)んでいますか。

A: だれも　住んでいません。

Q: だれも　住んでいません？　じゃ、何(なに)か　うっていますか。

A: 何も　うっていません。

Q: え？　何も　うっていません？

A: はい、何も　うっていません。でも、いろいろな　本(ほん)が　たくさん　あります。

Task 3 2

A タン・スーさんの　ごかぞく　• 14-12 (p. 19)

私(わたし)の　かぞくは　4人(にん)です。おっと、むすめ、むすこ、私です。

おっとは　サンじどうしゃに　つとめています。おもしろい　人(ひと)です。

むすめは　9さいです。毎日(まいにち)　学校(がっこう)で　べんきょう　しています。

Task 1 1

(1) • 14-4 (p. 15)

Q: *Don'na tokodo desu ka.*

A: *Totemo benrina tokodo desu.*

Q: *Benrina tokoro . . . Nanika utte imasu ka.*

A: *Hai, utte imasu.*

Q: *Tatoeba . . . ?*

A: *Tatoeba, pan, o-bentō, miruku, bīru, shinbun desu.*

Q: *Ookii mise desu ka.*

A: *Iie, chiisai mise desu.*

(2) • 14-5 (p. 15)

Q: *Don'na tokoro desu ka.*

A: *Tanoshii tokoro desu.*

Q: *Tanoshii tokoro . . . . Don'na hito ga sunde imasu ka.*

A: *Hito wa sunde imasen.*

Q: *E? Sunde imasen?*

A: *Hai, hito wa sunde imasen. Demo, iroirona dōbutsu ga sunde imasu.*

Q: *Dōbutsu? Tatoeba . . . ?*

A: *Panda, raion, koara desu.*

(3) • 14-6 (p. 15)

Q: *Don'na tokoro desu ka.*

A: *Shizukana tokoro desu.*

Q: *Shizukana tokoro . . . Dare ga sunde imasu ka.*

A: *Daremo sunde imasen.*

Q: *Daremo sunde imasen? Ja, nanika utte imasu ka.*

A: *Nanimo utte imasen.*

Q: *E? Nanimo utte imasen?*

A: *Hai, nanimo utte imasen. Demo, iroirona hon ga takusan arimasu.*

Task 3 2

A ***Tan Sū-san no go-kazoku*** • 14-12 (p. 19)

Watashi no kazoku wa 4-nin desu. Otto, musume, musuko, watashi desu.

Otto wa San Jidōsha ni tsutomete imasu. Omoshiroi hito desu.

Musume wa 9-sai desu. Mainichi gakkō de benkyō shite imasu.

むすこは 3さいです。
おかげさまで、みんな 元気です。

Musuko wa 3-sai desu.
Okagesamade, min'na genki desu.

B **まじめださんの ごかぞく** •14-13 (p. 19)

私の かぞくは 3人です。母と 父と 私です。いっしょに 住んでいます。
父は 東京病院に つとめています。毎日 病気や くすりを けんきゅう しています。とても きびしい 人です。
母は 大学で 英語を おしえています。まじめな 人です。
私は 六本木ぎんこうに つとめています。
おかげさまで、みんな 元気です。

B ***Majimeda-san no go-kazoku*** •14-13 (p. 19)

Watashi no kazoku wa 3-nin desu. Haha to chichi to watashi desu. Isshoni sunde imasu.
Chichi wa Tōkyō Byōin ni tsutomete imasu.
Mainichi byōki ya kusuri o kenkyū shite imasu.
Totemo kibishii hito desu.
Haha wa daigaku de eigo o oshiete imasu.
Majimena hito desu.
Watashi ha Roppongi Ginkō ni tsutomete imasu.
Okagesamade, min'na genki desu.

C **田中さんの ごかぞく** •14-14 (p. 20)

私の かぞくは 5人です。母、つま、むすめ、むすこ、私です。
母は 私の うちの となりに 住んでいます。今は しごとを していません。
つまは ホテルで しごとを しています。ホテルの レストランで りょうりを つくっています。とても フレンドリーな 人です。
むすめと むすこは 大学で べんきょう しています。
おかげさまで、みんな 元気です。

C ***Tanaka-san no go-kazoku*** •14-14 (p. 20)

Watashi no kazoku wa 5-nin desu. Haha, tsuma, musume, musuko, watashi desu.
Haha wa watashi no uchi no tonari ni sunde imasu. Ima wa shigoto o shite imasen.
Tsuma wa hoteru de shigoto o shite imasu.
Hoteru no resutoran de ryōri o tsukutte imasu.
Totemo furendorīna hito desu.
Musume to musuko wa daigaku de benkyō shite imasu.
Okagesamade, min'na genki desu.

Unit 16

Task 4

Scene 2 4 •16-7 (p. 49)

あなた： すみません。こぜにが ありません。かしてください。いいですか。
ペンさん：いいですよ。どうぞ。
あなた： ありがとうございます。あした かえします。

＊＊＊＊つぎの 日＊＊＊＊＊

あなた： これ、ありがとうございました。たすかりました。
ペンさん：いいえ、どういたしまして。

Scene 3 4 •16-8 (p. 50)

あなた： すみません。大きい かばんが ありません。かしてください。いいですか。
森さん： いいですよ。どうぞ。
あなた： ありがとうございます。りょこうの 後、かえします。

Task 4

Scene 2 4 •16-7 (p. 49)

Anata: *Sumimasen. Kozeni ga arimasen. Kashite kudasai. Ii desu ka.*
Pen-san: *Ii desu yo. Dōzo.*
Anata: *Arigatō gozaimasu. Ashita kaeshimasu.*

***** ***Tsugi no hi*** *****

Anata: *Kore, arigatō gozaimashita. Tasukarimashita.*
Pen-san: *Iie, dō itashimashite.*

Scene 3 4 •16-8 (p. 50)

Anata: *Sumimasen. Ookii kaban ga arimasen. Kashite kudasai. Ii desu ka.*
Mori-san: *Ii desu yo. Dōzo.*
Anata: *Arigatō gozaimasu. Ryokō no ato, kaeshimasu.*

＊＊＊＊りょこうの 後＊＊＊＊＊

あなた： これ、ありがとうございました。たすかりました。

森さん： いいえ、どういたしまして。

＊＊＊＊＊ **Ryokō no ato** ＊＊＊＊＊

Anata: *Kore, arigatō gozaimashita. Tasukarimashita.*

Mori-san: *Iie, dō itashimashite.*

Unit 19

Task 4 1

A 箱根(はこね) • **19-7** (p. 91)

Q: 箱根(はこね)は どんな ところですか。

A: 箱根ですか。そうですね。しずかな おんせんの 町(まち)です。

Q: どこに ありますか。

A: 富士山(ふじさん)の ちかくです。山(やま)の 中(なか)です。東京(とうきょう)から 電車(でんしゃ)で 2時間(じかん)ぐらいです。

Q: どんな ことが できますか。

A: とても のんびりできます。おいしい 日本(にほん)りょうりも 食(た)べられます。
あ、もちろん 富士山も 見(み)えます。

Q: おみやげは 何(なに)が いいですか。

A: おみやげは、たぶん「おんせんまんじゅう」が いいです。

Q: おんせんまん？ 何(なん)ですか。

A: ふふふ、日本の おかしですよ。おいしいですよ。

Q: きせつは いつが いちばん いいですか。

A: きせつは あきが いちばん いいです。こうようが きれいですから。

B 沖縄(おきなわ) • **19-8** (p. 91)

Q: 沖縄(おきなわ)は どんな ところですか。

A: 沖縄ですか。そうですね。
きれいな ビーチと おいしい フルーツの しまです。

Q: どこに ありますか。

A: 日本(にほん)の いちばん 南(みなみ)に あります。
東京(とうきょう)から ひこうきで 2時間半(じかんはん)ぐらいです。

Q: どんな ことが できますか。

A: いろいろな マリンスポーツが できます。
きれいな ビーチで のんびりできます。
おいしい フルーツも 食(た)べられます。

Q: きせつは いつが いちばん いいですか。

A: はるが いちばん いいです。なつは とても あついです。

Q: おみやげは 何(なに)が いいですか。

Task 4 1

A *Hakone* • **19-7** (p. 91)

Q: *Hakone wa don'na tokoro desu ka.*

A: *Hakone desu ka. Sō desu ne. Shizukana onsen no machi desu.*

Q: *Doko ni arimasu ka.*

A: *Fuji-san no chikaku desu. Yama no naka desu.*
Tōkyō kara densha de 2-jikan gurai desu.

Q: *Don'na koto ga dekimasu ka.*

A: *Totemo nonbiri dekimasu. Oishii Nihon-ryōri mo taberaremasu.*
A, mochiron Fuji-san mo miemasu.

Q: *O-miyage wa nani ga ii desu ka.*

A: *O-miyage wa, tabun "onsen manjū" ga ii desu.*

Q: *Onsen man? Nan desu ka.*

A: *Fufufu, Nihon no o-kashi desu yo. Oishii desu yo.*

Q: *Kisetsu wa itsu ga ichiban ii desu ka.*

A: *Kisetsu wa aki ga ichiban ii desu. Kōyō ga kirei desu kara.*

B *Okinawa* • **19-8** (p. 91)

Q: *Okinawa wa don'na tokoro desu ka.*

A: *Okinawa desu ka. Sō desu ne.*
Kireina bīchi to oishii furūtsu no shima desu.

Q: *Doko ni arimasu ka.*

A: *Nihon no ichiban minami ni arimasu.*
Tōkyō kara hikōki de 2-jikan han gurai desu.

Q: *Don'na koto ga dekimasu ka.*

A: *Iroirona marin supōtsu ga dekimasu.*
Kireina bīchi de nonbiri dekimasu.
Oishii furūtsu mo taberaremasu.

Q: *Kisetsu wa itsu ga ichiban ii desu ka.*

A: *Haru ga ichiban ii desu. Natsu wa totemo atsui desu.*

Q: *O-miyage wa nani ga ii desu ka.*

A: おみやげは、たぶん　フルーツが　いいです。
とても　おいしいですよ。

A: *O-miyage wa, tabun furūtsu ga ii desu. Totemo oishii desu yo.*

Unit 22

Task 3

Ex. **ハチ公**　• 22-6 (p. 136)

東京の　渋谷駅に、いぬの　どうぞうが　あります。ハチ公です。その　いぬの　あたまに　さわってください。ねがいが　かないます。

(1) **くも**　• 22-7 (p. 136)

そらに　ふしぎな　くもが　あります。へびみたいです。そのとき、気を　つけてください。大きい　じしんが　来ます。

(2) **かっぱ**　• 22-8 (p. 136)

むかし、日本の　かわに　かっぱが　住んでいました。かっぱは　日本語が　話せました。そして、子どもと　いっしょに　あそぶのが　好きでした。今も　かっぱは　いなかの　きれいな　かわに　住んでいます。

(3) **東京タワー**　• 22-9 (p. 136)

東京タワーの　ライトは　よる　12時に　きえます。そのとき、東京タワーを　こいびとと　いっしょに　見てください。二人は　けっこん　できます。

Task 3

Ex. ***Hachikō***　• 22-6 (p. 136)

Tōkyō no Shibuya-eki ni, inu no dōzō ga arimasu. Hachikō desu. Sono inu no atama ni sawatte kudasai. Negai ga kanaimasu.

(1) ***Kumo***　• 22-7 (p. 136)

Sora ni fushigina kumo ga arimasu. Hebi mitai desu. Sonotoki, ki o tsukete kudasai. Ookii jishin ga kimasu.

(2) ***Kappa***　• 22-8 (p. 136)

Mukashi, Nihon no kawa ni kappa ga sunde imashita. Kappa wa Nihon-go ga hanasemashita. Soshite, kodomo to isshoni asobu no ga suki deshita. Imamo kappa wa inaka no kireina kawa ni sunde imasu.

(3) ***Tōkyō-tawā***　• 22-9 (p. 136)

Tōkyō-tawā no raito wa yoru 12-ji ni kiemasu. Sonotoki, Tōkyō-tawā o koibito to isshoni mite kudasai. Futari wa kekkon dekimasu.

Unit 23

Task 7

(1)　• 23-18 (p. 156)

むすめさんは　お母さんと　話しています。

むすめ：ねえ、お母さん。私、たんじょう日の　プレゼント　ほしい。

母：たんじょう日の　プレゼント？　何が　ほしいの？

むすめ：ス・マ・ホ！

母：スマホ？…そうねえ。じゃ、たくさん　べんきょう　したらね。でも、べんきょう　しなかったら、だめよ。わかった？

むすめ：うん、わかった。私、べんきょう、がんばる！

(2)　• 23-19 (p. 156)

おくさんは　ごしゅじんと　話しています。

おくさん：来週、私の　たんじょう日よ。わすれないでね。

Task 7

(1)　• 23-18 (p. 156)

Musume-san wa okāsan to hanashite imasu.

Musume: *Nē, okāsan. Watashi, tanjōbi no purezento hoshii.*

Haha: *Tanjōbi no purezento? Nani ga hoshii no?*

Musume: *Su, ma, ho!*

Haha: *Sumaho? . . . Sō nē. Ja, takusan benkyō shitara ne. Demo, benkyō shinakattara, dame yo. Wakatta?*

Musume: *Un, wakatta. Watashi, benkyō, ganbaru!*

(2)　• 23-19 (p. 156)

Okusan wa go-shujin to hanashite imasu.

Okusan: *Raishū, watashi no tanjōbi yo. Wasurenaide ne.*

ごしゅじん： はい、はい。

おくさん： 今年(ことし)は　ダイヤの　ゆびわが　ほしい。

ごしゅじん： ダ、ダイヤの　ゆびわ!?

おくさん： そう。ダイヤの　ゆびわ。

ごしゅじん： う〜ん、じゃあ、ボーナスを　もらったらね。でも……ボーナス　もらわなかったら、むり。

(3) •23-20 (p. 156)

ごしゅじんは　おくさんと　話(はな)しています。

ごしゅじん： たんじょう日(び)に　あたらしい　車(くるま)を買(か)いたい。いい？

おくさん： 車？　今(いま)の　車は？　今の　車でも　だ〜いじょうぶよ。

ごしゅじん： ううん、だいじょうぶじゃないよ。ふるいよ。あたらしい　車が　ほしい。

おくさん： じゃ、おきゅうりょうが　上(あ)がったら、買っても　いい。でも、上がらなかったら　買っちゃ　だめよ。

ごしゅじん： ふ〜。わかった…。

(4) •23-21 (p. 156)

むすこさんは　お母(かあ)さんと　話(はな)しています。

むすこ： お母さん、来年(らいねん)、かのじょと　けっこんしたい。

母(はは)： ええっ!?　けっこん？　はやすぎます。

むすこ： だいじょうぶ…

母： はやすぎます。大学生(だいがくせい)ですよ。

むすこ： だいじょうぶだと…思(おも)う。

母： 来年、大学(だいがく)　そつぎょう　できる？

むすこ： たぶん。

母： そう。じゃあ、来年、大学を　そつぎょうできたら、けっこん　しても　いい。でも、そつぎょう　できなかったら、いけません。

むすこ： わかった……

母： わかった？

むすこ： うん、わかった。

Go-shujin: *Hai, hai.*

Okusan: *Kotoshi wa daiya no yubiwa ga hoshii.*

Go-shujin: *Da, daiya no yubiwa!?*

Okusan: *Sō. Daiya no yubiwa.*

Go-shujin: *Ūn, jā, bōnasu o morattara ne. Demo . . . bōnasu morawanakattara, muri.*

(3) •23-20 (p. 156)

Go-shujin wa okusan to hanashite imasu.

Go-shujin: *Tanjōbi ni atarashii kuruma o kaitai. Ii?*

Okusan: *Kuruma? Ima no kuruma wa? Ima no kuruma demo dāijōbu yo.*

Go-shujin: *Uun, daijōbu ja nai yo. Furui yo. Atarashii kuruma ga hoshii.*

Okusan: *Ja, o-kyūryō ga agattara, kattemo ii. Demo, agaranakattara katcha dame yo.*

Go-shujin: *Fū. Wakatta . . .*

(4) •23-21 (p. 156)

Musuko-san wa okāsan to hanashite imasu.

Musuko: *Okāsan, rainen, kanojo to kekkon shitai.*

Haha: *Eeh!? Kekkon? Haya-sugimasu.*

Musuko: *Daijōbu . . .*

Haha: *Haya-sugimasu. Daigakusei desu yo.*

Musuko: *Daijōbu da to . . . omou.*

Haha: *Rainen, daibaku sotsugyō dekiru?*

Musuko: *Tabun.*

Haha: *Sō. Jā, rainen, daigaku o sotsugyō dekitara, kekkon shitemo ii. Demo, sotsugyō dekinakattara, ikemasen.*

Musuko: *Wakatta . . .*

Haha: *Wakatta?*

Musuko: *Un, wakatta.*

Answers 解答(かいとう) (Units 13-24/Self-check/Kanji Drills)

Unit 13

Words for Tasks 4 and 5 (p. 4)

(1) b (2) f (3) c (4) d (5) e

Task 4 (p. 5)

■ Group 1

Dictionary form	Dictionary form
(あ う) a u	(け す) ke su
(か う) ka u	(はな す) hana su
(もら う) mora u	(ま つ) ma tsu
(い く) i ku	(あそ ぶ) aso bu
(か く) ka ku	(の む) no mu
(き く) ki ku	(よ む) yo mu
(およ ぐ) oyo gu	(かえ る) kae ru
	(と る) to ru

う u	く ku	す su	つ tsu	ぶ bu	む mu	る ru

■ Group 2

Dictionary form	Dictionary form
(たべ る) tabe ru	(みせ る) mise ru
(ね る) ne ru	(おしえ る) oshie ru
(つけ る) tsuke ru	(み る) mi ru
(あげ る) age ru	(い る) i ru
(あけ る) ake ru	(おき る) oki ru
(しめ る) shime ru	(シャワーをあび る) shawā o abi ru
(いれ る) ire ru	

Task 5 (p. 6)

Words (1) b (2) c (3) i (4) j (5) g (6) h
(7) l (8) d (9) f (10) k (11) m (12) n
(13) e (14) o

Final Task (p. 9)

1 (1) ① うみ *umi* ② おんせん *onsen*
③ アニメ *anime* ④ すもう *sumō*
⑤ およぐ *oyogu* ⑥ プール *pūru*
⑦ 元気(げんき)な *genkina*

(2) ① りょこう *ryokō* ② そうじ *sōji*
③ ホラー *horā* ④ テニス *tenisu*
⑤ テニス *tenisu* ⑥ あそぶ *asobu*
⑦ フレンドリーな *furendorīna*

(3) ① しごと *shigoto* ② だめ *dame*
③ だめ *dame* ④ ラブストーリー *rabu sutōrī*
⑤ ピンポン *pinpon* ⑥ かく *kaku*
⑦ まじめな *majimena*

Unit 14

Words for This Unit (p. 14)

(1) c (2) b (3) e (4) g (5) h (6) d (7) f (8) i

Task 1 (p. 15)

1 (1) b (2) c (3) f

2 (1) サンタクロース *Santakurōsu* (Santa Claus)
(2) パンダ *panda* (panda)
(3) コアラ *koara* (koala) (4) イルカ *iruka* (dolphin)
(5) ペンさん *Pen-san*

Task 2 (p. 17)

(1) ① 来(き)ました *kimashita* ② 住(す)んで *sunde*
③ つとめて *tsutomete*
④ けんきゅう して *kenkyū shite*
⑤ 食(た)べる *taberu*

(2) ① オーストラリア *Ōsutoraria*
② 住(す)んで *sunde*
③ べんきょう して *benkyō shite*
④ していません *shite imasen* ⑤ 話(はな)す *hanasu*

(3) ① 中国(ちゅうごく) *Chūgoku*
② 住(す)んでいます *sunde imasu*
③ けっこん しています *Kekkon shite imasu*
④ りょうり する *Ryōri suru*
⑤ していません *shite imasen*

Task 3 (p. 18)

Words (1) a (2) d (3) b (4) f (5) e (6) g
(7) h (8) j (9) k (10) i

1 (1) A (2) B (3) D

2

A (1) 4人(にん)です。*4-nin desu.*
(2) サンじどうしゃに つとめています。
San Jidōsha ni tsutomete imasu.
(3) 9さいです。*9-sai desu.* (4) 3さいです。*3-sai desu.*

B (1) 東京病院(とうきょうびょういん)に つとめています。
Tōkyō Byōin ni tsutomete imasu.
(2) 病気(びょうき)や くすりを けんきゅう しています。
Byōki ya kusuri o kenkyū shite imasu.

(3) とても　きびしい　人です。
Totemo kibishii hito desu desu.

(4) 英語(えいご)を　おしえています。
Eigo o oshiete imasu.

C (1) 私(わたし)の　うちの　となりに　住(す)んでいます。
Watashi no uchi no tonari ni sunde imasu.

(2) していません。*Shite imasen.*

(3) ホテルの　レストランで　つくっています。
Hoteru no resutoran de tsukutte imasu.

(4) 大学(だいがく)で　べんきょう　しています。
Daigaku de benkyō shite imasu.

Task 4 (p. 20)

1 ① あの……すみません　*Ano... sumimasen*
② 母(はは)　*haha*　③ お母(かあ)さん　*okāsan*
④ むすこ　*musuko*　⑤ こちらこそ　*Kochirakoso*
⑥ こちらこそ　*Kochirakoso*

Final Task (p. 21)

1 (1) チリに　住(す)んでいます。*Chiri ni sunde imasu.*

(2) うみで　しごとを　しています。
Umi de shigoto o shite imasu.

(3) れいせいな　人(ひと)です。*Reiseina hito desu.*

(4) していません。*Shite imasen.*

(5) とても　あかるい　人(ひと)です。
Totemo akarui hito desu.

(6) アンデス病院(びょういん)に　つとめています。
Andesu Byōin ni tsutomete imasu.

(7) 学校(がっこう)で　べんきょう　しています。
Gakkō de benkyō shite imasu.

Unit 15

Task 1 (p. 28)

2 ① 開(あ)けて　*akete*　② 入(い)れて　*irete*
③ 閉(し)めて　*shimete*　④ まって　*matte*
⑤ 開(あ)けて　*akete*　⑥ 食(た)べて　*tabete*

Task 2 (p. 30)

Words　(1) d　(2) c　(3) b　(4) e

1

B (1) a　(2) e　(3) c　(4) b　(5) f　(6) h　(7) g　(8) d

2 (1) 来(き)て　*kite*　(2) つけて　*tsukete*　(3) 見(み)て　*Mite*
(4) 見(み)せて　*misete*　(5) おしえて　*oshiete*
(6) 閉(し)めて　*shimete*　(7) そうじ　して　*Sōji shite*
(8) 開(あ)けて　*akete*

Task 3 (p. 32)

1 Group 1: a, b, d, e, f, h, j, k, l, r
Group 2: c, g, i, m, n, o, s, t
Group 3: p, q

2

■ Group 2

Te-form	*Te*-form
（たべ　て） *tabe te*	（みせ　て） *mise te*
（ね　て） *ne te*	（おしえ　て） *oshie te*
（つけ　て） *tsuke te*	（み　て） *mi te*
（あげ　て） *age te*	（い　て） *i te*
（あけ　て） *ake te*	（おき　て） *oki te*
（しめ　て） *shime te*	（シャワーをあび　て） *shawā o abi te*
（いれ　て） *ire te*	

3

Te-form	*Te*-form
（き　い　て） *ki i te*	（か　っ　て） *ke t te*
（か　い　て） *ka i te*	（あ　っ　て） *a t te*
（いそ　い　で） *iso i de*	（てつだ　っ　て） *tetsuda t te*
（はな　し　て） *hana shi te*	（ま　っ　て） *ma t te*
（か　し　て） *ka shi te*	（も　っ　て） *mo t te*
（あそ　ん　で） *aso n de*	（と　っ　て） *to t te*
（よ　ん　で） *yo n de*	（かえ　っ　て） *kae t te*
（の　ん　で） *no n de*	（い　っ　て） *i t te*

Task 4 (p. 33)

1

まって *matte*	きって *kitte*	かえって *kaette*	てつだって *tetsudatte*	いって *itte*
のんで *nonde*	よんで *yonde*	かいて *kaite*	きいて *kiite*	
あけて *akete*	みせて *misete*	おしえて *oshiete*	みて *mite*	
きて *kite*	して *shite*			

Task 5 (p. 35)

Words　(1) b　(2) a

1

B (1) b　(2) a　(3) c　(4) f　(5) d　(6) e　(7) h
(8) i　(9) g

2 (1) てつだって *Tetsudatte* (2) 聞いて *kiite*
(3) まって *matte* (4) 買って *Katte*
(5) かえって *kaette* (6) かいて *kaite*
(7) 読んで *Yonde* (8) いそいで *Ishoide*
(9) とって *totte*

Final Task (p. 38)
（解答例 Example answers）

1 (1) すみません。てつだってください。
Sumiasen. Tetsudatte kudasai.
(2) すみません。エアコンを つけてください。
Sumimasen. Eakon o tsukete kudasai.
(3) これは むすめの しゃしんです。見てください。
Kore wa musume no shashin desu. Mite kudasai.
(4) おもしろそうですね。何ですか。私にも 見せてください。
Omoshirosō desu ne. Watashi ni mo misete kudasai.

2 (1) すみません。メールアドレスを おしえてくださいませんか。ありがとうございます。
Sumimasen. Mēru adoresu o oshiete kudasaimasen ka. Arigatō gozaimasu.
(2) すみません。しゃしんを とってくださいませんか。ありがとうございます。
Sumimasen. Shashin o totte kudasaimasen ka. Arigatō gozaimasu.
(3) すみません。この 漢字は むずかしいです。わかりません。読んでくださいませんか。ありがとうございます。
Sumimasen. Kono kanji wa muzukashii desu. Wakarimasen. Yonde kudasaimasen ka. Arigatō gozaimasu.

Unit 16

Task 1 (p. 44)

2 ① 開けても いいですか。 *Aketemo ii desu ka.*
② とても うれしいです。 *Totemo ureshii desu.*

Task 3 (p. 46)

2 かしてください。 *Kashite kudasai.*

3 (1) はさみを かしてもらいました。
Hasami o kashite moraimashita.
(2) 先生に かしてもらいました。
Sensei ni kashite moraimashita.
→（私は） 先生に はさみを かしてもらいました。
(Watashi wa) sensei ni hasami o kashite moraimashita.

Task 4

Scene 1 (p. 47)

2 ① かしてください。いいですか。
Kashite kudasai. Ii desu ka.
② かえします *kaeshimasu*
③ たすかりました。 *Tasukarimashita.*

3 先生に かさを かしてもらいました。
Sensei ni kasa o kashite moraimashita.

Scene 2 (p. 49)

3 ペンさんに こぜにを かしてもらいました。
Pen-san ni kozeni o kashite moraimashita.

Scene 3 (p. 50)

3 森さんに 大きい かばんを かしてもらいました。
Mori-san ni ookii kaban o kashite moraimashita.

Task 5 (p. 51)

2 ① どんな いみですか。 *Don'na imi desu ka.*
② おしえてください。 *Oshitete kudasai.*

3 私は 先生に「おやゆび」の いみを おしえてもらいました。
Watashi wa sensei ni "oyayubi" no imi o oshiete moraimashita.

5 (1) 私は 友だちに「まゆげ」の いみを おしえてもらいました。
Watashi wa tomodachi ni "mayuge" no imi o oshiete moraimashita.
(2) 私は 友だちに「ボタン」の いみを おしえてもらいました。
Watashi wa tomodachi ni "botan" no imi o oshiete moraimashita.
(3) 私は 友だちに「ホッチキス」の いみを おしえてもらいました。
Watashi wa tomodachi ni "hotchikisu" no imi o oshiete moraimashita.

Final Task (p. 54)

1

A

(1)

> 田中さま
> きのうは めずらしい おみやげを いただき、
> ありがとうございました。
> とても うれしかったです。
> ほんとうに ありがとうございました。
> タン・スー

Tanaka-sama
Kinō wa mezurashii o-miyage o itadaki,
arigatō gozaimashita.
Totemo ureshikatta desu.
Hontōni arigatō gozaimashita.
Tan Sū

(2)

まじめださま
きのうは　びじゅつの　本（ほん）を　いただき、
ありがとうございました。
とても　うれしかったです。
ほんとうに　ありがとうございました。
トム・フォード

Majimeda-sama
Kinō wa bijutsu no hon o itadaki,
arigatō gozaimashita.
Totemo ureshikatta desu.
Hontōni arigatō gozaimashita.
Tomu Fōdo

B

(1)

田中（たなか）さま
きのうは　自転車（じてんしゃ）を　かしていただき、
ありがとうございました。
おかげさまで　とても　たすかりました。
ほんとうに　ありがとうございました。
タン・スー

Tanaka-sama
Kinō wa jitensha o kashite itadaki,
arigatō gozaimashita.
Okagesamade totemo tasukarimashita.
Hontōni arigatō gozaimashita.
Tan Sū

(2)

まじめださま
きのうは　日本語（にほんご）を　おしえていただき、
ありがとうございました。
おかげさまで　とても　たすかりました。
ほんとうに　ありがとうございました。
トム・フォード

Majimeda-sama
Kinō wa Nihon-go o oshiete itadaki,
arigatō gozaimashita.
Okagesamade totemo tasukarimashita.
Hontōni arigatō gozaimashita.
Tomu Fōdo

Unit 17

Task 2 (p. 61)

1 (1) e　(2) b　(3) d　(4) c

Task 3 (p. 62)

(1) C – A – B　(2) A – B – C　(3) B – A – C
(4) A – B – C　(5) C – B – A

Task 5 (p. 64)

1 (1) 小（ち）さい *chiisai*　(2) 大（おお）きい *ookii*
(3) 人口（じんこう）が 多（おお）い *jinkō ga ooi*
(4) 人口（じんこう）が 多（おお）い *jinkō ga ooi*
(5) 人口（じんこう）が 少（すく）ない *jinkō ga sukunai*
(6) 雨（あめ）が 少（すく）ない *ame ga sukunai*
(7) 雨（あめ）が 少（すく）ない *ame ga sukunai*

2 A：イギリス *Igirisu*　B：ベトナム *Betonamu*
D：タイ *Tai*　E：チリ *Chiri*　F：トルコ *Toruko*

Final Task (p. 67)

1 ① 南（みなみ）アメリカ *minami-Amerika*
② めんせき *Menseki*　③ 大（おお）きい *ookii*
④ 人口（じんこう） *Jinkō*　⑤ 少（すく）ない *sukunai*
⑥ しゅと *Shuto*　⑦ 雨（あめ） *ame*

Unit 18

Words for Tasks 2-4 (p. 73)

(1) c　(2) e　(3) f　(4) g　(5) b　(6) d

Task 2 (p. 73)

(1) b　(2) d　(3) f　(4) c　(5) h　(6) g　(7) e

Task 3 (p. 74)

1 Group 1: a, d, e, f, g, m
Group 2: b, c, h, i, j
Group 3: k, l

2

■ Group 1

Potential form	Potential form
（つか え ます） tsuka e masu	（あそ べ ます） aso be masu
（ か え ます） ka e masu	（ の め ます） no me masu
（ か け ます） ka ke masu	（ よ め ます） yo me masu
（およ げ ます） oyo ge masu	（ の れ ます） no re masu
（はな せ ます） hana se masu	（つく れ ます） tsuku re masu

え e	け ke	せ se	て te	べ be	め me	れ re

■ Group 2

Potential form		
(たべ tabe	られ rare	ます) masu
(おぼえ oboe	られ rare	ます) masu
(わすれ wasure	られ rare	ます) masu

■ Group 3

Potential form
(こられます) koraremasu
(できます) dekimasu
(りょこうが できます) ryokō ga dekimasu

Task 4 (p. 76)

2 (1) ① しっていますか *shitte imasu ka*

② しりません *shirimasen*

③ これで 電車(でんしゃ)や バスに のれます。
Korede densha ya basu ni noremasu.

④ 駅(えき)で 買(か)えますよ。 *Eki de kaemasu yo.*

(2) ① しっていますか *shitte imasu ka*

② しりません *shirimasen*

③ これで 本(ほん)が 買(か)えます。
Kore de hon ga kaemasu.

④ 本(ほん)やで 買(か)えますよ。 *Hon'ya de kaemasu yo.*

(3) ① しっていますか *shitte imasu ka*

② しりません *shirimasen*

③ これで、デパートで 何(なん)でも 買(か)えます。
Kore de, depāto de nandemo kaemasu.

④ デパートで 買(か)えますよ。
Depāto de kaemasu yo.

Task 6 (p. 80)

1 ① 読(よ)めません *yomemasen*

② およげます *oyogemasu*

③ 話(はな)せません *hanasemasen*

④ わかりません *wakarimasen*

⑤ はしれます *hashiremasu*

Final Task (p. 81)

1 (1) ① 話(はな)せます *hanasemasu*

② 書(か)けます *kakemasu*

③ 読(よ)めます *yomemasu*

④ 読(よ)めません *yomemasen*

(2) ① ですから *Desukara* ② だめ *dame*

③ ぜったいに 食(た)べられません
Zettaini taberaremasen

Unit 19

Words for This Unit (p. 88)

(1) j (2) h (3) g (4) i (5) e (6) f (7) b
(8) d (9) c

Task 4 (p. 91)

1 (解答例(かいとうれい) Example answers)

A (1) しずか、おんせんの 町(まち)
shizuka, onsen no machi

(2) 富士山(ふじさん)の ちかく *Fuji-san no chikaku*

(3) (とても) のんびりできます、おいしい 日本(にほん)りょうりが 食(た)べられます、富士山(ふじさん)が 見(み)えます
(totemo) nonbiri dekimasu, oishii Nihon-ryōri ga taberaremasu, Fuji-san ga miemasu

(4) おかし (おんせんまんじゅう)、おいしいです (から) *okashi (onsen manjū), oishii desu (kara)*

(5) あき、こうようが きれいです (から)
aki, kōyō ga kirei desu (kara)

B (1) きれいな ビーチ、おいしい フルーツの しま
kireina bīchi, oishii furūtsu no shima

(2) 日本(にほん)の いちばん 南(みなみ) *Nihon no ichiban minami*

(3) (いろいろな) マリンスポーツが できます、(きれいな) ビーチで のんびりできます、おいしい フルーツが 食(た)べられます
(iroirona) marin supōtsu ga dekimasu, (kireina) bīchi de nonbiri dekimasu, oishii furūtsu ga taberaremasu

(4) フルーツ、おいしいです (から)
furūtsu, oishii desu (kara)

(5) はる、なつは あついです (から)
haru, natsu wa atsui desu (kara)

2 (解答例(かいとうれい) Example answers)

Sheet A: A

(1) あたらしい ぶんかの 町(まち)です。とても おもしろい 町(まち)です。
Atarashii bunka no machi desu. Totemo omoshiroi machi desu.

(2) 東京(とうきょう)に あります。
Tōkyō ni arimasu.

(3) アニメグッズや 電気(でんき)せいひんが 買(か)えます。めずらしい りょうりが 食(た)べられます。めずらしい 飲(の)みものが 飲(の)めます。めずらしい 人に 会(あ)えます。
Anime guzzu ya denki seihin ga kaemasu. Mezurashii ryōri ga taberaremasu. Mezurashii nominomo ga nomemasu. Mezurashii hito ni aemasu.

(4) アニメグッズや 電気(でんき)せいひんが いいです。たくさん ありますから。
Anime guzzu ya denki seihin ga ii desu. Takusan arimasu kara.

(5) いつでも いいです。
Itsudemo ii desu.

Sheet B: B

(1) れきしの ながい 町(まち)です。日本(にほん)の ふるい ぶんかが あります。
Rekishi no nagai machi desu. Nihon no furui bunka ga arimasu.

(2) 日本海(にほんかい)がわに あります。
Nihonkai-gawa ni arimasu.

(3) でんとうてきな りょうりが 食(た)べられます。おいしい おさけも 飲(の)めます。
Dentōtekina ryōri ga taberaremasu. Oishii o-sake mo nomemasu.

(4) おさけが いいです。とても おいしいですから。
O-sake ga ii desu. Totemo oishii desu kara.

(5) はるが いちばん いいです。さくらが とても きれいですから。
Haru ga ichiban ii desu. Sakura ga totemo kirei desu kara.

Task 5 (p. 93)

1 ① 行(い)きたいんですが、どこが いいですか
ikitai-n-desu ga, doko ga ii desu ka

② のんびりしたいです *nonbiri shitai desu*

③ 山(やま)の ほうが いいです。 *Yama no hō ga ii desu.*

④ 箱根(はこね)で どんな ことが できますか。
Hakone de don'na koto ga dekimasu ka.

⑤ きせつは いつが いちばん いいですか。
Kisetsu wa itsu ga ichiban ii desu ka.

⑥ おみやげは 何(なに)が いいですか。
O-miyage wa nani ga ii desu ka.

Final Task (p. 94)

2 (1) アジアと ヨーロッパの 間(あいだ)に あります。
Ajia to Yōroppa no aida ni arimasu.

(2) れきしの ながい 国(くに)です。(アジアの ぶんかも ヨーロッパの ぶんかも あります。とても おもしろいです。)
Rekishi no nagai kuni desu. (Ajia no bunka mo Yōroppa no bunka mo arimasu. Totemo omoshiroi desu.)

(3) 大(おお)きい 町(まち)です。とても にぎやかです。
Ookii machi desu. Totemo nigiyaka desu.

(4) おいしい ケバブや ピザが 食(た)べられます。ベリーダンスも 見(み)られます。
Oishii kebabu ya piza ga taberaremasu. Berī dansu mo miraremasu.

(5) いいえ。6月(がつ)から 9月(がつ)が いいです。
Iie. 6-gatsu kara 9-gatsu ga ii desu.

(6) コーヒーや アクセサリーが いいです。
Kōhī ya akusesarī ga ii desu.

Unit 20

Task 1 (p. 100)

Words (1) c (2) b (3) g (4) f (5) d (6) e

1

B (1) a (2) f (3) e (4) d (5) c (6) b (7) h (8) g

2 (1) とめないで *Tomenaide*

(2) 見(み)ないで *Minaide* (3) ねないで *Nenaide*

(4) おくれないで *Okurenaide*

(5) わすれないで *wasurenaide*

(6) すてないで *Sutenaide*

(7) 開(あ)けないで *Akenaide*

(8) 食(た)べないで *Tabenaide*

Task 2 (p. 102)

1 Group 1: a, d, e, f, g, m

Group 2: b, c, h, i, j

Group 3: k, l

2

■ Group 1

Nai-form	*Nai*-form
(い わ ない) iwa wa nai	(ま た ない) ma ta nai
(つか わ ない) tsuka wa nai	(あそ ば ない) aso ba nai
(い か ない) i ka nai	(の ま ない) no ma nai
(な か ない) na ka nai	(よ ま ない) yo ma nai
(はな さ ない) hana sa nai	(おこ ら ない) oko ra nai
(お さ ない) o sa nai	(と ら ない) to ra nai

わ *wa*	か *ka*	さ *sa*	た *ta*	ば *ba*	ま *ma*	ら *ra*

■ Group 2

Nai-form
(たべ ない) tabe nai
(すて ない) sute nai
(わすれ ない) wasure nai

■ Group 3

Nai-form
(こない) konai
(しんぱい しない) shinpai shinai
(きに しない) ki ni shinai

Task 3 (p. 104)

Words (1) c (2) b (3) e (4) a (5) d (6) f

1

B (1) c (2) d (3) a (4) e (5) b (6) f (7) g (8) h

2 (1) おさないで *Osanaide*

(2) おこらないで *Okoranaide*

(3) 言わないで *iwanaide*

(4) なかないで *Nakanaide*

(5) 行かないで *Ikanaide*

(6) しんぱい しないで *Shinpai shinaide*

(7) 気に しないで *Ki ni shinaide*

(8) 来ないで *Konaide*

Task 4

Scene 3 (p. 107)

1 (1) 先生、そんなに 漢字を たくさん おしえないでください。

Sensei, son'nani kanji o takusan oshienaide kudasai.

(2) 先生、そんなに おこらないでください。

Sensei, son'nani okoranaide kudasai.

(3) 先生、私の 名前を わすれないでください。

Sensei, watashi no namae o wasurenaide kudasai.

Scene 4 (p. 107)

1 (1) そんなに おさけを 飲まないで。

Son'nani o-sake o nomanaide.

(2) そんなに ケーキを 食べないで。

Son'nani kēki o tabenaide.

(3) そんなに しごとを しないで。

Son'nani shigoto o shinaide.

Task 6

Scene 1 (p. 109)

1 ① 行かなくちゃ いけません

ikanakucha ikemasen

② おきなくちゃ いけません

okinakucha ikemasen

Scene 2 (p. 110)

1 ① しゅっちょう しなくちゃ いけません

shutchō shinakucha ikemasen

② べんきょう しなくちゃ いけません

benkyō shinakucha ikemasen

Final Task (p. 111)

2 (1) ○ (2) × (3) × (4) ○

Unit 21

Words for This Unit (p. 118)

(1) c (2) g (3) f (4) e (5) b (6) d

Task 2 (p. 120)

1 Group 1: a, d, e, f, g, j, m

Group 2: b, c, h, i,

Group 3: k, l

2 ■ Group 1

Ta-form	*Ta*-form
(き い た) *ki i ta*	(か っ た) *ka t ta*
(な い た) *na i ta*	(あ っ た) *a t ta*
(いそ い だ) *iso i da*	(もら っ た) *mora t ta*
(お し た) *o shi ta*	(つか っ た) *tsuka t ta*
(はな し た) *hana shi ta*	(ま っ た) *ma t ta*
(あそ ん だ) *aso n da*	(も っ た) *mo t ta*
(やす ん だ) *yasu n da*	(のぼ っ た) *nobo t ta*
(の ん だ) *no n da*	(の っ た) *no t ta*
	(い っ た) *i t ta*

■ Group 2

Ta-form
(おしえ た) *oshie ta*
(わすれ た) *wasure ta*
(み た) *mi ta*

■ Group 3

Ta-form
(きた) *kita*
(しんぱい した) *shinpai shita*
(きに した) *ki ni shita*

Task 3 (p. 121)

2 (1) ① エベレストに のぼったことが あります

Eberesuto ni nobotta koto ga arimasu

② 子どもの とき *Kodomo no toki*

③ かぞくと のぼりました。

Kazoku to noborimashita.

④ とても たいへんでした。

Totemo taihen deshita.

(2) ① おばけを 見たことが あります

obake o mita koto ga arimasu

② 子どもの とき *Kodomo no toki*

③ 友だちの うちで 見ました。

Tomodachi no uchi de mimashita.

④ とても こわかったです。

Totemo kowakatta desu.

(3) ① えいがスターに 会ったことが あります

eiga-sutā ni atta koto ga arimasu

② 学生の とき *Gakusei no toki*

③ パーティーで 会いました。

Pātī de aimashita.

④ とても かっこよかったです。

Totemo kakkoyokatta desu.

4 (1) ① のぼったことが　あります
nobotta koto ga arimasu
② 子(こ)どもの　*Kodomo no*
③ のぼりました　*noborimashita*
(2) ① 見(み)たことが　あります　*mita koto ga arimasu*
② 子(こ)どもの　*Kotomo no*
③ 見(み)ました　*mimashita*
(3) ① 会(あ)ったことが　あります
atta koto ga arimasu
② 学生(がくせい)の　*Gakusei no*　③ 会(あ)いました　*aimashita*

Task 4 (p. 124)

Words (1) e　(2) d　(3) a　(4) b　(5) c　(6) f

1 （解答例(かいとうれい) Example answers）
(1) いつ：26 さい　*26-sai*　何(なに)を：ビール　*bīru*
どう：ぜんぜん　おいしくなかったです／
がっかりしました／二日(ふつか)よい
zenzen oishiku nakatta desu /
gakkari shimashita / futsukayoi
(2) いつ：7 さい　*7-sai*　何(なに)を：自転車(じてんしゃ)　*jitensha*
どう：たくさん　ころびました／
いたかったです／がんばりました
takusan korobimashita /
itakatta desu / ganbarimashita
(3) いつ：5 さい　*5-sai*
何(なに)を：はつこいの人(ひと)　*hatsukoi no hito*
どう：はずかしかったです／毎日(まいにち)　しあわせ
でした
hazukashikatta desu / mainichi shiawase
deshita

Final Task (p. 127)

1

A (2) ① およぎかたを　おしえてもらいました。
Oyogikata o oshiete moraimashita.
② 10 さいの　ときです。 *10-sai no toki desu.*
③ (とても) たいへんでした。でも、ほんとう
に　たのしかったです。
(Totemo) taihen deshita. Demo, hontōni
tanoshikatta desu.

B (2) ① (とても) かわいい　女(おんな)の子(こ)に　会(あ)いました。
(Totemo) kawaii on'na no ko ni aimashita.
② 16 さいの　ときです。 *16-sai no toki desu.*
③ せかいで　いちばん　しあわせでした。
Sekai de ichiban shiawase deshita.

Unit 22

Task 1 (p. 134)

1 (1) b　(2) d　(3) a　(4) h　(5) g　(6) e　(7) f

Task 2 (p. 135)

1 (1) トルコ　*Toruko*　(2) アメリカ　*Amerika*
(3) ブラジル　*Burajiru*

Task 4 (p. 137)

1 (1) d　(2) a　(3) c　(4) g　(5) e　(6) h　(7) f

3 (1) いく　*iku*　(2) いった　*itta*
(3) いかない　*ikanai*
(4) いかなかった　*ikanakatta*

Unit 23

Task 2 (p. 149)

2 (1) 安(やす)かったら　*Yasukattara*
(2) おもしろかったら　*Omoshirokattara*
(3) むずかしくなかったら
Muzukashiku nakattara
(4) いい　天気(てんき)だったら　*Ii tenki dattara*
(5) たいへんじゃなかったら　*Taihen ja nakattara*
(6) さかなだったら　*Sakana dattara*

Task 3 (p. 150)

1 (1) 雨(あめ)だったら　*ame dattara*
(2) たいへんだったら　*taihen dattara*
(3) 高(たか)かったら　*takakattara*
(4) おもしろかったら　*omoshirokattara*
(5) 雨(あめ)じゃなかったら　*ame ja nakattara*
(6) たいへんじゃなかったら　*taihen ja nakattara*
(7) 高(たか)くなかったら　*takaku nakattara*
(8) おもしろくなかったら　*omoshiroku nakattara*

Task 4 (p. 151)

2 (1) ① 雨(あめ)だったら　*Ame dattara*
② 雨(あめ)でも　*Ame demo*
(2) ① たいふうだったら　*Taihū dattara*
② たいふうでも　*Taihū demo*
(3) ① さむかったら　*Samukattara*
② さむくても　*Samukutemo*
(4) ① 安(やす)くなかったら　*Yasuku nakattara*
② 安(やす)くなくても　*Yasuku nakutemo*
(5) ① おもしろくなかったら
Omoshiroku nakattara
② おもしろくなくても
Omoshiroku nakutemo

Task 5 (p. 154)

2 (1) 時間が　あったら　*Jikan ga attara*

(2) はしったら　*Hashittara*

(3) こんでいなかったら　*Konde inakattara*

(4) がんばったら　*Ganbattara*

Task 6 (p. 155)

1 (1) はしったら　*hashittara*

(2) がんばったら　*ganbattara*

(3) こんでいたら　*konde itara*

(4) なかったら　*nakattara*

(5) はしらなかったら　*hashiranakattara*

(6) がんばらなかったら　*ganbaranakattara*

(7) こんでいなかったら　*konde inakattara*

Words for Tasks 7 and 8 (p. 156)

(1) b　(2) c　(3) a

Task 7 (p. 156)

(1) ① スマホ　*sumaho*
② べんきょう　し　*benkyō shi*
③ スマホ　*sumaho*
④ べんきょう　しなかっ　*benkyō shinakat*
⑤ スマホ　*sumaho*

(2) ① ダイヤの　ゆびわ　*daiya no yubiwa*
② ボーナスを　もらっ　*bōnasu o morat*
③ ボーナスを　もらわなかっ　*bōnasu o morawanakat*

(3) ① 車　*kuruma*　② 上がっ　*agat*
③ 上がらなかっ　*agaranakat*

(4) ① けっこん　し　*kekkon shi*
② そつぎょう　でき　*sotsugyō deki*
③ けっこん　しても　*kekkon shitemo*
④ そつぎょう　できなかっ　*sotsugyō dekinakat*
⑤ けっこん　しては　*kekkon shitewa*

Final Task (p. 159)

1

A (2) ①○　②×　③×　④○

B (2) ①○　②×　③×　④×

Unit 24

Task 1 (p. 168)

1

B (1) a　(2) c　(3) b　(4) d　(5) g　(6) e　(7) f　(8) h

2 (解答例 Example answers)

(1) 去年、スキーは　上手じゃなかったです。でも、がんばりました。たくさん　れんしゅう　しました。今年、けっこう　上手に　なりました。
Kyonen, sukī wa jōzu ja nakatta desu. Demo, ganbarimashita. Takusan renshū shimashita. Kotoshi, kekkō jōzu ni narimashita.

(2) むかし、電話は　あまり　べんりじゃなかったです。でも、今、スマホが　あります。スマホは　いろいろな　ことが　できます。たとえば、メールが　できます。おんがくが　聞けます。ちずが　見られます。とても　べんりに　なりました。
Mukashi, denwa wa amari benri ja nakatta desu. Demo, ima, sumaho ga arimasu. Sumaho wa iroirona koto ga dekimasu. Tatoeba, mēru ga dekimasu. Ongaku ga kikemasu. Chizu ga miraremasu. Totemo benri ni narimashita.

(3) きのう、とても　元気でした。あさから　ばんまで　たくさん　しごとを　しました。とても　いそがしかったです。今日、病気に　なりました。
Kinō, totemo genki deshita. Asa kara ban made takusan shigoto o shimashita. Totemo isogashikatta desu. Kyō, byōki ni narimashita.

(4) パーティーの　とき、とても　にぎやかでした。おんがくを　聞きました。ワインを　飲みました。たくさん　話しました。パーティーの後、みんな　ねました。とても　しずかに　なりました。
Pātī no toki, totemo nigiyaka deshita. Ongaku o kikimashita. Wain o nomimashita. Takusan hanashimashita. Pātī no ato, min'na nemashita. Totemo shizuka ni narimashita.

Task 2 (p. 170)

1

B (1) d　(2) a　(3) b　(4) c　(5) e　(6) h　(7) f　(8) g

2 (解答例 Example answers)

(1) パーティーの　前、つまらなかったです。だれも　いませんでした。一人でした。パーティーの　とき、友だちと　いっしょに　ワインを　飲みました。たくさん　話しました。たのしくなりました。
Pātī no mae, tsumaranakatta desu. Daremo imasendeshita. Hitori deshita. Pātī no toki, tomodachi to isshoni wain o nomimashita. Takusan hanashimashita. Tanoshiku narimashita.

(2) クラスの　前、友だちと　話しました。たのしかったです。クラスの　とき、友だちと　話せません。先生は　きびしいです。そして、まじめです。つまらなく　なりました。
Kurasu no mae, tomodachi to hanashimashita. Tanoshikatta desu. Kurasu no toki, tomodachi to hanasemasen. Sensei wa kibishii desu. Soshite, majime desu. Tsumaranaku narimashita.

(3) 去年、ひらがなが　書けませんでした。カタカナも　書けませんでした。もちろん、漢字も　書けませんでした。たくさん　べんきょう　しました。がんばりました。今年、漢字が　書けるように　なりました。
Kyonen, hiragana ga kakemasendeshita. Katakana mo kakemasendeshita. Mochiron, kanji mo kakemasendeshita. Takusan benkyō shimashita. Ganbarimashita. Kotoshi, kanji ga kakeru yōni narimashita.

(4) 前は　できませんでした。たくさん　ころびました。いたかったです。でも、がんばりました。たくさん　れんしゅう　しました。今、できるように　なりました。
Mae wa dekimasendeshita. Takusan korobimashita. Itakatta desu. Demo, ganbarimashita. Takusan renshū shimashita. Ima, dekiru yōni narimashita.

Task 3 (p. 172)

2 (1) ① つかってみて　*tsukatte mite*
② 大きく　なり　*ookiku nari*
③ 大きく　なり　*Ookiku nari*
④ 大きく　なり　*ookiku nari*

(2) ① おしてみて　*oshite mite*
② 大きく　なり　*ookiku nari*
③ 大きく　なり　*Ookiku nari*
④ 大きく　なり　*ookiku nari*

(3) ① つかってみて　*tsukatte mite*
② きれいに　なり　*Kirei ni nari*
③ きれいに　なり　*Kirei ni nari*
④ きれいに　なり　*kirei ni nari*

(4) ① つかってみて　*tsukatte mite*
② 上手に　なり　*Jōzu ni nari*
③ 上手に　なり　*Jōzu ni nari*
④ 上手に　なり　*jōzu ni nari*

セルフチェック (Self-check)

セルフチェック Unit 13

1 Group 1: c, d, e, f, i, j, k, l, n, p, q, r
Group 2: a, g, h, o, s
Group 3: b, m

2 (1) かう　*kau*　(2) きく　*kiku*　(3) はなす　*hanasu*
(4) まつ　*matsu*　(5) あそぶ　*asobu*
(6) のむ　*nomu*　(7) とる　*toru*
(8) たべる　*taberu*　(9) ねる　*neru*
(10) みる　*miru*　(11) おきる　*okiru*
(12) する　*suru*　(13) くる　*kuru*
(14) もってくる　*motte kuru*

3 (1) (岡田さんは) テレビを　見るのが　好きです。
(Okada-san wa) terebi o miru no ga suki desu.
(2) (スミスさんは) サッカーを　するのが　好きです。 *(Sumisu-san wa) sakkā o suru no ga suki desu.*
(3) (まじめださんは) えを　かくのが　好きです。
(Majimeda-san wa) e o kaku no ga suki desu.
(4) (森さんは) 本を　読むのが　好きです。
(Mori-san wa) hon o yomu no ga suki desu.
(5) (タンさんは) およぐのが　好きです。
(Tan-san wa) oyogu no ga suki desu.

4 (1) どんな　スポーツが　好きですか。
Don'na supōtsu ga suki desu ka.
(2) 本を　読むのが　好きです。
Hon o yomu no ga suki desu.
(3) 私は　けっこう　まじめです。たぶん…
Watashi wa kekkō majime desu. Tabun . . .

5 (1) ×　(2) ○

セルフチェック Unit 14

1 Group 1: e, f, g, h, j, k, m, n, o
Group 2: a, c, d, i
Group 3: b, l

2 (1) かく　*kaku*　(2) たべる　*taberu*
(3) みる　*miru*　(4) ねる　*neru*　(5) あそぶ　*asobu*
(6) はなす　*hanasu*　(7) あげる　*ageru*
(8) いる　*iru*　(9) もらう　*morau*
(10) およぐ　*oyogu*　(11) する　*suru*　(12) ある　*aru*
(13) くる　*kuru*　(14) あう　*au*　(15) まつ　*matsu*

3 (1) 住んでいます　*sunde imasu*
(2) つとめています　*tsutomete imasu*
(3) おしえています　*oshiete imasu*
(4) うっています　*utte imasu*
(5) つくっています　*tsukutte imasu*

4 (1) 横浜に　住んでいます。
Yokohama ni sunde imasu.
(2) 父は　ABC ぎんこうに　つとめています。
Chichi wa ABC ginkō ni tsutomete imasu.
(3) 森さんは　けっこん　していません。
Mori-san wa kekkon shite imasen.

5 (1) ×　(2) ◯

セルフチェック Unit 15

1 Group 1: b, e, i, j, l, o
Group 2: a, c, f, g, h, n
Group 3: d, k, m

2 (1) てつだって *tetsudatte*　(2) まって *matte*
(3) とって *totte*　(4) きいて *kiite*
(5) いそいで *isoide*　(6) はなして *hanashite*
(7) あそんで *asonde*　(8) のんで *nonde*
(9) よんで *yonde*　(10) いって *itte*
(11) おしえて *oshiete*　(12) あけて *akete*
(13) みせて *misete*　(14) ねて *nete*
(15) みて *mite*　(16) いて *ite*　(17) おきて *okite*
(18) して *shite*　(19) きて *kite*
(20) もってきて *motte kite*

3 (1) つけて *tsukete*　(2) とって *totte*
(3) かいて *kaite*　(4) あけて *akete*
(5) まって *matte*

4 (1) クラスに　おくれては　いけません。
Kurasu ni okuretewa ikemasen.
(2) ここで　しゃしんを　とっても　いいです。
Koko de shashin o tottemo ii desu.
(3) 今、漢字を　書いています。
Ima, kanji o kaite imasu.

5 (1) a. ×　b. ◯　(2) a. ×　b. ◯

セルフチェック Unit 16

1 (1) つける・つけて *tsukeru · tsukete*
(2) みる・みて *miru · mite*
(3) する・して *suru · shite*
(4) たべる・たべて *taberu · tabete*
(5) およぐ・およいで *oyogu · oyoide*
(6) よむ・よんで *yomu · yonde*
(7) あう・あって *au · atte*
(8) あそぶ・あそんで *asobu · asonde*
(9) みせる・みせて *miseru · misete*
(10) つくる・つくって *tsukuru · tsukutte*
(11) くる・きて *kuru · kite*

2 (1) とけいを　もらいました
tokei o moraimashita.
(2) 自転車を　かしてもらいました
jitensha o kashite moraimashita
(3) 日本語を　おしえてもらいました
Nihon-go o oshiete moraimashita

3 (1) 森さんに　英語の　本を　あげました。
Mori-san ni eigo no hon o agemashita.
(2) きのう　鈴木さんに　カメラを　かしてもらいました。
Kinō Suzuki-san ni kamera o kashite moraimashita.
(3) たんじょう日に　田中さんに　ワインを　もらいました。
Tanjōbi ni Tanaka-san ni wain o moraimashita.
(4) 母に　りょうりを　おしえてもらいました。
Haha ni ryōri o oshiete moraimashita.

4 (1) かさを　かしてください。いいですか。
Kasa o kashite kudasai. Ii desu ka.
(2) **Q:** どうしてですか。 *Dōshite desu ka.*
A: 好きじゃないですから *Suki ja nai desu kara.*
(3) きのうは　花を　いただき、ありがとうございました。
Kinō wa hana o itadaki, arigatō gozaimashita.

5 (1) ◯　(2) ×

セルフチェック Unit 17

1 (1) 安いです *yasui desu*　(2) 高いです *takai desu*
(3) 高いです *takai desu*　(4) 安いです *yasui desu*
(5) かるいです *karui desu*
(6) ふるいです *furui desu*

2 (1) ひとつ *hitotsu*　(2) ふたつ *futatsu*
(3) よっつ *yottsu*　(4) いつつ *itsutsu*

3 (1) 多いです *ooi desu*
(2) 少ないです *sukunai desu*
(3) 少ないです *sukunai desu*
(4) 多いです *ooi desu*

4 (1) アメリカは　日本より　大きいです。
Amerika wa Nihon yori ookii desu.
(2) 北海道は　東京より　さむいです。
Hokkaidō wa Tōkyō yori samui desu.
(3) チリは　日本より　人口が　少ないです。
Chiri wa Nihon yori jinkō ga sukunai desu.

セルフチェック Unit 18

1 Group 1: d, f, g, i, j, l, n, o
Group 2: a, b, c, e, h, k
Group 3: m

2 (1) あえます *aemasu*
(2) つかえます *tsukaemasu*
(3) いけます *ikemasu*
(4) およげます *oyogemasu*
(5) はなせます *hanasemasu*
(6) まてます *matemasu*
(7) あそべます *asobemasu*
(8) よめます *yomemasu*
(9) のれます *noremasu*
(10) つくれます *tsukuremasu*
(11) たべられます *taberaremasu*
(12) ねられます *neraremasu*
(13) おぼえられます *oboeraremasu*
(14) わすれられます *wasureraremasu*
(15) みられます *miraremasu*
(16) おきられます *okiraremasu*
(17) できます *dekimasu*
(18) よやく　できます *yoyaku dekimasu*
(19) こられます *koraremasu*
(20) もってこられます *motte koraremasu*

3 (1) パソコンで　えいがが　見(み)られます。
Pasokon de eiga ga miraremasu.
(2) コンビニで　コピーが　できます。
Konbini de kopī ga dekimasu.
(3) 日本語(にほんご)で　メールが　書(か)けます。
Nihon-go de mēru ga kakemasu.
(4) 日本(にほん)りょうりが　つくれます。
Nihon-ryōri ga tsukuremasu.
(5) あまり　おさけが　飲(の)めません。
Amari o-sake ga nomemasen.

4 (1) ペンさんは　日本語(にほんご)が　話(はな)せます。
Pen-san wa Nihon-go ga hanasemasu.
(2) コンビニで　おちゃが　買(か)えます。
Konbini de o-cha ga kaemasu.
(3) あした　クラスに　来(こ)られません。
Ashita kurasu ni koraremasen.

5 (1) ○　(2) ×

セルフチェック Unit 19

1 (1) はなせます *hanasemasu*
(2) およげます *oyogemasu*
(3) かけます *kakemasu*
(4) つかえます *tsukaemasu*
(5) いけます *ikemasu*
(6) かえます *kaemasu*
(7) たべられます *taberaremasu*
(8) おぼえられます *oboeraremasu*
(9) わすれられます *wasureraremasu*
(10) おしえられます *oshieraremasu*
(11) おきられます *okiraremasu*
(12) みられます *miraremasu*
(13) できます *dekimasu*
(14) サッカーが　できます *sakkā ga dekimasu*
(15) こられます *koraremasu*
(16) もってこられます *motte koraremasu*

2 (1) どちら *dochira*　(2) いつ *itsu*
(3) どんな *don'na*

3 (1) みられます *miraremasu*
(2) およげます *oyogemasu*
(3) たべられます *taberaremasu*
(4) かえます *kaemasu*
(5) とれます *toremasu*

4 (1) どれが　いちばん　いいですか。
Dore ga ichiban ii desu ka.
(2) まどから　富士山(ふじさん)が　見(み)えます。
Mado kara Fuji-san ga miemasu.

5 (1) ○　(2) ○

セルフチェック Unit 20

1 Group 1: d, g, j, m
Group 2: a, c, f, h, i, k, l, n
Group 3: b, e, o

2 (1) かわない *kawanai*　(2) いわない *iwanai*
(3) なかない *nakanai*　(4) はなさない *hanasanai*
(5) またない *matanai*　(6) あそばない *asobanai*
(7) のまない *nomanai*　(8) はいらない *hairanai*
(9) おこらない *okoranai*　(10) ない *nai*
(11) たべない *tabenai*　(12) ねない *nenai*
(13) わすれない *wasurenai*
(14) おくれない *okurenai*　(15) すてない *sutenai*
(16) みない *minai*　(17) しない *shinai*
(18) しんぱい　しない *shinpai shinai*
(19) こない *konai*
(20) もってこない *motte konai*

3 (1) 開(あ)けないでください。 *Akenaide kudasai.*
(2) しんぱい　しないでください。
Shinpai shinaide kudasai.
(3) おさないでください。 *Osanaide kudasai.*
(4) 言(い)わないでください。 *Iwanaide kudasai.*
(5) 来(こ)ないでください。 *Konaide kudasai.*

4 (1) 病院(びょういん)に　行(い)かなくちゃ　いけません。
Byōin ni ikanakucha ikemasen.

(2) あした　しごとに　行かなくても　いいです。
Ashita shigoto ni ikanakutemo ii desu.

(3) **A:** きのうは　すみませんでした。
Kinō wa sumimasendeshita.

B: そんなに　気に　しないでください。
Son'na ni ki ni shinaide kudasai.

5 (1) ×　(2) ○

セルフチェック Unit 21

1 (1) つかって・つかった・つかわない
tsukatte · tsukatta · tsukawanai

(2) きいて・きいた・きかない
kiite · kiita · kikanai

(3) もっていって・もっていった・もっていかない *motte itte · motte itta · motte ikanai*

(4) はなして・はなした・はなさない
hanashite · hanashita · hanasanai

(5) あそんで・あそんだ・あそばない
asonde · asonda · asobanai

(6) よんで・よんだ・よまない
yonde · yonda · yomanai

(7) のって・のった・のらない
notte · notta · noranai

(8) のぼって・のぼった・のぼらない
nobotte · nobotta · noboranai

(9) おしえて・おしえた・おしえない
oshiete · oshieta · oshienai

(10) あけて・あけた・あけない
akete · aketa · akenai

(11) つかれて・つかれた・つかれない
tsukarete · tsukareta · tsukarenai

(12) ねて・ねた・ねない *nete · neta · nenai*

(13) みて・みた・みない *mite · mita · minai*

(14) いて・いた・いない *ite · ita · inai*

(15) がっかりして・がっかりした・がっかりしない *gakkari shite · gakkari shita · gakkari shinai*

(16) びっくりして・びっくりした・びっくりしない *bikkuri shite · bikkuri shita · bikkuri shinai*

(17) もってきて・もってきた・もってこない
motte kite · motte kita · motte konai

2 (1) りょこうの *Ryokō no*

(2) パーティーの *Pātī no*

(3) あつい *Atsui*　(4) ねむい *Nemui*

(5) ひまな *Himana*　(6) 子どもの *Kodomo no*

3 (1) おばけを　見たことが　ありますか。
Obake o mita koto ga arimasu ka.

(2) ゴルフを　したことが　ありません。
Gorufu o shita koto ga arimasen.

(3) 学生の　とき、はじめて　ビールを　飲みました。
Gakusei no toki, hajimete bīru o nomimashita.

4 (1) ×　(2) ○

セルフチェック Unit 22

1 (1) かう・かった・かわない
kau · katta · kawanai

(2) いった・いかない・いかなかった
itta · ikanai · ikanakatta

(3) かく・かいた・かかない・かかなかった
kaku · kaita · kakanai · kakanakatta

(4) はなす・はなさない・はなさなかった
hanasu · hanasanai · hanasanakatta

(5) のむ・のんだ・のまない・のまなかった
nomu · nonda · nomanai · nomanakatta

(6) とる・とった・とらない・とらなかった
toru · totta · toranai · toranakatta

(7) ある・ない・なかった *aru · nai · nakatta*

(8) ねる・ねた・ねない・ねなかった
neru · neta · nenai · nenakatta

(9) あける・あけた・あけない・あけなかった
akeru · aketa · akenai · akenakatta

(10) いる・いた・いない *iru · ita · inai*

(11) する・した・しない・しなかった
suru · shita · shinai · shinakatta

(12) くる・きた・こない・こなかった
kuru · kita · konai · konakatta

(13) たかい・たかかった・たかくなかった
takai · takakatta · takaku nakatta

(14) おいしい・おいしくない・おいしくなかった
oishii · oishiku nai · oishiku nakatta

(15) ひまだ・ひまだった・ひまじゃない
hima da · hima datta · hima ja nai

(16) まじめだ・まじめじゃない・まじめじゃなかった
majime da · majime ja nai · majime ja nakatta

(17) ほんとうだ・ほんとうだった・ほんとうじゃない・ほんとうじゃなかった
hontō da · hontō datta · hontō ja nai · hontō ja nakatta

(18) あめだった・あめじゃない・あめじゃなかった
ame datta · ame ja nai · ame ja nakatta

2 (1) ひまだ *hima da*

(2) ほんとうじゃない *hontō ja nai*

(3) さむい *samui*　(4) ふる *furu*

(5) 病気 *byōki*　(6) 行かない *ikanai*

3 (1) 何だと 思いますか。 *Nan da to omoimasu ka.*
(2) さかなみたいです。 *Sakana mitai desu.*
(3) この いけんについて どう 思いますか。
Kono iken ni tsuite dō omoimasu ka.

4 (1) × (2) ×

セルフチェック Unit 23

1 (1) がんばる・がんばった・がんばらない・がんばらなかった
ganbaru・ganbatta・ganbaranai・ganbaranakatta
(2) やめる・やめた・やめない・やめなかった
yameru・yameta・yamenai・yamenakatta
(3) こんでいる・こんでいた・こんでいない・こんでいなかった
konde iru・konde ita・konde inai・konde inakatta
(4) もらう・もらった・もらわない・もらわなかった
morau・moratta・morawanai・morawanakatta
(5) あがる・あがった・あがらない・あがらなかった
agaru・agatta・agaranai・agaranakatta
(6) そつぎょう する・そつぎょう した・そつぎょう しない・そつぎょう しなかった
sotsugyō suru・sotsugyō shita・sotsugyō shinai・sotsugyō shinakatta
(7) くる・きた・こない・こなかった
kuru・kita・konai・konakatta

2 (1) 雨だったら *ame dattara*
(2) 日本人じゃなかったら *Nihon-jin ja nakattara*
(3) べんりだったら *benri dattara*
(4) 元気だったら *genki dattara*
(5) しずかじゃなかったら *shizuka ja nakattara*
(6) 高かったら *takakattara*
(7) おもしろかったら *omoshirokattara*
(8) 安くなかったら *yasuku nakattara*
(9) もらったら *morattara*
(10) 飲んだら *nondara*
(11) 行ったら *ittara*
(12) あったら *attara*
(13) なかったら *nakattara*

3 (1) ひまだったら *hima dattara*
(2) 安かったら *Yasukattara*
(3) ひまじゃなかったら *hima ja nakattara*
(4) お金が なかったら *O-kane ga nakattara*
(5) 6 さいの 子どもだったら
6-sai no kodomo dattara
(6) そつぎょう できたら *Sotsugyō dekitara*

4 (1) あした いい 天気だったら、こうえんに 行きませんか。
Ashita ii tenki dattara, kōen ni ikimasen ka.
(2) お金が たくさん あったら、せかい中を りょこう したいです。
O-kane ga takusan attara, sekai-jū o ryokō shitai desu.
(3) 雨でも 行きます。 *Ame demo ikimasu.*

5 (1) × (2) ○ (3) ×

セルフチェック Unit 24

1 (1) 大きく なります *ookiku narimasu*
(2) さむく なります *samuku narimasu*
(3) おもしろく なります *omoshiroku narimasu*
(4) よく なります *yoku narimasu*
(5) ひまに なります *hima ni narimasu*
(6) きれいに なります *kirei ni narimasu*
(7) 上手に なります *jōzu ni narimasu*
(8) 病気に なります *byōki ni narimasu*
(9) 60 さいに なります *60-sai ni narimasu*

2 (1) のれます・のれる *noremasu・noreru*
(2) はなせます・はなせる
hanasemasu・hanaseru
(3) おぼえられます・おぼえられる
oboeraremasu・oboerareru
(4) できます・できる *dekimasu・dekiru*
(5) こられます・こられる *koraremasu・korareru*

3 (1) たのしく なりました *tanoshiku narimashita*
(2) およげるように なりました
oyogeru yōni narimashita
(3) 書けるように なりました
kakeru yōni narimashita

4 (1) これを つかってみてください。
Kore o tsukatte mite kudasai.
(2) **Q:** 日本語が 上手に なりません。どうしたら いいですか。
Nihon-go ga jōzu ni narimasen. Dō shitara ii desu ka.
A: できるだけ 日本語の えいがを 見たら どうですか。
Dekirudake Nihon-go no eiga o mitara dō desu ka.
(3) 12 時に なったら、行きましょう。
12-ji ni nattara, ikimashō.

5 (1) ○ (2) ×

漢字ドリル (Kanji Drills)

漢字ドリル はじめに

①e ②d ③c ④g ⑤f ⑥a

漢字ドリル Unit 13

1 ①b ②e ③d ④c ⑤a

3 ①ほん・だいす(き) ②ひと
③こ(ども)・さんにん ④にほんじん・す(き)
⑤やす(み)・すい(よう)び・にち(よう)び

■漢字クロスワード：①なつ休み ②ひる休み

漢字ドリル Unit 14

1 ①e ②f ③a ④d ⑤c ⑥b

3 ①わたし・す(き) ②なんにん・よにん
③こ(ども)・おとこ(の)こ・おんな(の)こ
④なに ⑤にほん・なんねん・す(んで)・さんねん・す(んで)

漢字ドリル Unit 15

1 ①d ②a ③f ④b ⑤c ⑥e

3 ①き(て) ②い(って) ③い(って)
④よ(んでも) ⑤き(いて)
⑥なに・み(て)・わたし・み(せて)

漢字ドリル Unit 16

1 ①d ②c ③e ④b ⑤f ⑥a

3 ①あめ ②かいしゃ・ひと
③せんげつ・にほん・き(ました)
④こんげつ・やす(み)
⑤せんしゅう・ほん・よ(みました)
⑥いっしゅう(かん)・なんにち

■どれですか：(1) 百人 (2) 今週 (3) 男の子

漢字ドリル Unit 17

1 ①e ②c ③d ④f ⑤a ⑥b

3 ①わたし・くに・ひがし ②にほん・ちい(さい)
③みなみ・くに・きた・くに
④とう(きょう)・にほん ⑤にし
⑥みなみ・だいす(き)・みなみ・み(て)

■漢字クロスワード：①水よう日 ②日よう日
③金よう日 ④お金

漢字ドリル Unit 18

1 ①d ②a ③e ④c ⑤f ⑥b

3 ①はな(せます) ②にほん(ご)・でんわ
③くるま ④でんしゃ・の(んでも)
⑤ごひゃくえん・か(えます)・さんびゃくえん
⑥た(べられます)

漢字ドリル Unit 19

1 ①b ②f ③d ④a ⑤c ⑥e

3 ①くに・おお(きい)・まち
②まいにち・はい(りたい)
③いま・でんしゃ・なか・でんわ
④いりぐち ⑤うえ・した

■どれですか：(1) 電車 (2) 毎週 (3) 西口

漢字ドリル Unit 20

1 ①d ②f ③e ④c ⑤b ⑥a

3 ①わたし・がくせい
②わたし・せんせい・にほんじん
③にほんご・はな(して) ④し(めて)
⑤あ(けないで) ⑥き(に しないで)

■漢字クロスワード：①今週 ②先週 ③先生
④学生

漢字ドリル Unit 21

1 ①b ②c ③e ④a ⑤f ⑥d

3 ①わたし・おも(い)で ②えき
③いま・こうこうせい ④たか(い)
⑤さん(ばん)でぐち
⑥がくせい・がいこく・い(った)・せんせい・がくせい・い(きました)

■キーボード入力：(1) *ya ma* (2) *o mo u*
(3) *ka i sha* (4) *gak kou* (5) *ko u ko u*

漢字ドリル Unit 22

1 ①e ②f ③b ④c ⑤d ⑥a

3 ①まち・こ(ども)・すく(ない) ②じかん
③みぎ・い(って)・ひだり・い(って)
④わたし・くに・あめ・おお(い)
⑤ちゅうごく・にほん・ひと・おお(い)
⑥みぎ・み(て)・なん(だ)・おも(います)・き・おも(います)・おとこ(の)ひと

■どれですか：(1) 学生 (2) 高校 (3) 読

漢字ドリル Unit 23

1 ①e ②c ③b ④a ⑤f ⑥d

3 ①な(まえ)・か(いて)
②てんき・おも(います)
③てんき・み(えます)
④たか(すぎます)・やす(い)
⑤ちち・はは・とう(きょう)・す(んで)
⑥(お)とう(さん)・(お)かあ(さん)

■漢字クロスワード：①天気 ②気もち

漢字ドリル Unit 24

1 ①b　②a　③e　④c　⑤f　⑥d

3 ①にねんまえ・にほん・き（ました）
②がっこう・ごぜんくじはん・ごごさんじ
③とも（だち）・にほんご・はな（せる）
④まえ・か（ける）　⑤あと・の（みません）
⑥げんき

■ことばをつくってください：(1) 日本人
(2) 日本語　(3) 電車　(4) 電話　(5) 会社
(6) 毎日　(7) 天気　(8) 時間　(9) 学生
(10) 学校　(11) 先生

Index さくいん

いま (N.) ima U3-T2
います (V.) imasu U6-T1
いまでも (Adv.) imademo **U21-T4**
いまも (Adv.) imamo **U24-T5**
いみ (N.) imi **U16-T5**
いもうと (N.) imôto **U14-T3**
いもうとさん (N.) imôto-san **U14-T3**
いらっしゃいませ。(Exp.) Irasshaimase. U4-T3
いれる (V.) ireru **U15-T1**
いろいろ(な) (Adj.) iroiro(na) **U14-T1**
インド (N.) Indo **U17-T5**
インドネシア (N.) Indoneshia **U22-T2**

う

ううん。(Exp.) Uun. **U23-T7**
うーん、そうですね……。(Exp.) Ūn, sō desu ne… **U22-FT**
うえ (N.) ue U12-W
うしろ (N.) ushiro U12-W
うたう (V.) utau **U21-T1**
うち (N.) uchi U5-W
うちゅう (N.) uchū **U17-CB**
うちゅうじん (N.) uchū-jin **U22-T5**
うっている (V.) utte iru **U14-W**
うま (N.) uma **U18-T6**
うみ (N.) umi U12-T5
うるさい (Adj.) urusai U11-T1
うれしい (Adj.) ureshii **U16-T1**
うん。(Exp.) Un. **U23-T7**
うんてん (N.) unten **U22-CB**

え

え (N.) e **U13-T5**
え？ (Exp.) e? **U14-T1**
エアコン (N.) eakon U11-T1
えいが (N.) eiga U8-W
えいがかん (N.) eigakan U8-T1
えいご (N.) eigo U1-T3
ええっ！ (Exp.) Eeh! **U20-T4**
ええっ？ やすいですね！ (Exp.) Eeh? Yasui desu ne! U9-T1
えき (N.) eki U5-W
ＳＦ (N.) esuefu **U13-T2**
〜えん (N.) -en U4-T1
エンジン (N.) enjin **U14-T2**

お

おいしい (Adj.) oishii U7-T1
おいしそうです。(Exp.) Oishisō desu. U7-T1
おおい (Adj.) ooi **U17-T2**
おおきい (Adj.) ookii U9-T4
オーストラリア (N.) Ōsutoraria U1-T3
おかあさん (N.) okāsan **U14-T3**
おかいけい (N.) o-kaikei U7-FT
おかげさまで。(Exp.) Okagesamade. U11-FT
おかし (N.) o-kashi **U16-FT**
おかださま (N.) Okada-sama **U16-FT**
おかね (N.) o-kane U2-T2
おきなわ (N.) Okinawa U5-FT
おきます (V.) okimasu U8-W
おきゅうりょう (N.) o-kyūryō **U23-T7**
おく(100,000,000) (N.) oku **U17-T6**
おくさん (N.) okusan **U14-T3**
おくじょう (N.) okujō U6-T1
おくに (N.) o-kuni U1-T1
おくる (V.) okuru **U18-W**
おくれます (V.) okuremasu U6-FT
おこさん (N.) okosan **U14-T3**
おこる (V.) okoru **U20-T3**
おさけ (N.) o-sake U7-W
おじいさん (N.) ojīsan **U14-T1**
おしえている (V.) oshiete iru **U14-W**
おしえてもらう (V.) oshiete morau **U16-T5**
おしえる (V.) oshieru **U15-T2**
おしごと (N.) o-shigoto U1-T1
おす (V.) osu **U20-T3**
おすし (N.) o-sushi U9-T3
おすすめ (N.) osusume U7-FT
おすもうさん (N.) osumōsan **U21-T3**
オセアニア (N.) Oseania **U17-T6**
おせわになっています。(Exp.) Osewani natteimasu. **U14-T4**
おそい (Adj.) osoi **U15-T5**
おだいじに。(Exp.) Odaijini. U11-FT
おたく (N.) otaku U12-T3
おちゃ (N.) o-cha U7-W
おちる (V.) ochiru **U22-T5**
おっと (N.) otto **U14-T3**
おてら (N.) o-tera U12-T5
おと (N.) oto **U24-T3**
おとうさん (N.) otōsan **U14-T3**
おとうと (N.) otōto **U14-T3**
おとうとさん (N.) otōto-san **U14-T3**
おとこのこ (N.) otoko no ko **U14-T2**
おとこのひと (N.) otoko no hito **U17-CB**
おととい (N.) ototoi U11-T2
おとな (N.) otona **U17-CB**
おなか (N.) onaka U11-W
おなかが すきました。(Exp.) Onaka ga sukimashita. U7-T4
おなじ (Adj.) onaji **U15-T6**
おなまえ (N.) o-namae U1-T1
おにいさん (N.) onīsan **U14-T3**
おねえさん (N.) onēsan **U14-T3**
おねがいします。(Exp.) Onegai shimasu. U6-T2
おばあさん (N.) obāsan **U20-FT**

おばけ (N.) obake U21-T3
おべんとう (N.) o-bentō U10-T5
おぼえる (V.) oboeru U18-W
おまわりさん (N.) omawarisan U17-T4
おみやげ (N.) o-miyage U16-FT
おもいで (N.) omoide U21-T3
おもう (V.) omou U22-T2
おもしろい (Adj.) [interesting] omoshiroi U9-T1
おもしろい (Adj.) [humorous] omoshiroi U13-T6
おもしろいです。(Exp.) Omoshiroi desu. U1-T6
おゆ (N.) o-yu U15-T1
およぎかた (N.) oyogikata U21-FT
およぐ (V.) oyogu U13-W
おれいに (Exp.) oreini U20-FT
おわる (V.) owaru U24-T4
おんがえし (N.) ongaeshi U20-FT
おんがく (N.) ongaku U8-W
おんせん (N.) onsen U13-T1
おんせんに はいる (V.) onsen ni hairu U19-T1
おんなのこ (N.) on'na no ko U14-T2
おんなのひと (N.) on'na no hito U15-FT

か

ガールフレンド (N.) gārufurendo U20-T4
～かい (N.) [～times] -kai U11-T3
～かい／がい (N.) [-th floor] -kai/gai U4-T3
かいぎ (N.) kaigi U3-W
かいぎを します (V.) kaigi o shimasu U8-T3
(お)かいけい (N.) (o-)kaikei U7-FT
かいしゃ (N.) kaisha U5-W
かいしゃいん (N.) kaisha-in U1-T5
かいしゃのひと (N.) kaisha no hito U5-T2
かいます (V.) kaimasu U9-T1
かいもの (N.) kaimono U3-W
かえす (V.) kaesu U16-T4
かえります (V.) kaerimasu U5-T2
かぎ (N.) kagi U2-T2
かきます (V.) kakimasu U10-T3
がくせい (N.) gakusei U17-CB
かさ (N.) kasa U10-T3
(お)かし (N.) (o-)kashi U16-FT
かしてもらう (V.) kashite morau U16-T3
かす (V.) kasu U16-T3
かぜぐすり (N.) kaze-gusuri U11-T3
かぞく (N.) kazoku U5-T2
カタカナ (N.) katakana U18-T6
かちょう (N.) kachō U11-FT
～がつ (N.) -gatsu U1-T4
がっかりする (V.) gakkari suru U21-W
かっこいい (Adj.) kakkoii U9-T1
がっこう (N.) gakkō U5-W
かど (N.) kado U12-T3
かなざわ (N.) Kanazawa U19-T4
かのじょ (N.) kanojo U5-T2
かばん (N.) kaban U2-T2
カフェ (N.) kafe U13-T5
かまくら (N.) Kamakura U12-FT
がまん できません。(Exp.) Gaman dekimasen. U11-T2
カメラ (N.) kamera U4-W
かようび (N.) ka-yōbi U2-T1
カラオケ (N.) karaoke U11-T4
からだに いい (Adj.) karada ni ii U18-FT
かるい (Adj.) karui U9-T1
かれ (N.) kare U5-T2
かわ (N.) kawa U12-T5
かわいい (Adj.) kawaii U9-T1
かんがえかた (N.) kangaekata U24-T5
かんこう (N.) kankō U19-W
かんじ (N.) kanji U15-T5
かんたん(な) (Adj.) kantan(na) U24-T5
がんばってください。(Exp.) Ganbatte kudasai. U3-T4
がんばります。(Exp.) Ganbarimasu. U3-T4
がんばる (V.) ganbaru U18-FT

き

き (N.) ki U14-T1
きえる (V.) kieru U22-T5
ききます (V.) [listen; hear] kikimasu U8-W
きく (V.) [ask] kiku U15-FT
きこえる (V.) kikoeru U24-T3
キス (N.) kisu U21-FT
きせつ (N.) kisetsu U19-W
きた (N.) kita U12-T5
きたない (Adj.) kitanai U15-T2
きつえん (N.) kitsuen U7-FT
きって (N.) kitte U18-T2
きている (V.) kite iru U14-T1
きに する (V.) ki ni suru U20-T3
きのう (N.) kinō U5-T3
きびしい (Adj.) kibishii U13-T6
[time expression +] きました。(Exp.) [time expression +] kimashita. U1-T4
きもち (N.) kimochi U18-T5
きもの (N.) kimono U20-FT
キャー！ (Exp.) Kyā! U20-T1
キャンベラ (N.) Kyanbera U17-T5
きゅう(9) (N.) kyū U3-T1
ぎゅうにく (N.) gyū-niku U7-W
(お)きゅうりょう (N.) (o-)kyūryō U23-T7
きょう (N.) kyō U2-T1
きょうと (N.) Kyōto U5-FT
きょねん (N.) kyonen U14-T2

きらい(な) (Adj.) *kirai(na)* **U23-CB**
きる (V.) *kiru* **U15-T4**
きれい(な) (Adj.) *kirei(na)* U9-T1
きを つける (V.) *ki o tsukeru* **U22-T3**
きんえん (N.) *kin'en* U7-FT
ぎんこう (N.) *ginkō* U5-W
ぎんこういん (N.) *ginkō-in* U1-T5
ぎんざ (N.) *Ginza* U10-T3
きんようび (N.) *kin-yōbi* U2-T1

く

く(9) (N.) *ku* U3-T1
くうこう (N.) *kūkō* **U22-T5**
9じ5ふん (N.) *ku-ji go-fun* U3-FT
くすり (N.) *kusuri* U11-T1
くすりを のみます (V.) *kusuri o nomimasu* U11-T3
(～を) ください。(Exp.) *(~ o) kudasai.* U4-T2
くち (N.) *kuchi* U11-W
くつ (N.) *kutsu* U2-T2
くに (N.) *kuni* U1-T1
～ぐらい (N.) *~ gurai* U5-T4
クラス (N.) *kurasu* U3-W
クリーニングや (N.) *kurīningu-ya* **U20-T5**
くるま (N.) *kuruma* U5-T2
くろ (N.) *kuro* **U14-T1**

け

けいけん (N.) *keiken* **U21-T3**
けいたい(でんわ) (N.) *keitai (denwa)* U2-T2
ケーキ (N.) *kēki* **U20-T4**
けさ (N.) *kesa* U11-T2
けしき (N.) *keshiki* **U19-T1**
けします (V.) *keshimasu* U11-T1
けっこう (Adv.) *kekkō* **U13-T3**
けっこん している (V.) *kekkon shite iru* **U14-W**
げつようび (N.) *getsu-yōbi* U2-T1
げんき(な) (Adj.) *genki(na)* U9-T4
けんきゅう している (V.) *kenkyū shite iru* **U14-W**

こ

ご(5) (N.) *go* U3-T1
～ご (N.) *-go* U1-T3
コアラ (N.) *koara* **U14-T1**
こいびと (N.) *koibito* **U13-T5**
こうえん (N.) *kōen* U10-T3
こうさてん (N.) *kōsaten* U12-T3
こうちゃ (N.) *kōcha* U7-W
こうつう (N.) *kōtsū* **U22-FT**
こうばん (N.) *kōban* U12-T3
こうよう (N.) *kōyō* **U19-T3**
コーヒー (N.) *kōhī* U7-W
ゴールデンウィーク (N.) *gōruden-wiku* U5-FT
ごかぞく (N.) *go-kazoku* **U14-T3**
ここ (N.) *koko* U5-T1
ごご (N.) *gogo* U3-T4
ここで だいじょうぶですか。(Exp.) *Koko de daijōbu desu ka.* U6-FT
こし (N.) *koshi* U11-W
ごしゅじん (N.) *go-shujin* **U14-T3**
こぜに (N.) *kozeni* **U16-T4**
ごぜん (N.) *gozen* U3-T4
ごちそうさま。(Exp.) *Gochisōsama.* U7-T1
こちらこそ。(Exp.) *Kochirakoso.* **U14-T4**
こっち (N.) *kotchi* U12-T4
こと (N.) *koto* **U18-T5**
ことし (N.) *kotoshi* **U14-T2**
ことば (N.) *kotoba* **U20-T5**
こども (N.) *kodomo* **U13-T5**
こどもの ひ (N.) *kodomo no hi* U10-T5
この～ (N.) *kono ~* U12-T3
この おてら (N.) *kono o-tera* U12-T3
ごはん (N.) *gohan* U7-W
ごはんの あと (N.) *gohan no ato* U11-T3
ごはんの まえ (N.) *gohan no mae* U11-T3
コピー (N.) *kopī* **U18-T2**
こまりました。(Exp.) *Komarimashita.* **U24-T3**
ごみばこ (N.) *gomibako* **U20-T1**
コメディー (N.) *komedī* **U13-T2**
ごめんなさい。(Exp.) *Gomen'nasai.* **U20-T3**
ゴルフ (N.) *gorufu* U8-T2
ゴルフを します (V.) *gorufu o shimasu* U8-T2
これ (N.) *kore* U2-T4
これから (Adv.) *korekara* **U18-FT**
これからも (Adv.) *korekaramo* **U24-T5**
これからも よろしく おねがい します。(Exp.) *Korekaramo yoroshiku onegai shimasu.* **U14-T4**
～ごろ (N.) *~ goro* U6-T3
ころぶ (V.) *korobu* **U21-T4**
こわい (Adj.) *kowai* **U21-W**
こんしゅう (N.) *konshū* U6-T3
こんでいる (V.) *konde iru* **U23-T5**
こんばん (N.) *konban* **U20-FT**
コンビニ (N.) *konbini* **U14-T1**
コンピューター (N.) *konpyūtā* **U17-CB**

さ

サービスセンター (N.) *sābisusentā* **U15-FT**
サーフィン (N.) *sāfin* **U18-T1**
～さい (N.) *-sai* **U14-T3**
サイクリング (N.) *saikuringu* U11-T4
さいごに (Exp.) *saigoni* **U22-FT**
さいふ (N.) *saifu* U2-T2
サイン (N.) *sain* **U21-T3**
さかな (N.) *sakana* U4-W

すてる (V.) suteru U20-T1
ストーリー (N.) sutōrī U21-T4
ストレス (N.) sutoresu U22-CB
すばらしい (Adj.) subarashii U14-T4
スポーツ (N.) supōtsu U13-T3
ズボン (N.) zubon U4-W
スマホ (N.) sumaho U18-T5
スミスさん (N.) Sumisu-san U1-T6
すみません。(Exp.) Sumimasen. U1-T2
すみません。ちょっと……。(Exp.) Sumimasen. Chotto . . . U1-T7
すむ (V.) sumu U23-FT
すもう (N.) sumō U13-FT
スモーキング (N.) sumōkingu U7-FT
すんでいる (V.) sunde iru U14-W

せ

せいかつ (N.) seikatsu U17-CB
〜せいき (N.) -seiki U22-CB
せかい (N.) sekai U21-FT
せかいじゅう (N.) sekai-jū U23-T8
ぜったいに (Adv.) zettaini U18-FT
ぜひ (Adv.) zehi U19-FT
ぜひ、わたしの くにに きてください。(Exp.) Zehi, watashi no kuni ni kite kudasai. U19-FT
ゼロ (N.) zero U4-T1
せん (1000) (N.) sen U4-T1
せんげつ (N.) sengetsu U14-T2
せんしゅう (N.) senshū U9-FT
せんせい (N.) sensei U11-FT
ぜんぜん (Adv.) zenzen U7-T3
せんたく (N.) sentaku U3-W
せんたくを します (V.) sentaku o shimasu U8-W

そ

そう おもいます。(Exp.) Sō omoimasu. U22-FT
そう おもいません。(Exp.) Sō omoimasen. U22-FT
そうじ (N.) sōji U3-W
そうします。(Exp.) Sō shimasu. U24-T4
そうじを します (V.) sōji o shimasu U8-T2
そうです。(Exp.) Sō desu. U3-T1
そうですか。(Exp.) [I see.] Sō desu ka. U18-T5
そうですか？ (Exp.) [Really?] Sō desu ka? U9-T1
そうですね。(Exp.) [Oh, yes.] Sō desu ne. U22-T2
そうですね……。(Exp.) [Well . . .] Sō desu ne . . . U13-T6
そうなんですか？ (Exp.) Sō na-n-desu ka? U23-T4
そこ (N.) soko U5-T1
そこに いてください。(Exp.) Soko ni ite kudasai. U6-FT
そして (Conj.) soshite U8-FT
そちら (N.) sochira U6-T3
そつぎょう (N.) sotsugyō U23-T7
そっち (N.) sotchi U12-T4
そのとき (Conj.) sonotoki U21-T4
そら (N.) sora U21-FT
それ (N.) sore U2-T4
それは しりませんでした。(Exp.) Sore wa shirimasendeshita. U20-T4
それは すごい けいけんですね。(Exp.) Sore wa sugoi keiken desu ne. U21-T3
そんなこと いわないでください。(Exp.) Son'na koto iwanaide kudasai. U20-T6
そんなに (Adv.) son'nani U20-T4

た

タイ (N.) Tai U17-T5
だいがく (N.) daigaku U12-T5
たいしかん (N.) taishikan U12-T5
だいじょうぶです。(Exp.) Daijōbu desu. U6-FT
だいすき (な) (Adj.) daisuki(na) U13-T1
たいせつ (な) (Adj.) taisetsu(na) U21-FT
たいふう (N.) taifū U21-T3
たいへん (な) (Adj.) taihen(na) U17-CB
たいへんです！ (Exp.) Taihen desu! U15-T2
たいへんですね。(Exp.) Taihen desu ne. U3-T4
ダイヤ (N.) daiya U23-T1
たかい (Adj.) takai U9-T1
たからくじ (N.) takarakuji U16-T2
たくさん (Adv.) takusan U10-T3
タクシー (N.) takushī U5-T2
〜だけ (N.) ~ dake U20-T5
たすかりました。(Exp.) Tasukarimashita. U16-T4
たすけてもらう (V.) tasukete morau U20-FT
たすける (V.) tasukeru U20-FT
たとえば (Adv.) tatoeba U14-T1
たのしい (Adj.) tanoshii U10-W
たのしいです。(Exp.) Tanoshii desu. U1-T6
たのしんでください。(Exp.) Tanoshinde kudasai. U20-T6
たばこ (N.) tabako U7-FT
たばこを すう (V.) tabako o suu U15-T6
たぶん (Adv.) tabun U12-T1
たべます (V.) tabemasu U7-T1
たまご (N.) tamago U7-W
だめ (な) (Adj.) dame(na) U13-T1
だめです。(Exp.) Dame desu. U15-T5
だれ (Interrog.) dare U10-T3
だれと (Interrog.) dare to U5-T2
だれにも (Adv.) darenimo U20-T3
だれの (Interrog.) dare no U2-T3
だれも (N.) daremo U14-T1
たんじょうび (N.) tanjōbi U16-T1
たんじょうび おめでとうございます。(Exp.) Tanjōbi omedetō gozaimasu. U16-T1
だんだん (Adv.) dandan U24-FT

ち

ちいさい (Adj.) chiisai U9-T4
チェックします (V.) chekku shimasu U10-T3
ちかい (Adj.) chikai U12-T4
ちか 1 かい (N.) chika ikkai U4-T3

ちがいます。(Exp.) *Chigaimasu.* U3-T1
ちかく (N.) *chikaku* U12-T3
ちず (N.) *chizu* U12-T3
ちずを　かいてください。(Exp.) *Chizu o kaite kudasai.* U12-T3
ちち (N.) *chichi* **U14-T3**
ちゅうおう (N.) *chūō* **U17-T6**
ちゅうごく (N.) *Chūgoku* U1-T3
ちゅうしゃきんし (N.) *chūsha kinshi* **U20-T1**
ちょう (1,000,000,000,000) (N.) *chō* **U17-T6**
ちょっと (Adv.) *chotto* U10-T1
ちょっと　いいですか。(Exp.) *Chotto ii desu ka.* U9-T1
ちょっとだけ (Adv.) *chotto dake* **U17-T1**
チリ (N.) *Chiri* U1-T6

つ

つかいかた (N.) *tsukaikata* **U18-T5**
つかう (V.) *tsukau* **U18-W**
つかれました。(Exp.) *Tsukaremashita.* U10-T3
つかれる (V.) *tsukareru* **U21-W**
つぎに (Exp.) *tsugini* **U22-FT**
つぎの　あさ (N.) *tsugi no asa* **U20-FT**
つぎの　ひ (N.) *tsugi no hi* U11-FT
つくっている (V.) *tsukutte iru* **U14-W**
つくります (V.) *tsukurimasu* U10-T3
つけます (V.) *tsukemasu* U11-T1
つづける (V.) *tsuzukeru* **U24-FT**
つとめている (V.) *tsutomete iru* **U14-W**
つま (N.) *tsuma* **U14-T3**
つまらない (Adj.) *tsumaranai* U10-W
つゆ (N.) *tsuyu* **U23-CB**
つよい (Adj.) *tsuyoi* **U17-T4**
つる (N.) *tsuru* **U20-FT**

て

て (N.) *te* U11-W
DVD (N.) *dībuidī* U8-T3
デート (N.) *dēto* U3-W
できる (V.) *dekiru* **U18-T1**
できるだけ (Adv.) *dekirudake* **U24-T1**
でぐち (N.) *deguchi* U6-FT
ですから (Conj.) *desukara* **U18-FT**
てつだう (V.) *tetsudau* **U15-T5**
テニス (N.) *tenisu* U8-W
テニスを　します (V.) *tenisu o shimasu* U8-W
デパート (N.) *depāto* U5-W
でも (Conj.) *demo* U6-T2
(お)てら (N.) *(o-)tera* U12-T5
テレビ (N.) *terebi* U4-W
てんき (N.) *tenki* **U23-T2**
でんきせいひん (N.) *denki seihin* **U19-T4**
でんしゃ (N.) *densha* U5-T2
でんとうてき(な) (Adj.) *dentōteki(na)* **U19-T4**
てんぷら (N.) *tenpura* **U18-FT**
でんわ (N.) *denwa* U6-T4
でんわばんごう (N.) *denwa-bangō* U6-T4
でんわを　します (V.) *denwa o shimasu* U6-T2

と

〜と　もうします (Exp.) *~ to mōshimasu.* **U14-T2**
ドア (N.) *doa* **U15-T2**
ドイツ (N.) *Doitsu* U1-T3
トイレ (N.) *toire* **U15-T2**
トイレが　こわれました。(Exp.) *Toire ga kowaremashita.* **U15-T2**
どう (Interrog.) *dō* U10-T1
とうきょうタワー (N.) *Tōkyō-tawā* **U21-T3**
どうしたら　いいですか。(Exp.) *Dō shitara ii desu ka.* **U24-T4**
どうしたんですか。(Exp.) *Dō shita-n-desu ka.* U11-T1
どうして (Interrog.) *dōshite* **U16-T2**
どうしますか。(Exp.) *Dō shimasu ka.* **U16-T3**
どうぞ。(Exp.) [Sure; Go ahead.] *Dōzo.* U1-T7
どうぞ。(Exp.) [Here you are.] *Dōzo.* U4-T2
どうぞ よろしく(おねがいします)。(Exp.) *Dōzo yoroshiku (onegai shimasu).* U1-T1
どうぶつ (N.) *dōbutsu* **U14-T1**
どうぶつえん (N.) *dōbutsuen* U10-T3
どうも。(Exp.) *Dōmo.* **U16-T3**
どうも　ありがとう(ございます)。(Exp.) *Dōmo arigatō (gozaimasu).* U9-T1
とおい (Adj.) *tooi* **U20-T6**
とかい (N.) *tokai* **U19-T3**
ときどき (Adv.) *tokidoki* U7-T3
とくに (Adv.) *tokuni* **U19-FT**
とけい (N.) *tokei* U2-T2
どこ (Interrog.) *doko* U4-T3
どこか (N.) *dokoka* **U20-T6**
どこにも (Adv.) *dokonimo* **U14-T1**
どこの (Interrog.) *doko no* U9-T1
ところ (N.) [point] *tokoro* **U13-T6**
ところ (N.) [place] *tokoro* **U14-T1**
としょかん (N.) *toshokan* **U14-T1**
どちら (Interrog.) *dochira* **U19-T2**
どちらも　いいです。(Exp.) *Dochiramo ii desu.* **U19-T3**
どっち (Interrog.) *dotchi* U12-T4
とても (Adv.) *totemo* U9-T1
となり (N.) *tonari* U12-T3
どのぐらい (Interrog.) *donogurai* U5-T4
とめてください。(Exp.) *Tomete kudasai.* **U20-FT**
とめる (V.) *tomeru* **U18-W**
ともだち (N.) *tomodachi* U5-T2
どようび (N.) *do-yōbi* U2-T1
とりにく (N.) *tori-niku* U7-W
トルコ (N.) *Toruko* **U17-T5**

ほ

ボーイフレンド (N.) bōifurendo **U16-T6**
ボーナス (N.) bōnasu **U23-T7**
ほし (N.) hoshi **U21-FT**
ほしい (Adj.) hoshii **U18-T4**
ホテル (N.) hoteru U12-T5
ほら！ (Exp.) Hora! **U18-T1**
ホラー (N.) horā **U13-T2**
ポルトガル (N.) Porutogaru U1-T3
ほん (N.) hon U2-T2
ほんとう (N.) hontō **U21-T3**
ほんとうに (Adv.) hontōni U6-FT
ほんね (N.) hon'ne **U22-FT**
ほんや (N.) hon'ya **U18-T4**

ま

まあまあ（な） (Adj.) māmā(na) **U13-T1**
まいあさ (N.) maiasa U8-T3
まいにち (N.) mainichi U7-T3
まいばん (N.) maiban U8-T1
まえ (N.) mae U12-W
（〜の） まえ (N.) (~ no) mae U11-T3
まじめ（な） (Adj.) majime(na) **U13-T6**
まず (Exp.) mazu **U22-FT**
また (Adv.) mata U6-T2
まだ (Adv.) mada U7-T4
まだまだです。 (Exp.) Madamada desu. **U24-T4**
まち (N.) machi U12-T3
まちがえる (V.) machigaeru **U24-T4**
まつ (V.) matsu **U13-W**
まにあう (V.) maniau **U23-T5**
まほう (N.) mahō **U23-FT**
マリンスポーツ (N.) marin supōtsu **U19-T4**
まん（10000） (N.) man U4-T1
マンション (N.) manshon U12-T3
まんなか (N.) man'naka U12-T5

み

みえる (V.) mieru **U19-T4**
みぎ (N.) migi U12-W
みじかい (Adj.) mijikai **U23-CB**
みず (N.) mizu U4-W
みせ (N.) mise U9-T5
みせる (V.) miseru **U15-T2**
みち (N.) michi U12-T3
みちが わかりません。 (Exp.) Michi ga wakarimasen. **U15-T5**
みっつ (N.) mittsu U11-T3, **U17-T2**
みなみ (N.) minami U12-T5
みます (V.) mimasu U8-W
みみ (N.) mimi U11-W
（お）みやげ (N.) (o-)miyage **U16-FT**
ミルク (N.) miruku U7-W
みんな (N.) min'na **U14-T3**
みんなで (Adv.) min'nade **U24-T1**

む

むかし (N.) mukashi **U22-T5**
むずかしい (Adj.) muzukashii U10-W
むすこ (N.) musuko **U14-T3**
むすこさん (N.) musuko-san **U14-T3**
むすめ (N.) musume **U14-T3**
むすめさん (N.) musume-san **U14-T3**
むね (N.) mune U11-W
むり（な） (Adj.) muri(na) **U23-T7**

め

め (N.) me U11-W
〜メートル (N.) -mētoru **U18-CB**
メール (N.) mēru U8-T4
メールアドレス (N.) mēru adoresu **U15-T2**
めずらしい (Adj.) mezurashii **U16-FT**
メッセージ (N.) messēji U6-T4
めんせき (N.) menseki **U17-T5**

も

もう (Adv.) mō U7-T4
もう けっこうです。 (Exp.) Mō kekkō desu. U9-T3
もう だいじょうぶです。 (Exp.) Mō daijōbu desu. U11-FT
もういちど (Adv.) mō ichido U6-T4
もうしわけありません。 (Exp.) Mōshiwake arimasen. **U20-T4**
もくようび (N.) moku-yōbi U2-T1
もし (Adv.) moshi **U23-T8**
もしもし、ペンです。 (Exp.) Moshi moshi, Pen desu. U6-T2
モスク (N.) mosuku **U19-FT**
モスクワ (N.) Mosukuwa **U17-T5**
もちろん (Adv.) mochiron **U19-T4**
もっていく (V.) motte iku **U21-T1**
もっている (V.) motte iru **U15-FT**
もってかえる (V.) motte kaeru **U15-T6**
もってきます (V.) motte kimasu U11-T1
もっと (Adv.) motto U9-T3
もの (N.) mono **U21-T1**
もらう (V.) morau **U13-W**
もり (N.) mori U12-T5

や

やきとり (N.) yakitori U9-T3
やく〜 (Adv.) yaku ~ **U17-T5**
やく 100 (Adv.) yaku hyaku **U17-T5**
やさい (N.) yasai U7-W
やさしい (Adj.) [easy] yasashii U10-W
やさしい (Adj.) [gentle] yasashii **U20-FT**
やすい (Adj.) yasui U9-T1
やすみ (N.) yasumi U10-T5
やすみます (V.) [take a rest] yasumimasu U8-W

別冊

Supplementary Text

Book 2

Elementary Japanese through Practical Tasks

Nihongo Daijobu!

きょうから話せる！ にほんご だいじょうぶ

サンアカデミー日本語センター
Sun Academy NIHONGO Center

The Japan Times

にほんご だいじょうぶ

BOOK 2 別冊

▶セルフチェック (Self-check)

Casual Speech Style …… 003
Unit 13 …… 005
Unit 14 …… 007
Unit 15 …… 009
Unit 16 …… 011
Unit 17 …… 013
Unit 18 …… 015
Unit 19 …… 017
Unit 20 …… 019
Unit 21 …… 021
Unit 22 …… 023
Unit 23 …… 025
Unit 24 …… 027

▶漢字ドリル (Kanji Drills)

だいじょうぶ 漢字リスト …… 029
はじめに …… 030
Unit 13 …… 033
Unit 14 …… 035
Unit 15 …… 037
Unit 16 …… 039
Unit 17 …… 041
Unit 18 …… 043
Unit 19 …… 045
Unit 20 …… 047
Unit 21 …… 049
Unit 22 …… 051
Unit 23 …… 053
Unit 24 …… 055

にほんごだいじょうぶ BOOK 2 別冊(べっさつ)

セルフチェック (Self-check)

▸ Casual Speech Style

The Japanese language has several speech styles. One of them is the polite speech style, which shows respect and is used for people you don't know very well. Another is the casual speech style, which is usually used in casual settings with close friends or family members. Though the casual speech style is not introduced untill Unit 23 of the main book, it is used from Unit 13 onward in the listening comprehension practice here in Self-check. Below is a list of casual-style sentences that appear in the dialogues and their equivalents in the polite speech style. Just focus on their meanings and try to get used to the sound of the casual speech style before you learn it in Unit 23.

	Casual Speech Style	Polite Speech Style
Self-check	・The sentence ends in the short form. (See Unit 22 for the short form.) ・The question maker か should be dropped. ・The prticles は, が and を tend to be dropped.	・The sentence ends in *desu*-form or *masu*-form. ・The quesion marker か is usually added to the end of questions. ・Particles are usually not omitted.
Unit 13	ゴルフ　好(す)き？ *Gorufu　suki?*	ゴルフが　好きですか。 *Gorufu ga　suki desu ka.*
	好きじゃない。 *Suki ja nai.*	好きじゃないです。 *Suki ja nai desu.*
	好き。 *Suki.*	好きです。 *Suki desu.*
	え　かくのは　どう？ *E　kaku no wa　dō?*	えを　かくのは　どうですか。 *E o　kaku no wa　dō desu ka.*
Unit 14	お母(かあ)さん、お元気(げんき)？ *Okāsan,　o-genki?*	お母さんは　お元気ですか。 *Okāsan wa　o-genki desu ka.*
	英語(えいご)　おしえている／おしえてる。 *Eigo　oshiete iru　oshieteru.*	英語を　おしえています。 *Eigo o　oshiete imasu.*
	しごと　していない／してない。 *Shigoto　shite inai　shitenai.*	しごとを　していません。 *Shigoto o　shite imasen.*
Unit 15-1	てつだって。 *Tetsudatte.*	てつだってください。 *Tetsudatte kudasai.*
	まって。 *Matte.*	まってください。 *Matte kudasai.*
	すぐ　行(い)く。 *Sugu　iku.*	すぐ　行きます。 *Sugu　ikimasu.*
	今(いま)、何(なに)　している？／してる？ *Ima, nani shite iru?　shiteru?*	今、何を　していますか。 *Ima, nani o　shite imasu ka.*
Unit 15-2	英語(えいご)　話(はな)しちゃ／話しては　いけない。 *Eigo　hanashicha　hanashitewa ikenai.*	英語を　話しては　いけません。 *Eigo o　hanashitewa ikemasen.*
	休(やす)んじゃ／休んでは　いけない。 *Yasunja　Yasundewa　ikenai.*	休んでは　いけません。 *Yasundewa　ikemasen.*
	がんばる。 *Ganbaru.*	がんばります。 *Ganbarimasu.*

Unit 16	かさが　ない。 *Kasa ga nai.*	かさが　ありません。 *Kasa ga arimasen.*
	あるよ。 *Aru yo.*	ありますよ。 *Arimasu yo.*
	二(ふた)つ　もっている／もってる。 *Futatsu motte iru motteru.*	二つ　もっています。 *Futatsu motte imasu.*
	その　かさ　あげる。 *Sono kasa ageru.*	その　かさを　あげます。 *Sono kasa o agemasu.*
	この　かさ　もらう。 *Kono kasa morau.*	この　かさを　もらいます。 *Kono kasa o moraimasu.*
Unit 18	おもしろい　しゃしん　とれるよ。 *Omoshiroi shashin toreru yo.*	おもしろい　しゃしんが　とれますよ。 *Omoshiroi shashin ga toremasu yo.*
	えいがも　つくれる。 *Eiga mo tsukureru.*	えいがも　つくれます。 *Eiga mo tsukuremasu.*
	たのしそう。 *Tanoshisō.*	たのしそうです。 *Tanoshisō desu.*
Unit 19	うみと　山(やま)、どっちが　いい？ *Umi to yama, dotchi ga ii?*	うみと　山、どちらが　いいですか。 *Umi to yama, dochira ga ii desu ka.*
	どっちも。 *Dotchimo.*	どちらも　いいです。 *Dochiramo ii desu.*
Unit 20	そんなに　おこらないで。 *Son'nani okoranaide.*	そんなに　おこらないでください。 *Son'nani okoranaide kudasai.*
	おこっていない／おこってない。 *Okotte inai Okottenai.*	おこっていません。 *Okotte imasen.*
	言(い)わない。 *Iwanai.*	言いません。 *Iimasen.*
Unit 21	聞(き)いたこと　ある。 *Kiita koto aru.*	聞いたことが　あります。 *Kiita koto ga arimasu.*
	子(こ)どもの　とき、大好(だいす)きだった。 *Kodomo no toki, daisuki datta.*	子どもの　とき、大好きでした。 *Kodomo no toki, daisuki deshita.*
Unit 22	うちゅう人(じん)　いると　思(おも)う？ *Uchū-jin iru to omou?*	うちゅう人が　いると　思いますか。 *Uchū-jin ga iru to omoimasu ka.*
	うちゅう人に　会(あ)った。 *Uchū-jin ni atta.*	うちゅう人に　会いました。 *Uchū-jin ni aimashita.*
	会った　かもしれない。 *Atta kamo shirenai.*	会った　かもしれません。 *Atta kamo shiremasen.*
	話(はな)さなかった。 *Hanasanakatta.*	話しませんでした。 *Hanashimasendeshita.*
	さびしそうだった。 *Sabishisō datta.*	さびしそうでした。 *Sabishisō deshita.*
Unit 23	高(たか)すぎる。 *Taka-sugiru.*	高すぎます。 *Taka-sugimasu.*
	いっしょに　行(い)かない？ *Isshoni ikanai?*	いっしょに　行きませんか。 *Isshoni ikimasen ka.*
	うん、行く。 *Un, iku.*	はい、行きます。 *Hai, ikimasu.*
	ううん、ない。 *Uun, nai.*	いいえ、ありません。 *Iie, arimasen.*
Unit 24	こまった。 *Komatta.*	こまりました。 *Komarimashita.*
	どうしたの？ *Dō shita no?*	どうしたんですか。 *Dō shita-n-desu ka.*

名前 ＿＿＿＿＿＿＿＿＿＿ ＿＿＿年 ＿＿月 ＿＿日 ＿＿曜日

セルフチェック Unit 13

1 Categorize the following verbs.

a. たべます *tabemasu*
b. きます (come) *kimasu*
c. いきます *ikimasu*
d. かえります *kaerimasu*
e. のみます *nomimasu*
f. ききます *kikimasu*
g. みます *mimasu*
h. ねます *nemasu*
i. よみます *yomimasu*
j. あいます *aimasu*
k. つくります *tsukurimasu*
l. かいます *kaimasu*
m. します *shimasu*
n. はなします *hanashimasu*
o. おきます (get up) *okimasu*
p. かきます *kakimasu*
q. まちます *machimasu*
r. (しゃしんを) とります *(shashin o) torimasu*
s. (シャワーを) あびます *(shawā o) abimasu*

▸ Group 1	▸ Group 2	▸ Group 3 (*Suru*/*Kuru* Verbs)
	Ex. a	

2 Change the verbs to the dictionary forms.

Masu-form	Dictionary form
▸ **Group 1**	
Ex. かきます *kakimasu*	かく *kaku*
(1) かいます *kaimasu*	
(2) ききます *kikimasu*	
(3) はなします *hanashimasu*	
(4) まちます *machimasu*	
(5) あそびます *asobimasu*	
(6) のみます *nomimasu*	
(7) とります *torimasu*	

Masu-form	Dictionary form
▸ **Group 2**	
(8) たべます *tabemasu*	
(9) ねます *nemasu*	
(10) みます *mimasu*	
(11) おきます *okimasu*	
▸ **Group 3**	
(12) します *shimasu*	
(13) きます *kimasu*	
(14) もってきます *motte kimasu*	

3 Describe what the people like doing.

Ex.

田中(たなか)さん
Tanaka-san

→ 田中さんは クッキーを 食(た)べるのが 好(す)きです。
Tanaka-san wa kukkī o taberu no ga suki desu.

(1) 
岡田(おかだ)さん
Okada-san

(2) 
スミスさん
Sumisu-san

(3) 
まじめださん
Majimeda-san

(4) 
森(もり)さん
Mori-san

(5) 
タンさん
Tan-san

(1) 岡田さんは ______________________________
Okada-san wa

(2) スミスさんは ______________________________
Sumisu-san wa

(3) まじめださんは ______________________________
Majimeda-san wa

(4) 森さんは ______________________________
Mori-san wa

(5) タンさんは ______________________________
Tan-san wa

4 Translate the English into Japanese.

(1) What kind of sports do you like?

(2) I like reading books.

(3) I am quite serious, maybe.

5 Listen to the conversation and mark the sentences as true (○) or false (×). SC-1

(See p. 3 for Casual Speech Style.)

(1) (　　) 花子(はなこ)さんは えを かくのが 好きです。
Hanako-san wa e o kaku no ga suki desu.

(2) (　　) 花子さんは プレゼントを もらうのが 好きです。
Hanako-san wa purezento o morau no ga suki desu.

名前 ______________________　　　　______ 年 ____ 月 ____ 日 ____ 曜日

セルフチェック Unit 14

1 Categorize the following verbs.

a. たべます *tabemasu*　b. きます (come) *kimasu*　c. います *imasu*　d. ねます *nemasu*

e. あそびます *asobimasu*　f. つくります *tsukurimasu*　g. あります *arimasu*　h. あいます *aimasu*

i. あげます *agemasu*　j. もらいます *moraimasu*　k. およぎます *oyogimasu*　l. します *shimasu*

m. はなします *hanashimasu*　n. まちます *machimasu*　o. (しゃしんを) とります *(shashin o) torimasu*

▸ Group 1	▸ Group 2	▸ Group 3 (*Suru*/*Kuru* Verbs)
	Ex. a	

2 Change the verbs to the dictionary form.

Masu-form	Dictionary form	*Masu*-form	Dictionary form
Ex. とります *torimasu*	とる *toru*	(8) います *imasu*	
(1) かきます *kakimasu*		(9) もらいます *moraimasu*	
(2) たべます *tabemasu*		(10) およぎます *oyogimasu*	
(3) みます *mimasu*		(11) します *shimasu*	
(4) ねます *nemasu*		(12) あります *arimasu*	
(5) あそびます *asobimasu*		(13) きます (come) *kimasu*	
(6) はなします *hanashimasu*		(14) あいます *aimasu*	
(7) あげます *agemasu*		(15) まちます *machimasu*	

名前＿＿＿＿＿＿＿＿＿＿＿＿＿＿＿＿＿＿＿＿＿ ＿＿＿＿＿＿ 年 ＿＿ 月 ＿＿ 日 ＿＿ 曜日

3 Circle the correct words in the parentheses.

Ex. コーヒーを （ 飲みます・食べます ）。
Kōhī o nomimasu tabemasu

(1) 東京に （ けっこん しています・住んでいます ）。
Tōkyō ni kekkon shite imasu sunde imasu

(2) サンジどうしゃに （ つとめています・おしえています ）。
San Jidōsha ni tsutomete imasu oshiete imasu

(3) 大学で （ けっこん しています・おしえています ）。
Daigaku de kekkon shite imasu oshiete imasu

(4) 私の 会社は 本を （ つとめています・うっています ）。
Watashi no kaisha wa hon o tsutomete imasu utte imasu

(5) サンジどうしゃは 車を （ 住んでいます・つくっています ）。
San Jidōsha wa kuruma o sunde imasu tsukutte imasu

4 Translate the English into Japanese.

(1) I live in Yokohama.

(2) My father works for ABC Bank.

(3) Mori-san is not married.

5 Listen to the conversation and mark the sentences as true (○) or false (×). SC-2

(See p. 3 for Casual Speech Style.)

(1) （　　） 太郎さんの お母さんは 大学で 英語を おしえています。
Tarō-san no okāsan wa daigaku de eigo o oshiete imasu.

(2) （　　） 太郎さんの お母さんは そうじ するのが 大好きです。
Tarō-san no okāsan wa sōji suru no ga daisuki desu.

名前 ______________________　　______ 年 ___ 月 ___ 日 ___ 曜日

セルフチェック Unit 15

1 Categorize the following verbs.

a. たべる *taberu*	b. よむ *yomu*	c. あける *akeru*	d. くる *kuru*	e. てつだう *tetsudau*
f. つける *tsukeru*	g. しめる *shimeru*	h. みせる *miseru*	i. まつ *matsu*	j. いそぐ *isogu*
k. する *suru*	l. つくる *tsukuru*	m. もってくる *motte kuru*	n. おしえる *oshieru*	o. かく *kaku*

▸ Group 1	▸ Group 2	▸ Group 3 (*Suru/Kuru* Verbs)
	Ex. a	

2 Change the verbs to the *te*-form.

Dictionary form	*Te*-form
▸ **Group 1**	
Ex. かう *kau*	かって *katte*
(1) てつだう *tetsudau*	
(2) まつ *matsu*	
(3) とる *toru*	
(4) きく *kiku*	
(5) いそぐ *isogu*	
(6) はなす *hanasu*	
(7) あそぶ *asobu*	
(8) のむ *nomu*	
(9) よむ *yomu*	
(10) いく *iku*	

Dictionary form	*Te*-form
▸ **Group 2**	
(11) おしえる *oshieru*	
(12) あける *akeru*	
(13) みせる *miseru*	
(14) ねる *neru*	
(15) みる *miru*	
(16) いる *iru*	
(17) おきる *okiru*	
▸ **Group 3**	
(18) する *suru*	
(19) くる *kuru*	
(20) もってくる *motte kuru*	

3 Complete each sentence using the *te*-form of the verb from the box.

~~くる~~	とる	かく	あける	まつ	つける
~~*kuru*~~	*toru*	*kaku*	*akeru*	*matsu*	*tsukeru*

Ex. すぐ ＿＿きて＿＿ ください。 (Please come quickly.)
Sugu kite kudasai.

(1) エアコンを ＿＿＿＿＿＿＿＿ ください。 (Please turn on the air conditioner.)
Eakon o kudasai.

(2) しゃしんを ＿＿＿＿＿＿＿＿ ください。 (Please take a picture.)
Shashin o kudasai.

(3) 漢字(かんじ)を ＿＿＿＿＿＿＿＿ ください。 (Please write kanji.)
Kanji o kudasai.

(4) ドアを ＿＿＿＿＿＿＿＿ くださいませんか。 (Could you please open the door?)
Doa o kudasaimasen ka.

(5) その バス、＿＿＿＿＿＿＿＿！ (That bus, wait!) [*urgent*]
Sono basu,

4 Translate the English into Japanese.

(1) You are not allowed to come to class late.

(2) You are allowed to take a picture here.

(3) I am writing kanji now.

5 Listen to the conversation and mark the sentences as true (○) or false (×).

(See p. 3 for Casual Speech Style.) (1) **SC-3** (2) **SC-4**

(1) a. (　　) 花子(はなこ)さんは 今(いま) いそがしいです。
Hanako-san wa ima isogashii desu.

b. (　　) 花子さんは テレビを 見(み)ています。
Hanako-san wa terebi o mite imasu.

(2) a. (　　) ペンさんは 日本語(にほんご)の クラスで 英語(えいご)を 話(はな)しても いいです。
Pen-san wa Nihon-go no kurasu de eigo o hanashitemo ii desu.

b. (　　) ペンさんは 日本語の クラスを 休(やす)んでは いけません。
Pen-san wa Nihon-go no kurasu o yasundewa ikemasen.

名前 ______________________　　______ 年 ___ 月 ___ 日 ___ 曜日

セルフチェック Unit 16

1 Change the verbs to the dictionary form and *te*-from.

Masu-form	Dictionary form	*Te*-form
Ex. とります *torimasu*	とる *toru*	とって *totte*
(1) つけます *tsukemasu*		
(2) みます *mimasu*		
(3) します *shimasu*		
(4) たべます *tabemasu*		
(5) およぎます *oyogimasu*		

Masu-form	Dictionary form	*Te*-form
(6) よみます *yomimasu*		
(7) あいます *aimasu*		
(8) あそびます *asobimasu*		
(9) みせます *misemasu*		
(10) つくります *tsukurimasu*		
(11) きます (come) *kimasu*		

2 Look at the pictures and complete the sentences.

Ex.

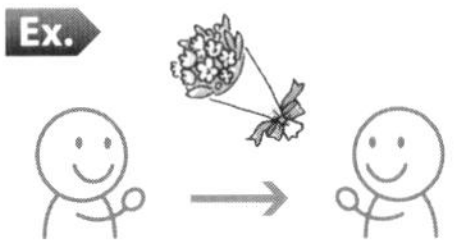

私(わたし) *watashi*　　母(はは) *haha*

私(わたし)は 母(はは)に ______ はなを あげました ______。
Watashi wa haha ni　*hana o*　*agemashita.*
(give)

(1)

私 *watashi*　　母 *haha*

私は 母に ______________________。
Watashi wa haha ni　(receive)

(2)

私 *watashi*　　友(とも)だち *tomodachi*

私は 友(とも)だちに ______________________。
Watashi wa tomodachi ni　(borrow [*with gratitude*])

(3)

Japanese

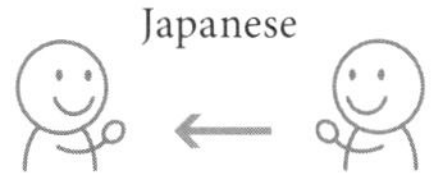

私 *watashi*　　会社(かいしゃ)の人(ひと) *kaisha no hito*

私は 会社(かいしゃ)の人(ひと)に ______________________。
Watashi wa kaisha no hito ni　(be taught [*with gratitude*])

3 Put the words in the proper order.

Ex. (母(はは) ／ に ／ を ／ あげました ／ はな)
haha ni o agemashita hana

→ 母に はなを あげました。
Haha ni hana o agemashita.

(1) (森(もり)さん ／ に ／ を ／ あげました ／ 英語(えいご) ／ の ／ 本(ほん))
Mori-san ni o agemashita eigo no hon

→

(2) (カメラ／ 鈴木(すずき)さん ／ を ／ に ／ かしてもらいました ／ きのう)
kamera Suzuki-san o ni kashite moraimashita kinō

→

(3) (もらいました ／ たんじょう日(び) ／ に ／ に ／ を ／ 田中(たなか)さん ／ ワイン)
moraimashita tanjōbi ni ni o Tanaka-san wain

→

(4) (に ／ を ／ おしえてもらいました ／ 母 ／ りょうり)
ni o oshiete moraimashita haha ryōri

→

4 Translate the English into Japanese.

(1) Is it OK if I borrow this umbrella? (lit., Please lend me an umbrella. Is it OK?)

(2) Q: Why? — A: Because I don't like (it).

(3) Thank you for the flowers yesterday. [*polite*]

5 Listen to the conversation and mark the sentences as true (○) or false (×). SC-5

(See p. 3 for Casual Speech Style.)

(1) (　　) 森さんは ペンさんに かさを かしてもらいました。
Mori-san wa Pen-san ni kasa o kashite moraimashita.

(2) (　　) 森さんは ペンさんに あした かさを かえします。
Mori-san wa Pen-san ni ashita kasa o kaeshimasu.

名前 ______________________ ________ 年 ___ 月 ___ 日 ___ 曜日

セルフチェック Unit 17

1 Look at the ads and circle the correct words in the parentheses.

SUN SUPERMARKET

りんご
ringo
¥120

バナナ
banana
¥298

オレンジ
orenji
¥198

ぶどう
budō
¥398

ウイスキー
uisukī
¥2,800

ワイン
wain
¥2,500

さけ
sake
¥1,800

SUN COMPUTER

トミー
Tomī
(2010 年(ねん)モデル)
(2010-nen moderu)
1.2kg / ¥112,900

フジ
Fuji
(2015 年モデル)
(2015-nen moderu)
1.8kg / ¥109,800

Ex. りんごは　バナナより　（ 安(やす)いです ・ 高(たか)いです ）。
Ringo wa　banana yori　yasui desu　takai desu
(安いです is circled in the example.)

(1) バナナは　ぶどうより　（ 安いです ・ 高いです ）。
Banana wa　budō yori　yasui desu　takai desu

(2) ぶどうは　オレンジより　（ 安いです ・ 高いです ）。
Budō wa　orenji yori　yasui desu　takai desu

(3) ウイスキーは　さけより　（ 安いです ・ 高いです ）。
Uisukī wa　sake yori　yasui desu　takai desu

(4) さけは　ワインより　（ 安いです ・ 高いです ）。
Sake wa　wain yori　yasui desu　takai desu

(5) トミーの　パソコンは　フジの　パソコンより　（ おもいです ・ かるいです ）。
Tomī no　pasokon wa　Fuji no　pasokon yori　omoi desu　karui desu

(6) トミーの　パソコンは　フジの　パソコンより　（ あたらしいです ・ ふるいです ）。
Tomī no　pasokon wa　Fuji no　pasokon yori　atarashii desu　furui desu

名前 ________________ ______年 ___月 ___日 ___曜日

2 Count the following things as in the example.

Ex.	(1)	(2)	(3)	(4)

(みっつ) *mittsu*	( )	( )	( )	( )

3 Complete the sentences using appropriate adjectives.

Ex. 東京(とうきょう)は 人口(じんこう)が ___多(おお)いです___ 。 (Tokyo has a large population.)
Tōkyō wa jinkō ga ooi desu

(1) 日本(にほん)は 雨(あめ)が ________________ 。 (There is a lot of rain in Japan.)
Nihon wa ame ga

(2) 東京は ゆきが ________________ 。 (There is little snow in Tokyo.)
Tōkyō wa yuki ga

(3) 私(わたし)の 国(くに)は 人口が ________________ 。 (My country has a small population.)
Watashi no kuni wa jinkō ga

(4) 京都(きょうと)は おてらが ________________ 。 (Kyoto has a lot of temples.)
Kyōto wa o-tera ga

4 Translate the English into Japanese.

(1) America is bigger than Japan.

(2) Hokkaido is colder than Tokyo.

(3) Chile has a smaller population than Japan.

名前 ______________________　　　　______年 ___月 ___日 ___曜日

セルフチェック Unit 18

1 Categorize the following verbs.

a. たべる *taberu*	b. おぼえる *oboeru*	c. いる (be; stay) *iru*	d. およぐ *oyogu*	e. つける *tsukeru*
f. のる *noru*	g. よむ *yomu*	h. とめる *tomeru*	i. つくる *tsukuru*	j. きる (cut) *kiru*
k. わすれる *wasureru*	l. はなす *hanasu*	m. もってくる *motte kuru*	n. おくる *okuru*	o. はいる *hairu*

↓

Group 1	Group 2	Group 3 (*Suru/Kuru* Verbs)
	Ex. a	

2 Change the verbs to the potential form.

Dictionary form	Potential form
Group 1	
Ex. かく *kaku*	かけます *kakemasu*
(1) あう *au*	
(2) つかう *tsukau*	
(3) いく *iku*	
(4) およぐ *oyogu*	
(5) はなす *hanasu*	
(6) まつ *matsu*	
(7) あそぶ *asobu*	
(8) よむ *yomu*	
(9) のる *noru*	
(10) つくる *tsukuru*	

Dictionary form	Potential form
Group 2	
(11) たべる *taberu*	
(12) ねる *neru*	
(13) おぼえる *oboeru*	
(14) わすれる *wasureru*	
(15) みる *miru*	
(16) おきる *okiru*	
Group 3	
(17) する *suru*	
(18) よやく する *yoyaku suru*	
(19) くる *kuru*	
(20) もってくる *motte kuru*	

名前＿＿＿＿＿＿＿＿＿＿＿＿＿＿＿＿＿＿＿＿　　＿＿＿＿＿＿年 ＿＿月 ＿＿日 ＿＿曜日

3 Make sentences.

Ex. なっとうを　食(た)べます。 → <u>なっとうが　食べられます。</u>
Nattō o　tabemasu. → *Nattō ga　taberaremasu.*

(1) パソコンで　えいがを　見(み)ます。
Pasokon de　eiga o　mimasu.

→

(2) コンビニで　コピーを　します。
Konbini de　kopī o　shimasu.

→

(3) 日本語(にほんご)で　メールを　書(か)きます。
Nihon-go de　mēru o　kakimasu.

→

(4) 日本りょうりを　つくります。
Nihon-ryōri o　tsukurimasu.

→

(5) あまり　おさけを　飲(の)みません。
Amari　o-sake o　nomimasen.

→

4 Translate the English into Japanese.

(1) Pen-san can speak Japanese.

(2) You can buy green tea at convenience stores.

(3) I cannot come to class tomorrow.

5 Listen to the conversation and mark the sentences as true (○) or false (×). SC-6

(See p. 4 for Casual Speech Style.)

(1) (　　) 花子(はなこ)さんの　スマホで　おもしろい　しゃしんが　とれます。
Hanako-san no　sumaho de　omoshiroi　shashin ga　toremasu.

(2) (　　) 花子さんの　スマホで　えいがは　つくれません。
Hanako-san no　sumaho de　eiga wa　tsukuremasen.

名前 ____________________　　　　　____ 年 ____ 月 ____ 日 ____ 曜日

セルフチェック Unit 19

1 Complete the chart.

	Potential form
▸ **Group 1**	
(1) can speak	
(2) can swim	
(3) can write	
(4) can use	
(5) can go	
(6) can buy	
▸ **Group 2**	
(7) can eat	
(8) can memorize	

	Potential form
(9) can forget	
(10) can teach	
(11) can get up	
(12) can see	
▸ **Group 3** (*Suru/Kuru* Verbs)	
(13) can do	
(14) can play soccer	
(15) can come	
(16) can bring	

2 Circle the correct words in the parentheses.

Ex. Q: これは　（　どこ　・（なん）・　いつ　）ですか。
Kore wa　doko　nan　itsu　desu ka.

A: とけいです。
Tokei desu.

(1) Q: うみと　山（やま）、（　どこ　・　どれ　・　どちら　）が　いいですか。
Umi to　yama,　doko　dore　dochira　ga　ii desu ka.

A: うみの　ほうが　いいです。
Umi no　hō ga　ii desu.

(2) Q: 北海道（ほっかいどう）に　行（い）きたいんですが、（　どこ　・　なん　・　いつ　）が　いちばん　いいですか。
Hokkaidō ni　ikitai-n-desu ga,　doko　nan　itsu　ga　ichiban　ii desu ka.

A: なつが　いちばん　いいですよ。
Natsu ga　ichiban　ii desu yo.

(3) Q: 日光（にっこう）は　（　どこ　・　どれ　・　どんな　）ところですか。
Nikkō wa　doko　dore　don'na　tokoro desu ka.

A: おもしろい　ところです。
Omoshiroi　tokoro desu.

名前＿＿＿＿＿＿＿＿＿＿＿＿＿＿＿＿＿＿＿＿　　＿＿＿＿＿年 ＿＿月 ＿＿日 ＿＿曜日

3 Complete each sentence using the potential form of the verb from the box.

~~する~~ ~~suru~~	とる toru	たべる taberu	かう kau	およぐ oyogu	みる miru

Ex. Q: 沖縄(おきなわ)で 何(なに)が できますか。
Okinawa de nani ga dekimasu ka.

A: マリンスポーツが ＿＿できます＿＿。(You can do marine sports.)
Marin supōtsu ga　dekimasu

(1) A: きれいな さかなが ＿＿＿＿＿＿＿＿＿＿。(You can see pretty fish.)
Kireina　sakana ga

(2) A: うみで ＿＿＿＿＿＿＿＿＿＿。(You can swim in the ocean.)
Umi de

(3) A: おいしい フルーツが ＿＿＿＿＿＿＿＿＿＿。(You can eat tasty fruits.)
Oishii　furūtsu ga

(4) A: めずらしい おみやげが ＿＿＿＿＿＿＿＿＿＿。(You can buy rare souvenirs.)
Mezurashii　o-miyage ga

(5) A: きれいな しゃしんが ＿＿＿＿＿＿＿＿＿＿。(You can take beautiful pictures.)
Kireina　shashin ga

4 Translate the English into Japanese.

(1) Which one is the best?

(2) We can see Mt. Fuji from the window. (lit., Mt. Fuji is visible from the window.)

5 Listen to the conversation and mark the sentences as true (○) or false (×). SC-7

(See p. 4 for Casual Speech Style.)

(1) (　　) 下田(しもだ) (place name) は 山(やま)と うみが あります。
Shimoda　wa　yama to　umi ga　arimasu.

(2) (　　) 下田で おいしい さかなが 食(た)べられます。
Shimoda de oishii　sakana ga　taberaremasu.

名前 ________________ ________ 年 ___ 月 ___ 日 ___ 曜日

セルフチェック Unit 20

1 Categorize the following verbs.

a. たべる *taberu*	b. くる *kuru*	c. つける *tsukeru*	d. およぐ *oyogu*	e. しんぱい する *shinpai suru*
f. とめる *tomeru*	g. よむ *yomu*	h. みる *miru*	i. あける *akeru*	j. きる (cut) *kiru*
k. わすれる *wasureru*	l. すてる *suteru*	m. はいる *hairu*	n. おくれる *okureru*	o. もってくる *motte kuru*

↓

Group 1	Group 2	Group 3 (*Suru/Kuru* Verbs)
	Ex. a	

2 Change the verbs to *nai*-form.

Dictionary form	*Nai*-form
Group 1	
Ex. かく *kaku*	かかない *kakanai*
(1) かう *kau*	
(2) いう *iu*	
(3) なく *naku*	
(4) はなす *hanasu*	
(5) まつ *matsu*	
(6) あそぶ *asobu*	
(7) のむ *nomu*	
(8) はいる *hairu*	
(9) おこる *okoru*	
(10) ある *aru*	

Dictionary form	*Nai*-form
Group 2	
(11) たべる *taberu*	
(12) ねる *neru*	
(13) わすれる *wasureru*	
(14) おくれる *okureru*	
(15) すてる *suteru*	
(16) みる *miru*	
Group 3	
(17) する *suru*	
(18) しんぱい する *shinpai suru*	
(19) くる *kuru*	
(20) もってくる *motte kuru*	

3 Describe the pictures.

Ex.

→ 食べないでください。
Tabenaide kudasai.

Don't eat

(1)

Don't open

(2)

Don't worry

(3)

Don't push

(4)

Don't say/tell

(5)

Don't come

(1) ______________________________

(2) ______________________________

(3) ______________________________

(4) ______________________________

(5) ______________________________

4 Translate the English into Japanese.

(1) I have to go to the hospital.

(2) I don't have to work tomorrow.

(3) A: I'm sorry for yesterday. — B: Please don't worry about it so much.

5 Listen to the conversation and mark the sentences as true (○) or false (×). SC-8

(See p. 4 for Casual Speech Style.)

(1) (　　) 花子さんは　おこっていません。
Hanako-san wa　okotte imasen.

(2) (　　) 太郎さんは　なきたいです。
Tarō-san wa　nakitai desu.

セルフチェック Unit 21

1 Complete the chart.

Dictionary form	*Te*-form	*Ta*-form	*Nai*-form
Group 1			
Ex. あう *au*	あって *atte*	あった *atta*	あわない *awanai*
(1) つかう *tsukau*			
(2) きく *kiku*			
(3) もっていく *motte iku*			
(4) はなす *hanasu*			
(5) あそぶ *asobu*			
(6) よむ *yomu*			
(7) のる *noru*			
(8) のぼる *noboru*			
Group 2			
(9) おしえる *oshieru*			
(10) あける *akeru*			
(11) つかれる *tsukareru*			
(12) ねる *neru*			
(13) みる *miru*			
(14) いる *iru*			
Group 3			
(15) がっかりする *gakkari suru*			
(16) びっくりする *bikkuri suru*			
(17) もってくる *motte kuru*			

2 Complete the sentences using the words in the parentheses.

Ex. （かいぎです ➔） かいぎの とき、パソコンを つかいます。
kaigi desu *Kaigi no* *toki,* *pasokon o* *tsukaimasu.*

(1) （りょこうです ➔）＿＿＿＿＿＿＿＿ とき、カメラを もっていきます。
ryokō desu *toki,* *kamera o* *motte ikimasu.*

(2) （パーティーです ➔）＿＿＿＿＿＿＿＿ とき、ダンスを します。
pātī desu *toki,* *dansu o* *shimasu.*

(3) （あついです ➔）＿＿＿＿＿＿＿＿ とき、エアコンを つけます。
atsui desu *toki,* *eakon o* *tsukemasu.*

(4) （ねむいです ➔）＿＿＿＿＿＿＿＿ とき、コーヒーを 飲(の)みます。
nemui desu *toki,* *kōhī o* *nomimasu.*

(5) （ひまです ➔）＿＿＿＿＿＿＿＿ とき、DVD を 見(み)ます。
hima desu *toki,* *dībuidī o* *mimasu.*

(6) （子(こ)どもでした ➔）＿＿＿＿＿＿＿＿ とき、よく うみで およぎました。
kodomo deshita *toki,* *yoku* *umi de* *oyogimashita.*

3 Translate the English into Japanese.

(1) Have you ever seen a ghost?

(2) I have never played golf.

(3) When I was a student, I drank beer for the first time.

4 Listen to the conversation and mark the sentences as true (○) or false (×). SC-9

(See p. 4 for Casual Speech Style.)

(1) (　　) ペンさんは 子どもの とき、クラシックおんがく*を 毎日(まいにち) 聞(き)きました。
Pen-san wa *kodomo no* *toki,* *kurashikku ongaku* o* *mainichi kikimashita.*

(2) (　　) ペンさんは 子どもの とき、サッカーが 大好(だいす)きでした。
Pen-san wa *kodomo no* *toki,* *sakkā ga* *daisuki deshita.*

* *kurashikku ongaku*: classical music

セルフチェック Unit 22

1 Complete the chart with short forms.

	Affirmative	Past affirmative	Negative	Past negative
Ex. たべます tabemasu	たべる taberu	たべた tabeta	たべない tabenai	たべなかった tabenakatta
(1) かいます kaimasu				かわなかった kawanakatta
(2) いきます ikimasu	いく iku			
(3) かきます kakimasu				
(4) はなします hanashimasu		はなした hanashita		
(5) のみます nomimasu				
(6) とります torimasu				
(7) あります arimasu		あった atta		
(8) ねます nemasu				
(9) あけます akemasu				
(10) います imasu				いなかった inakatta
(11) します shimasu				
(12) きます kimasu				
(13) たかいです takai desu			たかくない takaku nai	
(14) おいしいです oishii desu		おいしかった oishikatta		
(15) ひまです hima desu				ひまじゃなかった hima ja nakatta
(16) まじめです majime desu		まじめだった majime datta		
(17) ほんとうです hontō desu				
(18) あめです ame desu	あめだ ame da			

名前 ____________________　　　　　　　　　　　　____年 ____月 ____日 ____曜日

2 Complete the sentences using the words in the parentheses.

Ex. この 人は （日本人です →） <u>日本人だ</u> と 思います。
Kono hito wa　Nihon-jin desu　Nihon-jin da　to　omoimasu.

(1) 日曜日 （ひまです →） ____________________ と 思います。
Nichi-yōbi　hima desu　to　omoimasu.

(2) この 話は （ほんとうじゃないです →） ____________________ と 思います。
Kono　hanashi wa　hontō ja nai desu　to　omoimasu.

(3) あしたは （さむいです →） ____________________ と 思います。
Ashita wa　samui desu　to　omoimasu.

(4) こんばん 雨が （ふります →） ____________________ と 思います。
Konban　ame ga　furimasu　to　omoimasu.

(5) 山田さんは （病気です →） ____________________ かもしれません。
Yamada-san wa　byōki desu　kamo shiremasen.

(6) かれは パーティーに （行きません →） ____________________ かもしれません。
Kare wa　pātī ni　ikimasen　kamo shiremasen.

3 Translate the English into Japanese.

(1) What do you think it is?

(2) It looks like fish.

(3) What do you think of this opinion?

4 Listen to the conversation and mark the sentences as true (○) or false (×). SC-10

(See p. 4 for Casual Speech Style.)

(1) (　　) 太郎さんは うちゅう人と 話しました。
Tarō-san wa　uchū-jin to　hanashimashita.

(2) (　　) 太郎さんは 花子さんと いっしょに 病院に 行きます。
Tarō-san wa　Hanako-san to　isshoni　byōin ni　ikimasu.

名前 ______________________　　　　______ 年 ___ 月 ___ 日 ___ 曜日

セルフチェック Unit 23

1 Complete the chart with short forms.

	Affirmative	Past affirmative	Negative	Past negative
Ex. たべます *tabemasu*	たべる *taberu*	たべた *tabeta*	たべない *tabenai*	たべなかった *tabenakatta*
(1) がんばります *ganbarimasu*				
(2) やめます *yamemasu*				
(3) こんでいます *konde imasu*				
(4) もらいます *moraimasu*				
(5) あがります *agarimasu*				
(6) そつぎょう します *sotsugyō shimasu*				
(7) きます (come) *kimasu*				

2 Complete the chart with ～ *tara*.

Ex. 日本人(にほんじん)です *Nihon-jin desu*	日本人だったら *Nihon-jin dattara*
(1) 雨(あめ)です *ame desu*	
(2) 日本人じゃないです *Nihon-jin ja nai desu*	
(3) べんりです *benri desu*	
(4) 元気(げんき)です *genki desu*	
(5) しずかじゃないです *shizuka ja nai desu*	
(6) 高(たか)いです *takai desu*	

(7) おもしろいです *omoshiroi desu*	
(8) 安(やす)くないです *yasuku nai desu*	
(9) もらいます *moraimasu*	
(10) 飲(の)みます *nomimasu*	
(11) 行(い)きます *ikimasu*	
(12) あります *arimasu*	
(13) ありません *arimasen*	

名前 ________________________　　　　　　　________ 年 ___ 月 ___ 日 ___ 曜日

3 Complete the sentences using the words in the parentheses.

Ex. 1,000万円（もらいます →）　もらったら　、車を 買います。
1,000man-en　moraimasu　morattara,　kuruma o kaimasu.

(1) あした（ひまです →）________________、買いものを します。
Ashita　hima desu　kaimono o　shimasu.

(2)（安いです →）________________、買います。
yasui desu　kaimasu.

(3) 日曜日（ひまじゃないです →）________________、
Nichi-yōbi　hima ja nai desu

えいがに 行きません。
eiga ni　ikimasen.

(4)（お金が ありません →）________________、何も 買えません。
o-kane ga　arimasen　nanimo　kaemasen.

(5) もし 今、（6さいの 子どもです →）________________、
Moshi ima,　6-sai no　kodomo desu

毎日 サッカーを したいです。
mainichi sakkā o　shitai desu.

(6)（そつぎょう できます →）________________、外国に 行きます。
sotsugyō　dekimasu　gaikoku ni　ikimasu.

4 Translate the English into Japanese.

(1) Would you like to go to the park tomorrow if the weather is fine?

(2) If I had lots of money, I would like to travel around the world.

(3) Even if it rains, I want to go.

5 Listen to the conversation and mark the sentences as true (○) or false (×). SC-11

(See p. 4 for Casual Speech Style.)

(1) (　　) ペンさんは ボーナスを もらったら、パソコンを 買います。
Pen-san wa　bōnasu o　morattara,　pasokon o　kaimasu.

(2) (　　) いもうとさんは ペンさんと いっしょに カラオケに 行きます。
Imōto-san wa　Pen-san to　isshoni　karaoke ni　ikimasu.

(3) (　　) いもうとさんは カラオケに 行ったことが あります。
Imōto-san wa　karaoke ni　itta koto ga　arimasu.

セルフチェック Unit 24

1 Make phrases using *narimasu.*

Ex. おいしいです → おいしく なります
oishii desu → *oishiku* *narimasu*

(1) 大(おお)きいです → ____________________
ookii desu

(2) さむいです → ____________________
samui desu

(3) おもしろいです → ____________________
omoshiroi desu

(4) いいです → ____________________
ii desu

(5) ひまです → ____________________
hima desu

(6) きれいです → ____________________
kirei desu

(7) 上手(じょうず)です → ____________________
jōzu desu

(8) 病気(びょうき)です → ____________________
byōki desu

(9) 60さいです → ____________________
60-sai desu

2 Complete the chart.

Dictionary form	Potential form	Potential short form
Ex. たべる *taberu*	たべられます *taberaremasu*	たべられる *taberareru*
(1) のる *noru*		
(2) はなす *hanasu*		
(3) おぼえる *oboeru*		
(4) する *suru*		
(5) くる *kuru*		

名前＿＿＿＿＿＿＿＿＿＿＿＿＿＿＿＿＿＿　　＿＿＿＿＿年＿＿月＿＿日＿＿曜日

3 Complete the sentences using the words in the parentheses.

Ex. そうじ　しました。（きれいです ➔）きれいに　なりました　。
Sōji shimashita. kirei desu Kirei ni narimashita.

(1) 3年前(ねんまえ)、日本(にほん)で　一人(ひとり)でした。毎日(まいにち)　さびしかったです。でも、今(いま)は　たくさん
3-nen mae, Nihon de hitori deshita. Mainichi sabishikatta desu. Demo, ima wa takusan

友(とも)だちが　います。ですから、（たのしいです ➔）＿＿＿＿＿＿＿＿＿＿＿＿＿＿。
tomodachi ga imasu. Desukara, tanoshii desu

(2) 子(こ)どもの　とき、ぜんぜん　およげませんでした。
Kodomo no toki, zenzen oyogemasendeshita.

でも、今は　（およぎます ➔）＿＿＿＿＿＿＿＿＿＿＿＿＿＿。
Demo, ima wa oyogimasu

(3) 1年前、漢字(かんじ)が　書(か)けませんでした。たくさん　べんきょうしました。
1-nen mae, kanji ga kakemasendeshita. Takusan benkyō shimashita.

今は　漢字が　ちょっと　（書きます ➔）＿＿＿＿＿＿＿＿＿＿＿＿＿＿。
Ima wa kanji ga chotto kakimasu

4 Translate the English into Japanese.

(1) Please try using this.

(2) Q: My Japanese has not become better. What should I do?

A: Why don't you watch Japanese movies as much as possible?

(3) Let's go at 12:00 (lit., Let's go when it becomes 12:00).

5 Listen to the conversation and mark the sentences as true (○) or false (×). SC-12

(See p. 4 for Casual Speech Style.)

(1) (　　) あしたの　かいぎで、ペンさんは　日本語(にほんご)の　プレゼンテーション*を
Ashita no kaigi de, Pen-san wa Nihon-go no purezentēshon o*

しなくちゃ　いけません。
shinakucha ikemasen.

* *purezentēshon:* presentation

(2) (　　) ペンさんは　あした　病気(びょうき)に　なります。
Pen-san wa ashita byōki ni narimasu.

漢字(かんじ)ドリル (Kanji Drills)

▶ だいじょうぶ 漢字(かんじ)リスト

はじめに	月 火 水 木 金 土 日 一 二 三 四 五 六 七 八 九 十 百 千 万 円
Unit 13	子 好 本 人 大 休
Unit 14	私 住 女 男 何 年
Unit 15	行 読 聞 見 来 言
Unit 16	会 社 週 今 先 雨
Unit 17	東 西 南 北 国 小
Unit 18	話 食 買 飲 電 車
Unit 19	上 下 中 入 毎 町
Unit 20	開 閉 語 気 学 生
Unit 21	思 出 高 校 外 駅
Unit 22	多 少 左 右 時 間
Unit 23	母 父 安 書 名 天
Unit 24	午 後 前 半 友 元

はじめに

■どれですか。

Ex.	①	②	③	④	⑤	⑥

(b)	(　)	(　)	(　)	(　)	(　)	(　)
月	火	水	木	金	土	日

■ 一週間(いっしゅうかん) (A week)

月	月曜＊日 (げつようび) Monday 一ヶ月 (いっかげつ) one month 一月 (いちがつ) January 毎月 (まいつき) every month	火	火曜＊日 (かようび) Tuesday 火 (ひ) fire
げつ がつ つき　　丿 几 月 月		か ひ　　　　　丶 ソ 火	

水	水曜＊日 (すいようび) Wednesday 水 (みず) water	木	木曜＊日 (もくようび) Thursday 木 (き) tree
すい みず　　丨 ⺡ 氵 水		もく き　　　一 十 才 木	

金	金曜＊日 (きんようび) Friday お金 (おかね) money	土	土曜＊日 (どようび) Saturday 土 (つち) soil
きん かね　　ノ 人 合 全 全 金 金		ど つち　　　一 十 土	

日	日曜＊日 (にちようび) Sunday　　日本 (にほん／にっぽん) Japan こどもの日 (こどものひ) Children's Day　　三日 (みっか) three days
にち に にっ ひ び か　　丨 冂 日 日	

■ 書(か)き順(じゅん)のルール (Basic rules of stroke order)

① 左(ひだり)から 右(みぎ) (from left to right)	一　川　人
② 上(うえ)から 下(した) (from top to bottom)	三　言
③ よこから たて (first horizontally, then vertically)	十　千
④ 中(なか)から 左(ひだり)右(みぎ) (middle first, then left and right)	小　山　水
⑤ 外(そと)から 中(なか) (outside first, then inside)	四　日　円

かず (Numbers)

一
- 一 (いち) one
- 一時 (いちじ) one o'clock
- 一つ (ひとつ) one (thing)

いち ひと | 一

二
- 二 (に) two
- 二つ (ふたつ) two (things)
- 二人 (ふたり) two people

に ふた | 一 二

三
- 三 (さん) three
- 三時 (さんじ) three o'clock
- 三つ (みっつ) three (things)

さん みっ | 一 二 三

四
- 四 (よん／し) four
- 四人 (よにん) four people
- 四、五人 (しごにん) four or five people
- 四つ (よっつ) four (things)

よん し よ よっ | 丨 冂 四 四 四

五
- 五 (ご) five
- 五円 (ごえん) five yen
- 五つ (いつつ) five (things)

ご いつ | 一 丆 五 五

六
- 六 (ろく) six
- 六人 (ろくにん) six people
- 六つ (むっつ) six (things)

ろく むっ | 丶 亠 六 六

七
- 七 (しち／なな) seven
- 七月 (しちがつ) July
- 七つ (ななつ) seven (things)

しち なな | 一 七

八
- 八 (はち) eight
- 八百 (はっぴゃく) eight hundred
- 八つ (やっつ) eight (things)

はち はっ やっ | 丿 八

九
- 九 (きゅう／く) nine
- 九月 (くがつ) September
- 九つ (ここのつ) nine (things)

きゅう く ここの | 丿 九

十
- 十 (じゅう) ten
- 十 (とお) ten (things)
- 十五 (じゅうご) fifteen

じゅう とお | 一 十

百
- 百 (ひゃく) hundred
- 三百 (さんびゃく) three hundred
- 八百 (はっぴゃく) eight hundred

ひゃく びゃく ぴゃく | 一 丆 丆 百 百 百

千
- 千 (せん) thousand
- 二千 (にせん) two thousand

せん | 丿 二 千

万
- 一万 (いちまん) ten thousand
- 百万 (ひゃくまん) one million

まん | 一 丂 万

円
- 百円 (ひゃくえん) one hundred yen
- 千円 (せんえん) one thousand yen

えん | 丨 冂 円 円

ことわざ (Proverbs)

石(いし)の 上(うえ)にも 三年(さんねん) Perseverance will win in the end.

一石(いっせき) 二鳥(にちょう) Kill two birds with one stone.

十人(じゅうにん) 十色(といろ) So many men, so many minds.

漢字(かんじ)ドリル Unit 13

子	子ども（こども）child 女の子（おんなのこ）girl
こ	㇖ 了 子

好	好きな（すきな）to like
す	ㄑ 夊 女 女ʼ 好 好

本	本（ほん）book 日本（にほん／にっぽん）Japan
ほん　ぽん	一 十 才 木 本

人	三人（さんにん）three people 日本人（にほんじん）Japanese people 人（ひと）person
にん　じん　ひと	ノ 人

大	大きい（おおきい）big 大好きな（だいすきな）to love
おお　だい	一 ナ 大

休	休む（やすむ）to be absent; to rest 休み（やすみ）holiday; absence
やす	ノ イ 仁 什 付 休

1 どれですか。

Ex.（ f ）おおきい　❶（　）ほん　❷（　）こども

❸（　）にほんじん　❹（　）だいすき　❺（　）やすみ

a. 休み　b. 本　c. 大好き
d. 日本人　e. 子ども　f. 大きい

2 書(か)いてください。

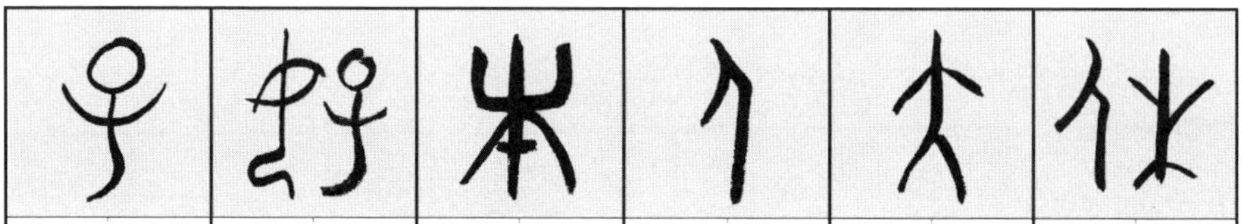

子	好	本	人	大	休

漢字(かんじ)ドリル　Unit 13

3 読(よ)んでください。

Ex. 大きい　かばん
おお

❶ 本を　読(よ)むのが　大好きです。

❷ しんせつな　人です。

❸ 子どもが　三人　います。

❹ 日本人と　話(はな)すのが　好きです。

❺ Q: 休みは　いつですか。

A: 水曜(よう)日と　日曜(よう)日です。

漢字(かんじ) クロスワードパズル (漢字を　書(か)いてください)

! ヒント Hints

① summer vacation

② lunch time

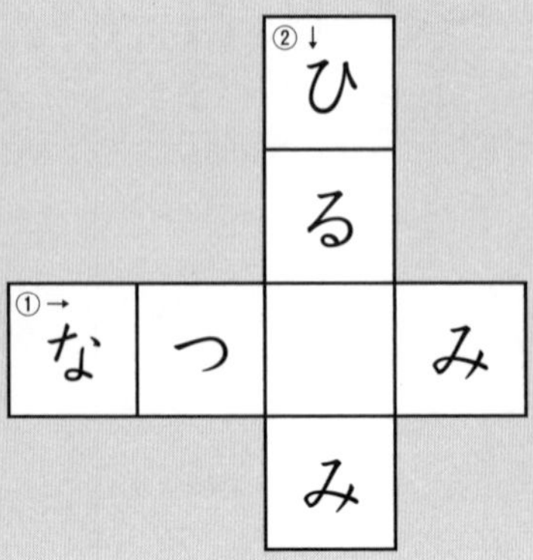

漢字(かんじ)ドリル Unit 14

私	私（わたし） I	住	住んでいる（すんでいる） to live
わたし	一 二 千 矛 禾 私 私	す	ノ 亻 亻 仁 仹 住 住
女	女の人（おんなのひと） woman 女の子（おんなのこ） girl 女（おんな） woman	男	男の人（おとこのひと） man 男の子（おとこのこ） boy 男（おとこ） man
おんな	𡿨 女 女	おとこ	丨 口 田 田 田 男 男
何	何（なに／なん） what 何人（なんにん） how many people	年	三年（さんねん） three years 来年（らいねん） next year 今年（ことし） this year
なに なん	ノ 亻 亻 仁 何 何 何	ねん とし	ノ 𠂉 仁 仁 匚 年

1 どれですか。

❶（　　）わたし　❷（　　）ことし　❸（　　）なんにん

❹（　　）すんでいる　❺（　　）おんなのひと　❻（　　）おとこのこ

a. 何人　b. 男の子　c. 女の人

d. 住んでいる　e. 私　f. 今年

2 書(か)いてください。

私	私				住	住			
女	女				男	男			
何	何				年	年			

漢字ドリル　Unit 14

3 読んでください。

❶ 私は　りょこうが　好きです。

❷ Q: ごかぞくは　何人ですか。

A: 四人です。

❸ 子どもは　男の子と　女の子です。

❹ コンビニで　何を　うっていますか。

❺ Q: 日本に　何年　住んでいますか。

A: 三年　住んでいます。

ことわざ (Proverbs)

住めば　都　Home is where you make it.

漢字ドリル Unit 15

行	行く（いく）to go 銀*行（ぎんこう）bank	いこう
読	読む（よむ）to read	よ
聞	聞く（きく）to listen 新*聞（しんぶん）newspaper	きぶん
見	見る（みる）to see 見せる（みせる）to show	み
来	来ます（きます）to come 来る（くる）to come 来ない（こない）not come 来月（らいげつ）next month	きくこらい
言	言う（いう）to say	い

1 どれですか。

❶（　　）いく　❷（　　）くる　❸（　　）きく

❹（　　）よむ　❺（　　）いう　❻（　　）みる

a. 来る　b. 読む　c. 言う

d. 行く　e. 見る　f. 聞く

2 書いてください。

行	行				読	読			
聞	聞				見	見			
来	来				言	言			

名前＿＿＿＿＿＿＿＿＿＿＿＿＿＿＿＿＿＿＿＿＿＿＿＿＿＿＿＿＿＿＿＿＿　　＿＿＿＿＿＿＿＿年 ＿＿月 ＿＿日 ＿＿曜日

漢字(かんじ)ドリル　Unit 15

3 読んでください。

❶ たいへんです。すぐ 来てください。

❷ すみません。もういちど 言ってください。

❸ 銀行(ぎんこう)に 行ってください。

❹ おもしろそうですね。読んでも いいですか。

❺ 今(いま)、CD を 聞いています。

❻ 何を 見ていますか。私にも 見せてください。

ことわざ (Proverbs)

一(いち)を 聞(き)いて 十(じゅう)を 知(し)る　A word to the wise is enough.

名前 ________________ ________ 年 ___ 月 ___ 日 ___ 曜日

漢字ドリル Unit 16

漢字	例	読み	筆順
会	会う（あう）to meet 会議*（かいぎ）meeting	あ かい	ノ 人 𠆢 亼 会 会
社	会社（かいしゃ）company	しゃ	` ラ ネ ネ ネ一 社 社
週	週（しゅう）week 一週間（いっしゅうかん）one week 来週（らいしゅう）next week	しゅう	丿 冂 月 円 用 周 周 周 凋 週
今	今（いま）now 今月（こんげつ）this month 今週（こんしゅう）this week	いま こん	ノ 人 𠆢 今
先	先週（せんしゅう）last week 先月（せんげつ）last month	せん	ノ 𠂉 牛 生 先 先
雨	雨（あめ）rain	あめ	一 𠀆 冂 币 币 雨 雨 雨

1 どれですか。

❶（　　）せんげつ　❷（　　）あめ　❸（　　）せんしゅう

❹（　　）こんしゅう　❺（　　）いま　❻（　　）かいしゃ

a. 会社　b. 今週　c. 雨

d. 先月　e. 先週　f. 今

2 書いてください。

会	会			
週	週			
先	先			

社	社			
今	今			
雨	雨			

漢字（かんじ）ドリル Unit 16

3 読んでください。

❶ きのうは 雨でした。

❷ 会社の 人に かさを かしてもらいました。

❸ 先月 日本に 来ました。

❹ 今月 休みが ありません。

❺ 先週 おもしろい 本を 読みました。

❻ 一週間（かん）は 何日ですか。

どれですか。

(1) one hundred people （ 十人　百人　千人 ）

(2) this week （ 先週　今週　来週 ）

(3) boy （ 女の子　男の人　男の子 ）

漢字(かんじ)ドリル Unit 17

東	東（ひがし）east 東口（ひがしぐち）east exit 東京*（とうきょう）Tokyo	ひがし　とう
西	西（にし）west 西口（にしぐち）west exit	にし
南	南（みなみ）south 南口（みなみぐち）south exit 東南アジア（とうなんアジア）Southeast Asia	みなみ　なん
北	北（きた）north 北口（きたぐち）north exit	きた
国	国（くに）country 外国（がいこく）foreign country 中国（ちゅうごく）China	くに　こく　ごく
小	小さい（ちいさい）small 小学校（しょうがっこう）elementary school	ちい　しょう

1 どれですか。

❶（　　）くに　❷（　　）ひがし　❸（　　）にし

❹（　　）ちいさい　❺（　　）きた　❻（　　）みなみ

a. 北　b. 南　c. 東
d. 西　e. 国　f. 小さい

2 書(か)いてください。

東	東			
南	南			
国	国			
西	西			
北	北			
小	小			

名前＿＿＿＿＿＿＿＿＿＿＿＿＿＿＿＿　　　　＿＿＿＿＿年＿＿月＿＿日＿＿曜日

漢字(かんじ)ドリル　Unit 17

3 読んでください。

❶ 私の　国は　東アジアに　あります。

❷ 日本より　小さいです。

❸ 南の　国は　あついです。 北の　国は　さむいです。

❹ 東京(きょう)は　日本の　しゅとです。

❺ ゆうがた　西の　空(そら) (sky) は　きれいです。

❻ ペンさんは　南十字星(じゅうじせい) (the Southern Cross) が　大好きです。

南の　空(そら)を　見ています。

漢字(かんじ) クロスワードパズル (漢字を　書(か)いてください)

! ヒント Hints

① 火よう日の　つぎの　日です。
② 会社は　休みです。
③ 木よう日の　つぎの　日です。
④ ¥、$、₣、£……

①→	よ	う	②↓
			よ
④↓ お			う
③→	よ	う	

漢字ドリル Unit 18

漢字	言葉	読み
話	話す（はなす）to speak 話（はなし）talk 電話（でんわ）telephone	はな　はなし　わ
食	食べる（たべる）to eat 食べ物*（たべもの）food	た
買	買う（かう）to buy 買い物*（かいもの）shopping	か
飲	飲む（のむ）to drink	の
電	電気（でんき）electricity 電車（でんしゃ）train	でん
車	車（くるま）car 自*転*車（じてんしゃ）bicycle	くるま　しゃ

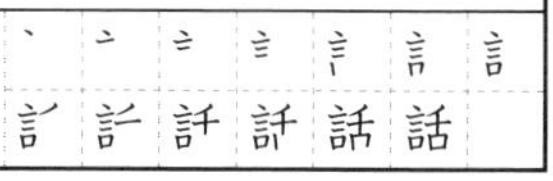

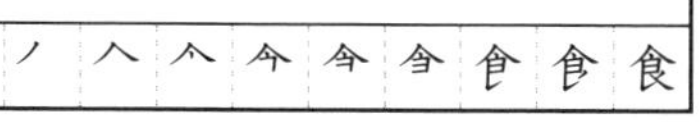

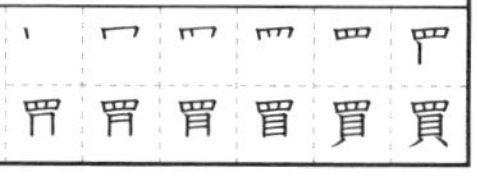

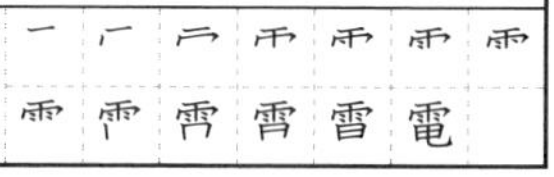

1 どれですか。

❶（　　）はなす　❷（　　）かう　❸（　　）でんしゃ

❹（　　）でんわ　❺（　　）たべる　❻（　　）のむ

a. 買う　b. 飲む　c. 電話

d. 話す　e. 電車　f. 食べる

2 書いてください。

話	話						食	食						
買	買						飲	飲						
電	電						車	車						

名前＿＿＿＿＿＿＿＿＿＿＿＿＿＿＿＿＿＿＿＿　　＿＿＿＿＿年＿＿月＿＿日＿＿曜日

漢字(かんじ)ドリル　Unit 18

3 読んでください。

❶ ペンさんは　英語(えいご)が　話せます。

❷ 日本語(ご)で　電話が　できます。

❸ ここに　車が　とめられますか。

❹ 電車の　中(なか)で　コーヒーを　飲んでも　いいですか。

❺ Q: それ、いいですね。五百円で　買えますか。

A: ええ、三百円ですよ。

❻ なっとうが　食べられますか。

いざかやのメニュー（読んでください）

生(なま)ビール	六百円
まぐろ　さしみ	千円
おとうふ	五百円
えだまめ	三百五十円
きょうの　おすすめ	九百円

いざかや「ぺん」

八月十三日から
八月十五日まで　休みます
いざかや「ぺん」

名前＿＿＿＿＿＿＿＿　　＿＿年＿＿月＿＿日＿＿曜日

漢字（かんじ）ドリル　Unit 19

上	上（うえ）top; above; up 上手*な（じょうずな）good at 上がる（あがる）rise; go up	うえ　じょう　あ　丨 ⺊ 上
下	下（した）bottom; below; under 地*下鉄*（ちかてつ）subway	した　か　一 丅 下
中	中（なか）inside 中国（ちゅうごく）China	なか　ちゅう　丶 ロ ロ 中
入	入る（はいる）to enter 入れる（いれる）to put something in 入り口／入口（いりぐち）entrance	はい　い　ノ 入
毎	毎日（まいにち）every day 毎週（まいしゅう）every week	まい　ノ 𠂉 𠂉 勾 毎 毎
町	町（まち）town; city	まち　丨 冂 冋 田 田 田一 町

1 どれですか。

❶（　　）はいる　❷（　　）うえ　❸（　　）した

❹（　　）まいにち　❺（　　）なか　❻（　　）まち

a. 毎日　b. 入る　c. 中
d. 下　e. 町　f. 上

2 書（か）いてください。

上	上				
中	中				
毎	毎				
下	下				
入	入				
町	町				

漢字（かんじ）ドリル　Unit 19

3 読んでください。

❶ あなたの 国で いちばん 大きい 町は どこですか。

❷ 毎日 おんせんに 入りたいです。

❸ 今、電車の 中です。電話が できません。

❹ 入口は あそこです。

❺ Q: どれが いいですか。

A: いちばん 上が いいです。

B: いちばん 下が いいです。

ことわざ (Proverbs)

上（うえ）には 上がある。 There is always someone better (worse).

どれですか。

(1) electric train　（ 電話　電気　電車 ）

(2) every week　（ 毎日　毎週　毎月 ）

(3) west exit　（ 東口　北口　西口 ）

名前＿＿＿＿＿＿＿＿　＿＿＿年＿＿月＿＿日＿＿曜日

漢字ドリル　Unit 20

漢字	語彙	読み	書き順
開	開ける（あける） to open	あ	丨 ｢ ｢ ｢ 門 門 門 門 門 閂 開 開
閉	閉める（しめる） to close; to shut	し	丨 ｢ ｢ ｢ 門 門 門 門 門 閉 閉
語	日本語（にほんご） Japanese language 英*語（えいご） English language	ご	丶 亠 亠 言 言 言 言 訂 訂 語 語 語 語 語
気	天気（てんき） weather 気もち（きもち） feeling 気に する（きに する） to mind; to worry	き	ノ 𠂉 气 気 気 気
学	大学（だいがく） university; college 学生（がくせい） student	がく	丶 丷 丷 ⺍ 𭕄 学 学 学
生	生まれる（うまれる） to be born 先生（せんせい） teacher	う　せい	ノ 𠂉 牛 牛 生

1 どれですか。

❶（　　）にほんご　❷（　　）あける　❸（　　）しめる

❹（　　）がくせい　❺（　　）せんせい　❻（　　）きに する

a. 気に する　b. 先生　c. 学生
d. 日本語　e. 閉める　f. 開ける

2 書いてください。

開	開			閉	閉		
語	語			気	気		
学	学			生	生		

漢字ドリル　Unit 20

3　読んでください。

❶ 私は　学生です。

❷ 私の　先生は　日本人です。

❸ 日本語を　話してください。

❹ すみません。まど (window) を　閉めてください。

❺ ドアを　開けないでください。

❻ だいじょうぶです。そんなに　気に　しないでください。

漢字　クロスワードパズル (漢字を　書いてください)

ヒント Hints

① this week
② last week
③ teacher
④ student

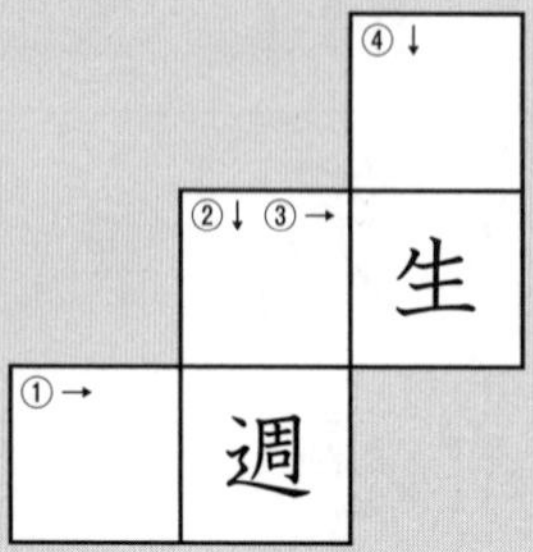

名前　　　　　　　　　　　　　　　　　　　　　　　　　　　　年　　月　　日　　曜日

漢字ドリル　Unit 21

思	思う（おもう）to think 思い出（おもいで）memory
おも	丿 口 m 田 田 思 思 思

出	出る（でる）to exit 出口（でぐち）exit
で	1 十 中 出 出

高	高い（たかい）high; expensive 高校（こうこう）high school
たか こう	亠 亠 产 产 声 声 高 高 高

校	学校（がっこう）school
こう	一 十 オ 木 木 ヤ ヤ 柠 校 校

外	外国（がいこく）foreign country 外国人（がいこくじん）foreigner 外（そと）outside
がい そと	ノ ク タ タ 外

駅	駅（えき）station 東京*駅（とうきょうえき）Tokyo Station
えき	1 Γ Γ Γ 厈 馬 馬 馬 馬 馬 駅 駅 駅

1 どれですか。

❶ (　　) たかい　　❷ (　　) でる　　❸ (　　) おもいで

❹ (　　) こうこう　　❺ (　　) がいこく　　❻ (　　) えき

　　　　a. 高校　　b. 高い　　c. 出る
　　　　d. 駅　　　e. 思い出　　f. 外国

2 書いてください。

思	思		
高	高		
外	外		

出	出		
校	校		
駅	駅		

名前＿＿＿＿＿＿＿＿＿＿　＿＿＿＿年＿＿月＿＿日＿＿曜日

漢字ドリル　Unit 21

3 読んでください。

❶ 私にとって　たいせつな　思い出です。

❷ すみません。駅は　どこですか。

❸ いもうとは　今、高校生です。

❹ 高い　プレゼントと　安（やす）い　プレゼント、

どちらが　いいですか。

❺ 三ばん出口で　まっています。

❻ 学生：外国に　行ったことが　ありますか。

先生：学生の　とき、アフリカに　行きました。

■キーボードで 入力（にゅうりょく）します。どちらが いいですか。 (How do you type these words?)

Ex. 上	(ue（circled） / uue)	(1) 山	(yaama / yama)
(2) 思う	(omoo / omou)	(3) 会社	(kaisiya / kaisha)
(4) 学校	(gakou / gakkou)	(5) 高校	(koko / koukou)

名前 ＿＿＿＿＿＿＿＿＿＿ ＿＿＿＿ 年 ＿＿ 月 ＿＿ 日 ＿＿ 曜日

漢字ドリル Unit 22

漢字	語	読み	筆順
多	多い（おおい） many	おお	ノ ク タ タ 多 多
少	少ない（すくない） few	すく	亅 小 小 少
左	左（ひだり） left	ひだり	一 ナ 左 左 左
右	右（みぎ） right	みぎ	ノ ナ 右 右 右
時	時間（じかん） time 何時（なんじ） what time 三時（さんじ） three o'clock	じ	丨 冂 月 日 日 旪 旪 時 時 時
間	間（あいだ） between 一時間（いちじかん） (for) one hour 一週間（いっしゅうかん） one week	あいだ　かん	丨 ｢ 𠃍 門 門 門 門 門 門 間 間 間

1 どれですか。

❶（　　）おおい　❷（　　）じかん　❸（　　）みぎ

❹（　　）ひだり　❺（　　）すくない　❻（　　）さんじ

a. 三時　b. 右　c. 左

d. 少ない　e. 多い　f. 時間

2 書いてください。

多	多					少	少				
左	左					右	右				
時	時					間	間				

漢字(かんじ)ドリル Unit 22

3 読んでください。

❶ この 町は 子どもが 少ないです。

❷ 時間が ありません。

❸ 右に 行ってください。そして、左に 行ってください。

❹ 私の 国は 雨が 多いです。

❺ 中国は 日本より 人が 多いです。

❻ A: 右の えを 見てください。何だと 思いますか。

B: 木だと 思います。

A: ざんねん。男の人です。

どれですか。

(1) student （ 学校　学生　大学 ）

(2) high school （ 高校　学校　小学校 ）

(3) to read （ 言　読　話 ）

名前＿＿＿＿＿＿＿＿＿＿＿＿＿＿＿＿ ＿＿＿＿＿ 年 ＿＿ 月 ＿＿ 日 ＿＿ 曜日

漢字ドリル Unit 23

漢字	言葉	読み	書き順
母	母（はは）mother お母さん（おかあさん）mother	はは　かあ	𠃋 𠃌 𠃌 𠃌 母
父	父（ちち）father お父さん（おとうさん）father	ちち　とう	ノ ハ グ 父
安	安い（やすい）cheap; inexpensive 安全*（あんぜん）safety	やす　あん	' ' 宀 安 安 安
書	書く（かく）to write 辞*書（じしょ）dictionary	か　しょ	㇕ ⺕ ⺕ 聿 聿 聿 聿 書 書 書
名	名前（なまえ）name	な	ノ ク タ タ 名 名
天	天気（てんき）weather 天国（てんごく）heaven	てん	一 二 チ 天

1 どれですか。

❶（　　）なまえ　❷（　　）かく　❸（　　）おとうさん

❹（　　）てんき　❺（　　）やすい　❻（　　）おかあさん

a. 天気　b. お父さん　c. 書く

d. お母さん　e. 名前　f. 安い

2 書いてください。

母	母			
安	安			
名	名			
父	父			
書	書			
天	天			

名前＿＿＿＿＿＿＿＿＿＿＿＿＿＿＿＿　　＿＿＿＿年＿＿月＿＿日＿＿曜日

漢字（かんじ）ドリル　Unit 23

3 読んでください。

❶ ここに 名前（まえ）を 書いてください。

❷ あしたも いい 天気だと 思います。

❸ いい 天気だったら、富士山（ふじさん）が 見えます。

❹ 高すぎます。もっと 安いのは ありませんか。

❺ 父と 母は 東京（きょう）に 住んでいます。

❻「お父さん、お母さん、いつも ありがとう。」

漢字（かんじ） クロスワードパズル（漢字を 書いてください）

ヒント Hints

① weather

② feeling

①↓		
②→	も	ち

漢字(かんじ)ドリル Unit 24

漢字	語彙	読み	筆順
午	午後（ごご） p.m.; in the afternoon 午前（ごぜん） a.m.; in the morning	ご	ノ 𠂉 𠂉 午
後	後（あと） later 午後（ごご） p.m.; in the afternoon 後ろ（うしろ） back; behind	あと ご うし	ノ 彳 彳 彳 彳 彳 彳 後 後
前	前（まえ） before; front 午前（ごぜん） a.m.; in the morning 一年前（いちねんまえ） one year ago	まえ ぜん	丶 丷 䒑 产 前 前 前 前 前
半	半分（はんぶん） half 九時半（くじはん） half past nine	はん	丶 丷 䒑 兰 半
友	友だち（ともだち） friend	とも	一 ナ 方 友
元	元気な（げんきな） fine; healthy	げん	一 二 テ 元

1 どれですか。

❶（　　）まえ　❷（　　）うしろ　❸（　　）ごぜん

❹（　　）ろくじはん　❺（　　）ともだち　❻（　　）ごご

a. 後ろ　b. 前　c. 六時半
d. 午後　e. 午前　f. 友だち

2 書いてください。

午	午				
前	前				
友	友				

後	後				
半	半				
元	元				

漢字(かんじ)ドリル Unit 24

3 読んでください。

❶ 二年前に 日本に 来ました。

❷ 学校は 午前九時半から 午後三時までです。

❸ 友だちと 日本語で 話せるように なりました。

❹ 漢字(かんじ)が 前より 上手(じょうず)に 書けるように なりました。

❺ しごとの 後で コーヒーを 飲みませんか。

❻ おかげさまで 元気です。

■ ことばを つくってください。

日　~~本~~　学　語　生　間
人　先　話　会　気　車

Ex.	Japan	日本
(1)	Japanese people	日本____
(2)	Japanese language	日本____
(3)	train	電____
(4)	telephone	電____
(5)	company	____社
(6)	every day	毎____
(7)	weather	天____
(8)	time	時____
(9)	student	学____
(10)	school	____校
(11)	teacher	____生